PATRICK L.

J'AI MAL
À MON PAYS

BoD

À Céline P.

À tous les personnels soignants, médecins, infirmières, urgentistes, aides-soignants, passés de l'ombre à la lumière, de manifestants gazés à héros encensés le temps d'une pandémie, en espérant qu'ils ne retombent pas dans l'oubli...

La démocratie signifiait qu'on devait écouter tous les hommes, et qu'on devait prendre une décision ensemble en tant que peuple. La règle de la majorité était une notion étrangère. Une minorité ne devait pas être écrasée par une majorité.

Nelson Mandela

Ne vous demandez pas ce que votre pays peut faire pour vous, demandez-vous ce que vous pouvez faire pour votre pays.

John Fitzgerald Kennedy

Prologue

Le ciel est bas.

Si bas.

Anne a le cœur lourd.

Si lourd.

Elle tient Louise contre elle et avance, emportée par le flot de gens qui, comme elle, fuient. Cela fait si longtemps qu'elle marche. Elle est tellement fatiguée. Louise dort dans ses bras.

Alors que les nuages assombrissent leur drapé de deuil, il commence à pleuvoir.

Progressivement, les hommes, les femmes et les enfants, aussi épuisés qu'elle, se regroupent sur un vaste emplacement qu'Anne identifie comme un parking en haut d'une falaise.

La Manche est là. Bien visible à quelques mètres du bord contre une centaine en temps normal, elle balance sa grisaille écumante. L'anomalie confirme la réalité : le niveau des océans a monté.

Les passeurs orientent les exilés vers un chemin

qui plonge vers la mer étonnamment proche. Anne a une vision. Tous les gens autour d'elle sont des Africains, harassés. L'idée lui flagelle l'esprit : elle appartient au flux des migrants. La situation la renvoie malgré elle aux informations médiatiques tellement banales du nombre toujours croissant de cadavres retrouvés en Méditerranée.

Et puis tout s'accélère. En bord de mer, des barques de pêcheurs sont alignées sur ce qu'il subsiste de grève. Les passeurs hurlent des ordres dont Anne ne décrypte pas le contenu à cause de la cacophonie ambiante. Les exilés sont entassés dans les chaloupes. Dès qu'elles sont au taquet, elles s'éloignent du sol français en direction de l'Angleterre sous les coups de rames d'hommes à la musculature impressionnante, à raison de deux par embarcation.

Personne ne parle. Anne, le visage et les cheveux ruisselants de pluie, serre sa petite Louise contre elle en la protégeant du mieux qu'elle peut.

Il fait de plus en plus sombre. Des éclairs zèbrent le ciel et le tonnerre gronde en écho. Des trombes d'eau s'abattent sur la mer, et des vagues gigantesques font tanguer les barques. Louise s'est réveillée et pleure comme d'autres enfants. Anne, peu rassurée, tente de l'apaiser avec des mots réconfortants chuchotés à son oreille. Au paroxysme de la tourmente infernale, une embarcation voisine est soulevée par la puissance des flots et se retourne, projetant tous les passagers hurlant de terreur vite étouffée dans l'obscurité mouvante des abîmes.

Très rapidement, des rescapés surgissent en surface.

D'instinct, ils nagent comme ils peuvent en direction de la barque la plus proche, celle où se trouve Anne, seule alternative immédiate à leur survie.

Les deux rameurs comprennent leur intention et, sans remords, redoublent d'efforts pour s'éloigner le plus possible afin d'éviter qu'ils les rattrapent. Il n'est pas envisageable qu'ils montent avec eux. Ce serait prendre le risque de chavirer…

Mais faire progresser la chaloupe rapidement à deux dans cette tempête avec le poids de cinquante personnes relève de l'exploit.

Tous les passagers aperçoivent des naufragés qui approchent avec l'énergie du désespoir pour tenter de se hisser à bord.

Un des deux hommes réagit et assène un violent coup de rame sur le premier survivant à vouloir grimper dans l'embarcation. Dans une plongée lente et silencieuse, son corps disparaît dans l'encre noire.

Mais déjà, plusieurs autres rescapés parviennent à s'agripper aux parois. Une vague plus puissante déferle sur le côté opposé et soulève la barque.

Tout se déroule ensuite très vite. Le poids supplémentaire latéral des réchappés accentue le déséquilibre et, en une fraction de seconde, tous les passagers sont éjectés dans le vide et sombrent dans la mer glacée.

Anne se retrouve sous l'eau, retient sa respiration

et, d'instinct, lutte de toutes ses forces pour regagner la surface. C'est au moment où elle avale une bouffée d'air salvatrice qu'elle réalise, horrifiée, qu'elle a lâché Louise. Cramponnée à un bidon qui flotte près d'elle, sans pouvoir réprimer les sanglots qui lui étreignent la gorge, elle hurle son prénom en la cherchant du regard tout autour d'elle.

Soudain, dans son dos, elle entend une voix s'écrier :

— Madame, j'ai votre fille !

Anne se retourne et voit Louise en pleurs, serrée contre la poitrine de son sauveur.

— Mon Dieu, Louise, Louise !

Au moment où elle nage vers elle pour la prendre dans ses bras, une planche aux échardes saillantes et effilées, propulsée par la violence d'une vague, se plante dans la nuque de l'homme. Il coule immédiatement sans un cri, emportant avec lui le corps de l'enfant.

Les yeux écarquillés d'effroi, Anne lâche dans un hurlement interminable :

— LOUIIIIIIIIIISE…

*

— Maman ?

Anne, ruisselante de transpiration, ouvrit les yeux.

Elle était assise et réalisa où elle se trouvait.

Louise était dans sa chambre, debout, au pied de

son lit.

Elle rejeta draps et couvertures, se leva et attira sa fille contre elle.

— Ce n'est rien, ma puce. J'ai fait un mauvais rêve.

Elle réprima un frisson. Les images terribles défilaient encore dans son esprit.

Je hais les cauchemars, songea-t-elle.

2031

1

Paris
Mercredi 22 octobre 2031 – 8 h 30

Comme tous les matins, Amaury Guichard, manches de chemise retroussées, se promenait dans les jardins de l'Élysée. La couleur de l'automne lui procurait un apaisement et une sérénité qui avaient des incidences positives sur ses journées, d'autant plus que pour la saison, la température était agréable. Keynes, son bull-terrier âgé de quatre ans gambadait d'un arbre à l'autre en laissant quelques traces de son ADN.

La campagne commencerait sous peu, et il savourait d'avance sa victoire pour son second quinquennat. Il n'avait quasiment aucun doute sur ce point. Même si la bataille, avec ses coups bas et ses maillages secrets, était toujours acharnée, il avait dans ses manches quatre atouts qu'il n'étalerait jamais sur la table. Ce n'étaient pas des cartes, mais les propriétaires invisibles d'un tripot clandestin qui manipulaient la partie sur le tapis vert de la politique. Il pensait aux banquiers, au CAC 40, ou plutôt aux

PDG des entreprises qui le composent, ceux de la presse écrite et de la télévision, et aux directeurs des instituts de sondage mis en place par lui-même. C'était sa force : il savait pertinemment qu'à tout ce joli monde, il devait sa position tout en haut de la pyramide.

— Excusez-moi, Monsieur le Président...

Avant de se retourner, Amaury Guichard avait reconnu la voix du secrétaire de Daniel Trodzy, son chef de cabinet.

— Pardon de vous déranger, mais le Premier ministre et le ministre de l'Intérieur sont arrivés...

— Ah, bien, merci...

Il chercha des yeux son chien.

— Keynes, allez, viens, mon bonhomme !

En se dirigeant vers le Palais, Amaury Guichard se félicita que son ami Olivier Verneuil soit Premier ministre, et Lucas Serrano, ministre de l'Intérieur. Olivier avait fait partie de sa promotion à l'ENA. Il pouvait compter sur lui aveuglément. Et Serrano avait été commissaire puis préfet de police, un poste qui avait ponctué une brillante carrière politico-judiciaire dont il connaissait parfaitement les rouages. Avouables ou pas.

Il grimpa l'escalier Murat, rejoignit le salon doré et s'installa à son bureau. La réunion pouvait commencer. Il fit signe à son secrétaire de faire entrer ses ministres.

***

— Qu'a donné la manifestation d'hier ? attaqua-t-il à brule-pourpoint.

Lucas Serrano toussota pour s'éclaircir la gorge.

— Eh bien, mes hommes ont parfaitement maîtrisé la situation. Les charges policières ont…

Amaury Guichard l'interrompit d'un geste de la main.

— Oui, je sais tout cela. J'ai suivi l'actualité en direct sur les chaînes d'information en continu. D'ailleurs, il serait bon de demander à nos partenaires médiatiques que les images des violences répressives soient moins diffusées.

— Difficile d'éviter les vidéos anonymes sur les réseaux sociaux, le contra Serrano. Même si les hommes ont reçu l'ordre de détruire les portables des manifestants quand ils le pouvaient, il leur est impossible de lutter. Tout le monde en possède un.

— Les réseaux sociaux ? Ces poubelles à fake-news ?...

— Avec tout le respect que je vous dois, nous devons rester vigilants, Monsieur le Président. C'est là que se forgent les opinions populaires qui vous sont défavorables.

— Alors, voyez avec les responsables pour qu'ils enlèvent les images.

— C'est ce qu'ils font dès qu'ils le peuvent, mais la tâche est complexe… À peine une vidéo est-elle supprimée que d'autres fleurissent dans la foulée…

— Alors qu'ils continuent. C'est leur job ! Revenons à la manifestation ! Ce qui m'intéresse, ce sont les réactions de l'opposition…

Olivier Verneuil prit la parole.

— La droite s'est félicitée que le mouvement se soit éteint aussi rapidement…

Amaury Guichard soupira.

— Mais je me fous de ce que pense la droite. De toute façon, ce sont des petits chiens fidèles qui frétillent de la queue quand on les caresse dans le sens du poil. Parle-moi de l'opposition ! La vraie…

— Alors là, c'est moins bon, forcément.

— Explique !

— Les socialistes, l'extrême gauche, les partis écologistes, les communistes et même l'extrême droite, tous désapprouvent.

Amaury Guichard secoua la tête avec un bref rire narquois.

— Si tu m'avais dit qu'ils avaient applaudi, je ne t'aurais pas cru.

— Ce qui m'inquiète le plus, ce ne sont pas les commentaires anti-répression…

— Alors c'est quoi ?

Olivier Verneuil plissa les yeux pour l'inviter à poursuivre.

— Le problème, c'est Chabert-Lévy…

— Quoi ? Ce petit député de merde va nous casser les couilles encore longtemps ?

— Cette fois, c'est sérieux, ajouta Olivier Verneuil, légèrement embarrassé.

— Bon, cessez de tourner autour du pot ! Crachez le morceau !

Pas très à l'aise, les deux ministres se regardèrent comme pour savoir lequel des deux allait annoncer la nouvelle qui, sans aucun doute, allait lui faire grincer les dents. C'est finalement Lucas Serrano qui s'y colla.

— Tous les partis d'opposition ont proposé à leurs militants une coalition pour la campagne.

— Et quand bien même ! En cumulant tous leurs députés, sont-ils majoritaires ?

— Euh… pour le moment, non !

— Alors ? Où est le problème ? Ce n'est pas leur première tentative d'union, il me semble…

— C'est vrai, convint Olivier Verneuil. Je crois que celle-ci doit être prise très au sérieux. Chabert-Lévy, en tant que socialiste, était dans le groupe de réflexion qui a proposé cet accord. Sa cote de popularité ne cesse de monter. C'est de lui que nous devons nous méfier…

— Poursuivez, Serrano !

Le ministre de l'Intérieur se pinça les lèvres puis, d'un calme qui contrastait avec le ton agacé d'Amaury Guichard, se lança dans les précisions attendues.

— Monsieur le Président, permettez-moi de vous apporter un éclairage sur la situation telle qu'elle se profile. Comme vous l'a expliqué Monsieur le Premier Ministre, la cote de popularité de Chabert-Lévy ne cesse effectivement de grimper, c'est un fait. Grâce à… disons, certaines fuites, nous avons une longueur d'avance sur nos adversaires.

— Et là, nous avons une longueur d'avance sur

quoi ?

Lucas Serrano marqua une courte pause qui accentua une forme de contrariété peu appréciée d'Amaury Guichard.

— Eh bien, allez… Accouchez !

— Demain, Chabert-Lévy va intervenir à l'Assemblée et fera part des résultats du vote, donc il les officialisera.

Nouvelle pause.

— Nom de Dieu, Serrano, épargnez-moi votre suspense verbal. Venez-en au fait !

— Les militants de tous les partis de l'union ont voté. Ils devaient répondre à deux questions. La première, « Êtes-vous favorable à l'alliance des partis d'opposition ? » Et la seconde, « Si oui, pour lequel des trois noms pour le poste de premier secrétaire de l'union votez-vous ? ». Il annoncera les résultats. Je les connais déjà…

— Eh bien ? Allez-y !

— L'union a été approuvée à une large majorité. Le groupe a choisi officiellement le sigle UPO pour Union Parlementaire d'Opposition. Et le premier secrétaire en sera… Chabert-Lévy !

— Effectivement, lâcha Amaury Guichard, maintenant légèrement soucieux. Et bien sûr, ce sera retransmis…

— Comme toutes les interventions de l'Hémicycle, confirma Lucas Serrano.

— Je n'aime pas trop ça, conclut Olivier Verneuil. La médiatisation de son discours va accroître sa popularité. L'animal prend de plus en plus d'assurance. Trop !

Amaury Guichard se leva, glissa ses mains dans les poches de son pantalon, se déplaça vers les portes-fenêtres du salon doré, les ouvrit sans un mot et passa sur le balcon qui dominait le jardin.

Les deux ministres savaient qu'une telle sortie du Président en cours de réunion lui permettait de réfléchir et que cela aboutissait systématiquement à une proposition. Celle-ci ne dérogea pas à la règle.

Amaury Guichard rentra deux minutes plus tard et referma les portes-fenêtres. Il se dirigea vers le bureau Louis XV, chef-d'œuvre du mobilier français et meuble le plus précieux de l'Élysée. Le bruit de ses pas était atténué par le tapis somptueux de la Manufacture nationale de la Savonnerie d'époque Louis XIV qui recouvrait le parquet. Une fois assis, il posa ses coudes sur le sous-main, croisa ses doigts et plongea son regard tour à tour dans ceux de ses ministres qui attendaient, silencieux, dans les deux fauteuils du XVIIIe dévolus aux invités.

— Je suppose qu'on ne peut interdire les caméras ? commença Amaury Guichard.

— Ce serait donner trop d'importance à la prise de parole de Chabert-Lévy, argumenta Olivier Verneuil. De toute façon, la chaîne parlementaire est une institution. L'exécutif ne peut intervenir sur ce plan.

— Bon. Olivier, tu contactes Rossinel et tu lui demandes de nous arranger une allocution télévisée pour demain à vingt heures.

— En plateau ou ici ?

— Au Palais, bien sûr ! Je vais couper l'herbe sous le pied à Chabert-Lévy en annonçant mon entrée dans la campagne. Ce n'est un secret pour personne, mais si je l'officialise, j'aurai une longueur d'avance sur ce toquard.

— Je m'en occupe…

Olivier Verneuil se leva, salua le Président, et quitta le salon doré, son ministre de l'Intérieur derrière lui.

Alors qu'il s'était déjà plongé dans un dossier, Amaury Guichard aperçut Lucas Serrano, figé devant la porte ouverte, paraissant réfléchir.

— Eh bien, Serrano, un problème ?

— Puis-je vous dire un dernier mot, Monsieur le Président ?

— Oui, bien sûr !

Après avoir refermé la porte, il revint s'asseoir en face de lui.

— Si vous me permettez, j'aimerais vous faire part d'une probabilité que nous n'avons pas évoquée et qui me semble tout à fait plausible dans le contexte actuel.

— Je vous écoute…

— C'est à propos de Chabert-Lévy. Demain lors de son discours à l'Assemblée, il annoncera les résultats du scrutin et son élection au poste de premier secrétaire de l'UPO…

— Oui, vous m'en avez déjà informé tout à

l'heure…

— Ce que je n'ai pas dit, c'est le pourcentage qu'il a obtenu… Quatre-vingt-douze pour cent des votants l'ont plébiscité…

— Ah oui, quand même… !

— Maintenant, imaginez l'impact de ce score sur le peuple !

— Que voulez-vous dire ?

— Ce n'est qu'une hypothèse, mais si, fort de ce résultat et conscient de sa popularité, il annonçait sa propre candidature pour les prochaines élections présidentielles…

— Je ne le pense pas…

— Pourquoi ?

— Il n'a pas la stature intellectuelle. Un homme qui a commencé sa carrière comme mécanicien ne peut prétendre au poste de chef d'État.

— Pardonnez-moi de vous le rappeler, mais dans le passé Pierre Bérégovoy a été nommé au cabinet de Christian Pineau, à l'époque ministre des Travaux publics et des Transports dans le gouvernement d'Henri Queuille en 1949, en tant que chargé des relations avec les syndicats. Parallèlement à son activité professionnelle à GDF, il a contribué à la fondation du PSU en 1959 et rejoint le nouveau parti socialiste en 1969 où il a occupé différents postes jusqu'à la campagne présidentielle à laquelle il a participé. Après l'élection de Mitterrand en 1981, il a été secrétaire général de l'Élysée jusqu'en 1982 ; ministre des Affaires sociales et de la Solidarité nationale dans le gouvernement Pierre Mauroy de 1982 à 1984, ministre de l'Économie, des Finances et de l'Industrie dans le gouvernement Laurent Fabius de 1984 à 1986, à la même fonction dans celui de Michel Rocard de 1988 à 1991, puis ministre de l'Économie, des Finances et du Commerce extérieur dans le gouvernement Édith Cresson de 1991 à 1992 pour enfin terminer Premier ministre et en même temps ministre de la Défense de 1991 à 1992. Et pourtant, il a débuté sa carrière professionnelle comme fraiseur.

Amaury Guichard toussota pour masquer son admiration pour son ministre de l'Intérieur et sa culture politique, mais ne put s'empêcher d'ajouter :

— C'est vrai, mais ce dernier poste était trop lourd à assumer pour lui, non ?

— Vous pensez à son suicide ? répliqua Serrano.

— C'était la thèse officielle…

— Peu importe, Monsieur le Président. Je voulais juste en venir au fait suivant. Si d'aventures Chabert-Lévy annonçait sa candidature, il vous aurait devancé puisque vous n'envisagez de faire part de votre entrée en campagne que demain soir au cours de votre entretien télévisé. Pour les Français, votre intervention serait perçue comme une forme de… jalousie suite au coup de tonnerre qu'aurait provoqué Chabert-Lévy. Pour vous, cela ferait l'effet d'un pétard mouillé.

Amaury Guichard un instant décontenancé réagit dans la foulée pour ne rien en laisser paraître.

— Et que suggérez-vous, Serrano ?

— Pour moi, il est difficile de lutter contre la popularité de Chabert-Lévy. Par contre...

— Par contre ?

— Son discours aura lieu demain après-midi. Vous aurez le temps de préparer votre intervention télévisée en vous félicitant de son entrée en campagne face à vous. Vantez l'homme, ses mérites, ses qualités, ses ambitions. Sans trop en faire non plus, juste pour inverser la tendance dans l'opinion et gagner des voix parmi vos détracteurs.

— Mais... Où voulez-vous en venir ? s'offusqua Amaury Guichard, ce n'est pas ma stratégie habituelle...

Serrano ne répondit pas, mais le Président vit se dessiner un léger sourire sur son visage qui se ferma aussitôt. Il regarda machinalement autour de lui pour s'assurer qu'ils étaient bien seuls. Il poursuivit sur le ton de la confidence :

— Imaginez que pendant cet éloge que vous feriez de lui à la télévision, on apprenne qu'il a eu... un accident de voiture ?

Amaury Guichard sonda les yeux de son ministre pour tenter de déceler ce qu'il pouvait bien avoir en tête.

— Que me chantez-vous là ?

Serrano fit osciller l'une de ses mains, comme pour prolonger le caractère énigmatique de sa projection sur l'avenir de Chabert-Lévy. Amaury Guichard ajouta :

— Vous pensez au suicide de Bérégovoy ? Dans le contexte actuel, ce ne serait pas crédible... Il a le vent en poupe.

Serrano afficha cette fois-ci un franc sourire.

— Trop risqué, Monsieur le Président. Non, je songeais à un banal accident de voiture...

Il se rapprocha du bureau et se pencha vers le Président.

— Chabert-Lévy part retrouver sa femme chaque week-end dans sa résidence secondaire dans l'Aube...

— Et alors ?

— Avec les activités débordantes qu'il a en ce moment, tout le monde comprendrait qu'il se soit endormi au volant...

— C'est un peu aléatoire comme hypothèse, ne pensez-vous pas ? hasarda Amaury Guichard, intrigué.

— Ne vous inquiétez pas... Le destin, vous savez... La fatigue engendre le sommeil bien plus souvent qu'on le croit. Mais le plus important, c'est qu'avec les propos élogieux que vous auriez tenus sur votre adversaire à la télévision, l'opinion vous deviendrait plus que favorable...

Amaury Guichard abandonna son regard au-delà du salon doré au fil de ses pensées. Soudain, il se leva, déterminé.

— Laissez tomber, Monsieur le Ministre ! Premièrement, il est peu probable que votre hypothèse se confirme. Chabert-Lévy peut ne pas se présenter aux présidentielles. Il va déjà devoir gérer son nouveau poste de secrétaire de l'union. Quel est le sigle, m'avez-vous dit ?

— UPO, pour Union Parlementaire d'Opposition.

— Oui, c'est cela. UPO. Et même si c'était le cas, même s'il annonçait sa candidature, eh bien, comptez sur moi pour le contrer à ma manière dans mon intervention télévisée. Merci, Monsieur le Ministre de l'Intérieur.

***

En regagnant son bureau de la place Beauvau, Serrano savourait l'entretien qu'il venait d'avoir. La graine était semée dans l'esprit du président.

Prête à germer.

Si tel n'avait pas été le cas, il lui aurait dit « Au revoir, Serrano ! », comme d'habitude.

Et là, son « Merci, Monsieur le Ministre de l'Intérieur » était révélateur.

Les mots protocolaires de la diplomatie politique officielle…

Il ne pouvait pas se méprendre sur ce point.

Il connaissait trop bien le président.

Il suffisait d'attendre.

Juste attendre…

Après tout, on n'avait jamais été aussi proche de la nouvelle législature de Guichard.

Et pour lui, avec cinq années supplémentaires à l'Intérieur… Peut-être même… Qui sait…

2

Paris
Jeudi 23 octobre 2031 – 13 h 25

Anne Anderson quitta la clinique Arago après avoir travaillé une bonne partie de la nuit et la matinée aux urgences de chirurgie orthopédique et traumatologique où elle était infirmière. Comme chaque jour, elle remonta la rue Raymond Losserand jusqu'à la station de métro Plaisance, distante de quatre cents mètres, pour pénétrer dans une rame de la ligne 13 en direction de Saint-Denis.

Machinalement, comme chaque jour, elle descendit au bout de trois arrêts, se faufila dans les couloirs jusqu'à la ligne 12 pour embarquer en direction de la Porte de la Chapelle.

Trente minutes plus tard, comme chaque jour, elle posait le pied sur le quai de Solferino.

Une fois à l'air libre, elle remonta à pied sur soixante mètres la rue Bellechasse, puis la rue Saint-Dominique sur deux cent cinquante mètres. Elle avait hâte de rentrer. Elle ne voulait pas manquer le début du discours d'Adrien Chabert-Lévy retransmis en direct sur la chaîne parlementaire.

Comme chaque jour, elle traversa le square Samuel Rousseau, longea la rue Las Cases sur cent mètres, tourna à gauche sur la rue de Bourgogne jusqu'au numéro 20 où elle résidait. Elle composa le code digital. La porte s'entrouvrit avec le même cliquetis habituel. Elle la poussa, entra et se retrouva dans le couloir de l'immeuble. Elle regarda sa montre. « Dans les temps ! », pensa-t-elle. Sept minutes pour parcourir les cinq cent soixante mètres depuis le métro. Elle ressentit une profonde lassitude. La routine lui pesait de plus en plus.

Elle descendit directement par l'escalier jusqu'au parking du sous-sol pour récupérer sa carte bleue qu'elle avait bêtement oubliée dans sa voiture. En espérant qu'elle y serait toujours… Elle se dirigea vers sa Toyota Corolla rouge, âgée de dix ans, mais en bon état, car elle ne la prenait que pour quelques week-ends dans l'année ou parfois pour les vacances. Elle déverrouilla la fermeture électrique, ouvrit la portière et fut soulagée de retrouver sa carte bancaire dans la console centrale entre les deux sièges.

Elle verrouilla la voiture, remonta dans le hall et s'arrêta devant les boîtes aux lettres, vérifia le contenu de la sienne. Juste un prospectus publicitaire qu'elle saisit et jeta sans le lire dans la poubelle de proximité installée récemment à la demande du syndic. Ce qui n'était pas idiot. Elle referma sa boîte, se retourna, ôta ses lunettes de soleil qui ne la quittaient jamais en extérieur, quelle que soit l'heure, et aperçut son reflet dans le miroir mural. Elle était là, la femme aux cheveux blonds dont l'œil bleu unique la fixait. L'autre était masqué par un cache couleur chair.

Elle étouffa sa rage envers ce CRS qui l'en avait privé à vie dix ans plus tôt. Elle revoyait la scène au ralenti dans son esprit...

**

Paris — Mars 2021

Médecins, infirmières, tous les personnels soignants sont dans la rue. Une manifestation pacifique pour demander plus de moyens, plus de lits, plus d'embauches, une augmentation des salaires. Après une pause estivale, l'épidémie de Coronavirus Covid-19 est repartie de plus belle en novembre. Les centres de réanimation sont saturés. On ne compte plus les décès. L'État s'était engagé à apporter un soutien financier à la mesure des besoins à l'ensemble des personnels hospitaliers. Le monde entier les a vus au charbon, jour après jour, nuit après nuit, pendant les six premiers mois de la crise sanitaire. Janvier et février sont passés sans que l'exécutif donne en ce sens le moindre signe. Tous, cette fois, sont prêts à ne rien lâcher. Des milliers de Français les ont rejoints dans la rue. À un moment donné, la confrontation avec les forces de sécurité est inéluctable. Une fois de plus, la charge policière est d'une violence rare. Gaz lacrymogènes, coups de matraque, tendent à contraindre les manifestants à se replier. Anne a vingt-huit ans. Elle aide une de ses collègues à se relever. Elle se retourne pour anticiper et parer une éventuelle nouvelle attaque. C'est là qu'elle le voit. Le CRS braque sur elle une sorte de gros revolver dont l'orifice noir lui semble aussi immense que celui du fût d'un canon. Elle distingue son regard à travers une protection en plexiglas. Il est vide. Implacable. Il ne peut pas tirer sur une femme, qui plus est, non armée… Sa réflexion n'ira pas plus loin, interrompue par une violente douleur au visage auquel elle porte instinctivement les mains. Juste avant de perdre connaissance, elle sait que son œil est touché.

***

Jeudi 23 octobre 2031 – 14 h 10

Elle perçut un élancement fugace dans son crâne et abandonna son reflet à ses tristes souvenirs. Deux étages à pied et elle retrouverait Louise. En grimpant, elle songea à la chance que Thérèse soit la nourrice de sa fille, et que son appartement soit sur le même palier que le sien.

Comme chaque jour, elle sonna.

Comme chaque jour la porte s'ouvrit.

Comme chaque jour, sa petite fille de trois ans lui sauta dans les bras.

— Mamaaaaaan !

— Bonjour, ma puce ! dit Anne en l'embrassant. Tu as été sage ?... Bonjour Thérèse ! Ça s'est bien passé ?

— Bonjour, Anne, ne vous inquiétez pas ! Elle a été adorable… Comme d'habitude…

— On a fait un gâteau avec Nounou, lança

joyeusement Louise…

— C'est bien, mon lapin. Allez, on y va…

— Merci, Thérèse. Bonne fin d'après-midi !

— Oh, elle sera bonne. Il y a Chabert-Lévy qui parle à l'Assemblée… Ça passe à la télé…

— Oui, je vais regarder aussi…

— Tu fais un bisou à Nounou, Lou ?

— Oh ben, oui ! s'exclama la petite fille en se jetant dans ses bras.

— Oh, ma nénette… Je l'adore, ajouta Thérèse, ravie.

— À demain, alors !

— Oui, au revoir ! À demain !

Juste avant que les portes des deux appartements ne se referment, Thérèse et Louise s'adressèrent un dernier signe convenu de la main.

Dès qu'elle fut déshabillée, Louise se précipita dans sa chambre pour retrouver tous ses trésors. Anne alluma le téléviseur, sélectionna la chaîne parlementaire, et se laissa tomber dans le fauteuil pour se reposer, sans dormir, en attendant **LE** discours.

***

Jeudi 23 octobre 2031 – 15 h 00

Les députés de droite regroupés dans le salon Pujol se perdaient en conjectures sur la séance à venir, marquée surtout par le drame qui avait touché l'armée française la veille. Jocelyn Guillaumet, le président de l'Assemblée, l'évoquerait en début de session. C'était une évidence. Hormis ce drame, personne n'ignorait l'imminence de l'intervention de Chabert-Lévy, dit « Le colonel », en référence au roman d'Honoré de Balzac, « Le Colonel Chabert ». Il devait annoncer officiellement les résultats du vote des militants d'opposition sur une probable union de leurs partis. Pendant ce temps, dans le salon Delacroix, les députés de gauche, touchés aussi par le drame national, savouraient à l'avance la prise de parole de leur camarade. Son argumentaire à charge contre la gouvernance de la France servirait de préambule à leur victoire.

Adrien Chabert-Lévy entra avec deux confrères au Palais Bourbon par la grande Rotonde et gagna directement le salon Delacroix où il salua plusieurs députés d'opposition.

L'homme impressionnait par sa taille. Il dépassait le mètre quatre-vingt-dix. Son port altier, conjugué avec sa rigidité corporelle, inspirait, au premier regard, un profond respect mêlé d'une crainte inexplicable.

Olivier Verneuil, Premier ministre, suivi de son ministre de l'Intérieur, Lucas Serrano, et de trois autres ministres de son gouvernement, traversa la salle des pas perdus. Il passa devant le salon Delacroix adressa un bref signe de tête aux députés de gauche, s'engouffra dans le salon Casimir-Perier sans s'y arrêter et pénétra dans l'Hémicycle.

À l'instar des membres du gouvernement, tous les députés de quelque bord qu'ils soient gagnèrent leur siège à leur nom.

Pendant ce temps, dans la salle des pas perdus, le Président de l'Assemblée, Jocelyn Guillaumet, franchissait la double haie d'honneur des Gardes républicains au son des tambours. Il se dirigea vers la porte d'accès à la salle des séances, jeta par habitude un coup d'œil à la statue de Minerve qui la jouxte sur la gauche, et entra dans l'arène.

Tous les députés se levèrent. Le Président resta lui-même debout et prit la parole :

— Mesdames, Messieurs les Députés, vous n'êtes pas sans savoir le drame qui a affecté notre pays hier soir. Quarante-deux militaires de notre armée déployée en Irak pour lutter contre le terrorisme islamique sont morts dans un attentat-suicide de grande ampleur. On dénombre également plus de deux cents victimes parmi la population. Les corps seront rapatriés en France et le Président de la République leur rendra un hommage national dans la cour d'Honneur des Invalides lundi prochain. En mémoire de ces quarante-deux soldats morts pour la patrie, nous allons observer une minute de silence.

Tous les membres et personnels de l'Assemblée se figèrent dans une longue communion dont l'émotion collective était palpable. Le temps semblait arrêté.

Jocelyn Guillaumet reprit finalement la parole et invita tout le monde à s'asseoir. Après quelques échanges sur l'ordre du jour avec deux de ses secrétaires, il annonça solennellement :

— La séance est ouverte. Mesdames, Messieurs les Députés, sur proposition des quatre présidents des groupes parlementaires de gauche avec qui je me suis entretenu, je suis autorisé à vous informer que chacun abandonne exceptionnellement ce jour son temps de parole au premier secrétaire du Parti socialiste, Monsieur Adrien Chabert-Lévy. Monsieur le Député, le temps de parole de votre intervention sera donc de vingt minutes.

Et pour conclure, il désigna de la main l'endroit destiné aux orateurs sous le perchoir.

Adrien Chabert-Lévy quitta son siège et se dirigea vers la tribune. Une fois en place et après avoir remercié le Président, il prit la parole.

— Monsieur le Président, Mesdames et Messieurs les Députés, mes chers collègues… Au nom des partis d'opposition pour qui je m'adresse aujourd'hui, je tiens à exprimer mes condoléances aux familles des victimes et à leur faire part de notre tristesse et de notre profonde émotion…

Il marqua ensuite une légère pause et balaya du regard l'ensemble des députés quelques secondes avec une lenteur calculée et, comme son intervention était plus qu'attendue, le silence s'imposa. Tel qu'il l'avait pressenti, le public garnissait allègrement les galeries et tribunes qui cernaient le haut de l'Hémicycle. Les cent quatre-vingt-dix-huit places dévolues aux journalistes étaient toutes occupées et il ne faisait aucun doute que toutes les caméras tournaient.

Il prit une profonde inspiration, conscient de la solennité de l'instant privilégié qu'il vivait.

Les premiers mots qu'il avait choisi de prononcer en introduction, il les connaissait par cœur pour avoir planché des heures sur l'impact qu'ils devaient avoir, donc être percutants. D'où le choix de l'anaphore qui claqua comme un coup de fouet.

— J'ai mal à mon pays !... J'ai mal à mon pays parce qu'il souffre. Il agonise. Il meurt à petit feu. J'ai mal à mon pays parce que depuis plus d'un demi-siècle, la Finance a manœuvré nos gouvernants afin qu'ils imposent la rentabilité et la richesse comme principes fondamentaux de notre civilisation. J'ai mal à mon pays parce que l'égoïsme et l'individualisme ont tué les principes élémentaires de la société. J'ai mal à mon pays parce que ses plaies saignent. Le service public a disparu. Les hôpitaux sont devenus des entreprises en recherche de profits au détriment de la santé. L'école s'est transformée en valeur marchande avec la privatisation du système éducatif. J'ai mal à mon pays parce que l'espérance de vie a chuté. L'âge de la retraite, année après année, est passé insidieusement de soixante-deux à soixante-dix ans. Pour ceux qui y parviennent. J'ai mal à mon pays parce que la seule philosophie et la seule politique qui vaillent depuis trente ans au détriment du peuple, sont celles de l'économie de marché.

Il jeta un coup d'œil rapide à son plan sur la feuille posée sur le sous-main.

— En 1776, Adam Smith, pourtant partisan du libéralisme, soutenait que l'État devait se soucier du bien public, que l'économie ne saurait fonctionner sans vertu et que le marché produisait des effets pervers qu'il fallait corriger. Aujourd'hui, nous sommes bien loin de cet idéal moral et politique. Et c'est bien la raison pour laquelle, on parle depuis les années soixante-dix de néolibéralisme qui prône une réduction du rôle de l'État et le développement du marché dans tous les domaines. Sur le plan socioculturel, c'est une idéologie hédoniste qui vise l'augmentation des droits individuels. Elle valorise l'intérêt égoïste au détriment du devoir collectif et des vertus communes. Et l'État n'est pas neutre. Il pousse vers la dérégulation, accentue la compétition, ce qui a provoqué et provoque encore aujourd'hui de graves tensions sociales. J'ai mal à mon pays, parce que les théories avancées depuis le début de ce vingt-et-unième siècle par les partisans de la collapsologie, à savoir l'effondrement de notre civilisation, se vérifient de jour en jour. L'effondrement de la civilisation a déjà commencé. Les bases de notre modèle social se fissurent. Les fondations s'affaissent. Inexorablement, nous basculons vers le chaos. J'ai mal à mon pays parce que tous les frais occasionnés pour soigner ses blessures ne sont remboursés par aucune protection sociale que l'État s'est évertué à démanteler, d'abord en douceur avec la baisse programmée de la part socialisée des salaires et l'augmentation de la contribution sociale généralisée, puis évidemment la fermeture des établissements hospitaliers au profit du secteur privé lucratif, les compagnies d'assurances. J'ai mal à mon pays parce que depuis quatorze ans, le peuple qui n'a fait que manifester sa désapprobation et sa colère a été confronté à une répression policière sans limites avec l'aval des différents gouvernements qui se sont succédé jusqu'à aujourd'hui. J'ai mal à mon pays parce qu'en quatorze longues années, plus de mille de ses enfants ont été éborgnés, amputés ou même sont décédés, par noyade ou asphyxie, et ce malgré les condamnations répétées du parlement européen, de l'Organisation des Nations Unies après des analyses approfondies réitérées de groupes d'experts des droits de l'homme sur l'usage disproportionné de la force par la police française. J'ai mal à mon pays parce que la démocratie telle qu'elle est conduite aujourd'hui n'est qu'un vaste camouflet. J'ai mal à mon pays parce que quatre-vingt-cinq pour cent de Français sont sous le joug d'une minorité qui n'a d'autres ambitions que celles de s'enrichir. J'ai mal à mon pays parce que la politique d'immigration européenne à laquelle adhère la France a transformé la Méditerranée en cimetière depuis quinze ans : plus de 23 000 morts dont on a retrouvé les corps et 67 000 disparus. J'ai mal à mon pays parce qu'au nom du profit, la politique agricole n'a jamais reculé sur les pesticides, les politiques industrielles et de transport ont intensifié l'accumulation de gaz à effet de serre qui contribue toujours plus au réchauffement climatique. La température s'est élevée de deux degrés en dix ans. J'ai mal à mon pays et à ma planète, parce que depuis la sécheresse et les incendies gigantesques qui ont sévi depuis quinze ans aux États-Unis, en Australie, en Amazonie, en Afrique du Sud, les observateurs ont conclu que les rencontres internationales, pour endiguer le fléau, initiées un peu partout dans le monde — dont certaines en France — n'ont servi et ne servent à rien. Les règles peinent à être appliquées. J'ai mal à mon pays parce qu'il faudra que la nature se déchaîne pour que se développe une véritable citoyenneté environnementale de par le monde. À défaut de prendre des mesures d'urgence, l'apocalypse aura lieu plus vite que prévu. Monsieur le Président, Mesdames et Messieurs les Députés, mes collègues présidents des groupes d'opposition et moi-même, pour le groupe socialiste, avec l'aval électoral majoritaire de tous nos militants respectifs, nous vous annonçons officiellement que nous avons formé un parti unique, fondé sur l'union des quatre partis d'opposition : l'UPO pour Union Parlementaire d'Opposition. Et toujours à la majorité des votants, j'ai l'honneur de vous annoncer que je représenterai ce parti unique pour les prochaines élections présidentielles.

Des applaudissements nourris de l'ensemble des

députés d'opposition explosèrent dans l'Hémicycle. D'un geste éloquent, Adrien Chabert-Lévy réclama le silence. Quand le calme fut revenu, il poursuivit :

— En conclusion, j'aimerais vous lire une citation extraite du film « *Le dictateur* » sorti en 1940 au début de la Seconde Guerre mondiale. Charlie Chaplin fait dire au personnage du barbier juif qu'il interprète « *Vous, le peuple, vous avez le pouvoir, le pouvoir de rendre la vie belle et libre, le pouvoir de faire de cette vie une merveilleuse aventure. Alors au nom même de la Démocratie, utilisons ce pouvoir. Il faut tous nous unir, il faut tous nous battre pour un monde nouveau, un monde humain qui donnera à chacun l'occasion de travailler, qui apportera un avenir à la jeunesse et à la vieillesse la sécurité.* » Je vous remercie.

Olivier Verneuil envoya un SMS à Lucas Serrano.

> Je vais au château.
> Ça doit bouillir...

Dès qu'il fut certain que son ministre de l'Intérieur avait reçu le message, il s'éclipsa.

Alors qu'Adrien Chabert-Lévy regagnait sa place, tous les députés de gauche s'étaient levés et applaudissaient à nouveau à tout rompre.

L'aile droite de l'Hémicycle ne réagissait pas. Certains quittaient même la salle des séances, comme pour manifester leur désapprobation au fait que cette annonce ait pu être autorisée dans l'Hémicycle. En temps normal, l'entrée en campagne présidentielle d'un candidat était déclarée en dehors de ces murs, devant les médias.

Le Président Guillaumet, face à ce chahut ambiant, lança dans le micro :

— La séance est suspendue pour une durée de trente minutes.

Et il quitta le perchoir suivi de ses conseillers et vice-présidents.

***

Dans le salon Delacroix où s'étaient rassemblés les députés de gauche, tous félicitaient Chabert-Lévy pour son discours éloquent, jamais agressif, mais toujours percutant avec cette fameuse et géniale idée du pays qui souffre. Et il ne faisait aucun doute que sa candidature réjouirait les masses populaires.

***

Olivier Verneuil se fit annoncer et rejoignit Amaury Guichard dans son bureau. Le Président ne décolérait pas.

— Ah, l'enfoiré ! Il l'a fait… Il l'a fait…

— Nous t'en avions informé avec Serrano. Ses sources sont toujours bonnes.

— Oui, je sais, mais quand même… Depuis quand un député se permet-il d'annoncer sa candidature aux élections présidentielles dans un discours à l'Assemblée ?

— Il y était autorisé en tant que porte-parole de tous les partis d'opposition. Tu n'aurais pas dû éteindre le téléviseur. Les médias l'attendent dans la salle des quatre Colonnes, tu penses...

— Tu as raison. Tiens, dit le Président en lui tendant la télécommande, cherche une chaîne d'infos en continu.

— Laquelle ?

— On s'en fout. Je suppose que tous les charognards vont diffuser ces...

— Justement, il est en cours d'interview...

Amaury Guichard se rapprocha de l'écran, mais resta debout.

... grande journée pour l'UPO. Le chemin va être long, mais j'ai une totale confiance en mon électorat.

— Seriez-vous prêt à affronter le Président de la République dans un débat télévisé dans le cadre de la campagne ?

— Si nous sommes en course au second tour tous les deux, oui, bien sûr ! Mais nous n'en sommes pas encore là. La campagne ne démarrera officiellement qu'en novembre, tout est à faire, tout est à construire.

Un autre journaliste se jeta sur lui avec son micro. La bonnette était estampillée du sigle de sa chaîne TV.

— *Monsieur Chabert-Lévy, si vous étiez élu, quelles*

seraient les premières mesures que vous prendriez ?

— Nous n'y sommes pas encore. Le chemin va être long, difficile, semé d'embûches. Mais admettons que je sois élu. Ce n'est pas une mesure que je prendrai. C'est une ordonnance…

— Encore faut-il qu'elle soit approuvée par les députés… Pensez-vous que si vous étiez élu, vous auriez une majorité parlementaire ?

— Je le crois, mais là n'est pas le problème immédiat. Je reviens sur mon ordonnance. C'était une image, un symbole. Je voulais dire qu'une fois élu, je délivrerai toute une série de médicaments pour soigner mon pays.

— Vous pensez aux souffrances du peuple ?…

— Oui, évidemment ! Il n'y a jamais eu autant de Français qui vivent en dessous du seuil de pauvreté. Le taux de chômage flirte avec les dix-huit pour cent. Les retraités sont contraints de trouver des petits emplois afin de compléter leurs pensions insuffisantes. Les plus démunis meurent faute de soins et de pouvoir souscrire à des assurances privées. L'alerte a été lancée, voilà plus de dix ans, par les médecins, les infirmières qui, par manque de moyens, ont vu les établissements hospitaliers fermer ou être privatisés. Et je ne veux pas parler ici de répression policière et du nombre de mutilations accrues en dix ans. Notre jeunesse est désarmée face à l'avenir. La privatisation de notre système scolaire et universitaire, devenu le terreau de l'économie de marché, a favorisé un élitisme fondé sur le capital humain.

— Pardonnez-moi, mais votre analyse n'est ni plus ni moins qu'un diagnostic. Quels remèdes préconiseriez-vous ?

— En tête de liste, la nationalisation !

— Rien que ça ! rugit Amaury Guichard. Quel connard ! Et il croit vraiment que ceux qui tirent les ficelles vont se laisser faire sans rien dire ?

— Attends ! Écoute ! On lui pose une question sur l'écologie…

— Ah, ah ! s'esclaffa Amaury Guichard. Le sauveur de la planète…

— … et pensez-vous organiser des rencontres internationales pour parer à l'urgence ?

— Urgence ? Le mot est faible. Comme je l'ai dit dans mon discours, les observateurs ont conclu que les conférences mondiales annuelles sur le climat et ce, depuis le Sommet de la Terre de Rio de Janeiro en 1992, n'ont servi à rien. Les accords ont été signés, mais peinent à être mis en place. La température de l'air augmente, la sécheresse s'intensifie, les incendies prolifèrent d'année en année, le niveau des océans ne cesse de s'élever. Les grandes décisions auraient dû être prises depuis les années soixante-dix. Je ne veux pas être alarmiste, mais nous allons devoir vraiment retrousser nos manches. Sérieusement.

— Avez-vous déjà des idées sur ce sujet ?

— Oui, mais j'en parlerai plus tard. Nous réfléchissons sur ce point avec mes partenaires…

— Sous-entendez-vous que vous élaborez un programme commun de la gauche, comme en 1974 ?

— Tout à fait. Il s'énonce en une seule phrase : redonner au peuple de France sa dignité. Je vous remercie.

Adrien Chabert-Lévy abandonna les journalistes et quitta la salle des Quatre Colonnes, accompagné des premiers secrétaires de chaque parti d'opposition et une cohorte de députés acquis à la cause commune. Olivier Verneuil éteignit le téléviseur et se tourna vers Amaury Guichard.

— Comment comptes-tu réagir ? Après un tel exercice médiatique, sa cote va encore grimper. Il est sur les rails. Te voilà avec un rude concurrent.

Le Président marchait en rond, en silence, les mains dans les poches. Comme à son habitude, il sortit sur le balcon.

Olivier Verneuil reçut un appel sur son portable.

— Allô ?... Oui, c'est moi... Bonjour Robert... Alors ?

Il écouta son interlocuteur une longue minute sans un mot. Robert de Gossaert enseignait à l'ENSAE[1] qui œuvrait incognito pour Matignon. Il pouvait lancer des sondages ultra-rapides avec ses étudiants via les réseaux sociaux et une liste téléphonique tenue secrète, quels que soient les sujets. Et les résultats de celui qu'il avait mis en place pendant et après le discours de Chabert-Lévy allaient bien plomber l'ambiance à l'Élysée.

— Merci, conclut Olivier Verneuil soucieux.

Il éteignit son portable au moment où le Président rentrait dans le salon après sa réflexion sur le balcon.

---

[1] École Nationale de la Statistique et de l'Administration Economique

Nul besoin d'être devin pour imaginer sa réaction lorsqu'il lui ferait part de l'information qu'il détenait. Amaury Guichard ne lui laissa pas le temps de s'exprimer.

— J'ai pris ma décision. J'interviendrai comme prévu demain soir à la télévision. Arguments à l'appui, point par point, je vais démolir le discours de Chabert-Lévy et je terminerai en annonçant officiellement mon entrée dans la campagne. Tu as contacté Rossinel ?

— Mes services s'en sont chargés. Mais j'ai une information à te donner…

— Laquelle ?

— De Gossaert m'a appelé. Il a lancé ses étudiants sur un sondage éclair sur les éventuelles orientations électorales entre toi et Chabert-Lévy au second tour.

— Et alors ? répliqua Amaury Guichard, vaguement inquiet.

— Pas bon. Pas bon du tout. Sur son panel habituel contacté, soixante-quinze pour cent voteraient en faveur de Chabert-Lévy.

— Soixante-quinze pour cent, répéta Amaury Guichard, tout à coup ailleurs.

Olivier Verneuil se garda bien d'intervenir et attendit patiemment sa réaction. Quand enfin il se lâcha, Olivier Verneuil remarqua que le ton était calme, posé. Même froid.

— Où est Serrano ?

— Eh bien, il a assisté à la séance parlementaire…

— Bon, je le verrai plus tard. Je sais comment

renverser la vapeur.

— Pas d'allocution demain ? Tu as raison. Ce serait vraiment faire preuve de faiblesse que réagir à chaud. Et l'aveu de ta crainte.

— Si ! Je veux passer à la télévision. Pas pour me défendre, juste pour féliciter Chabert-Lévy et le mettre en valeur…

— Mais…

— Les Français apprécieront. C'est certain.

— Et tu crois que ce sera suffisant pour te faire remonter dans les sondages ?

Amaury Guichard se leva. Olivier Verneuil l'imita et le président vint vers lui, le raccompagna à la porte, un bras sur son épaule.

— Demain sera un autre jour.

***

Dès qu'il fut seul, Amaury Guichard prit son portable, le fixa un instant dans la paume de sa main, puis appela son ministre de l'Intérieur.

3

Entre Paris et Troyes
Vendredi 24 octobre 2031 – 19 h 20

Au volant de sa berline à motorisation électrique à intégrale, Adrien Chabert-Lévy filait vers Provins pour un repos bien mérité dans sa résidence principale située à Bouy-sur-Orvin, petit village de l'Aube à quelques kilomètres de la limite avec la Seine-et-Marne.

Entre les réunions au parti socialiste, celles avec les premiers secrétaires de ceux de l'UPO, ses participations aux commissions parlementaires au château de Lassé, ses interventions médiatiques et maintenant la campagne présidentielle qui se profilait, son agenda mensuel plus que rempli ne lui permettait pas de rentrer chez lui chaque soir. Aussi louait-il un petit appartement rue de Lappe, dans le 11e à Paris, qui avait l'avantage d'être à mi-chemin entre l'Assemblée nationale et Ivry-sur-Seine où se situait le siège du parti depuis douze ans. À deux pas de la place de la Bastille. Tout un symbole. Mais rien n'aurait pu le faire déroger à la règle qu'il s'était imposée : le vendredi, c'était fermeture de la boutique. Rideau. Deux jours en famille.

Il avait hâte de retrouver sa femme Isabelle, professeure de lettres modernes au lycée général Camille Claudel à Troyes, et ses deux enfants. Arthur, l'aîné, avait vingt-et-un ans. Il était en troisième année de médecine et envisageait une carrière en chirurgie cardiaque. Annabelle, de trois ans sa cadette, était en terminale, option littérature, et avait l'ambition de devenir romancière. Pour l'aspect aléatoire, la fragilité de la profession et surtout la probabilité non pas de l'échec, il n'aimait pas ce terme, mais qu'elle soit confrontée aux murs si difficilement franchissables de l'édition, toute Chabert-Lévy qu'elle fût, il aurait souhaité qu'elle eût des aspirations plus concrètes. Le sujet revenait souvent dans les discussions familiales, mais Annabelle avait tout le soutien de sa mère, ravie que sa fille envisage une carrière littéraire.

Adrien Chabert-Lévy quitta le dernier hameau au crépuscule. Plus que quinze kilomètres en campagne, sans une seule habitation, une route complètement déserte, sans la moindre circulation à cette heure déjà avancée d'une journée de fin octobre. Dans dix minutes, il serait enfin chez lui pour un repos bien mérité.

Il amorça une large courbe qui disparaissait dans une petite forêt. Alors que la route fuyait à nouveau en ligne droite entre les arbres, son regard se porta au loin sur les feux de détresse d'une 206 blanche arrêtée sur le bord, légèrement en travers. Il ralentit en passant à proximité. Une jeune femme vêtue d'un imperméable beige était appuyée contre la portière côté conducteur, les bras croisés. En passant à son niveau, il estima qu'elle devait avoir dans la trentaine. Elle se redressa en le suivant des yeux, comme un appel à l'aide, mais timide. Elle était seule. Sa conscience l'incita à s'arrêter. Il mit son clignotant, roula encore quelques mètres et se gara. C'est alors qu'il repéra dans son rétroviseur que l'avant de la voiture était défoncé. Avec stupeur, il découvrit un chevreuil étendu sur le sol, devant le véhicule, vraisemblablement à l'origine de l'accident.

Bon, il devait lui venir en aide…

Il coupa son moteur, ouvrit la portière, descendit de sa berline et se dirigea vers la jeune femme qui semblait traumatisée.

— Merci de… de vous arrêter, monsieur, c'est… c'est gentil.

— Je vous en prie. C'est normal, la rassura Adrien, un œil sur le chevreuil qui ne donnait plus signe de vie.

— Je ne l'ai pas vu surgir… Il s'est retrouvé d'un bond devant moi, et je l'ai percuté presque sans m'en rendre compte… C'est affreux…

Son visage trahissait l'émotion de ce qu'elle venait de vivre. Adrien posa une main sur son épaule pour la réconforter.

— Ce sont malheureusement des choses qui arrivent. Vous n'y êtes pour rien… Bon, le principal est que vous, vous n'ayez rien. Vous ne pouvez plus démarrer ?

— Si, j'ai tenté de reculer, mais lorsque j'appuie sur l'accélérateur, le moteur s'emballe et la voiture ne bouge pas.

— Vous ne pouvez pas appeler quelqu'un ?

— Non, j'ai oublié mon portable…

— J'ai le mien. Je vous le prête, proposa Adrien, sa main déjà dans la poche intérieure de sa veste.

— C'est gentil. Mais je ne me souviens d'aucun numéro…

— Ah ça, c'est l'inconvénient du tout numérique. Nous ne faisons plus travailler notre mémoire. Bon, j'ai été mécanicien autrefois. Je vais jeter un œil pour tenter de comprendre où est le problème. Pouvez-vous ouvrir le capot s'il vous plaît ?

— Euh… je ne sais pas comment on fait…

Adrien sourit à l'inexpérience de la jeune femme.

— Laissez-moi faire !

Tout ce qui se passa ensuite alla très vite.

Adrien ouvrit la portière et se pencha pour atteindre la poignée de déverrouillage.

À cet instant, sans hésitation, la jeune femme sortit une seringue de la poche de son imperméable et la planta dans la nuque de Chabert-Lévy. Surpris par cette piqûre inattendue, il lâcha un bref « aïe », une main posée d'instinct sur l'arrière de sa tête. En vain. Il s'écroula au pied du siège, sous le volant.

La jeune femme saisit un talkiewalkie, le connecta et le porta à ses lèvres.

— Go !

Elle entendit un moteur démarrer. Dix secondes plus tard, un énorme 4x4 Mercédès déboîta d'un chemin de traverse proche. Il s'arrêta près de la 206. Toute la scène qui se déroula ensuite était planifiée et fut extrêmement rapide. Trois individus en costume sombre et gants noirs en descendirent.

La jeune femme rejoignit le conducteur dans l'habitacle du SUV.

Un premier homme, massif, avec un cou de taureau et des poings comme des enclumes — d'ailleurs, c'était son surnom —, souleva le chevreuil inerte, traversa la route et le jeta dans le fossé opposé, derrière un arbre.

Les deux autres hommes s'emparèrent du corps de Chabert-Lévy et le déposèrent à l'orée du bois, à l'abri des regards.

L'un des deux s'installa dans la 206, démarra et s'engagea sur le chemin où était apparu le 4x4. Le second se mit au volant de la berline de Chabert-Lévy, s'éloigna de plusieurs centaines de mètres en marche arrière et s'immobilisa. Prêt à repartir en avant.

La 206 roula sur environ cinq cents mètres jusqu'à une clairière. Le conducteur en descendit, ouvrit le coffre et s'empara d'un bidon d'essence avec lequel il arrosa copieusement l'intérieur et le moteur. Il abandonna le bidon vide dans l'habitacle, sortit une boîte d'allumettes de sa poche, en craqua quatre ou cinq en même temps, et les lança dans le véhicule.

Dans la voiture de Chabert-Lévy, l'homme posa

contre sa cuisse le bout de madrier qu'il avait emporté avec lui puis attacha une cordelette de soixante centimètres au volant. À l'autre extrémité, il créa une boucle avec un nœud coulant et laissa pendre la cordelette. Il inspira une seule fois à fond. Expulsa l'air dans un souffle court, puis appuya sur l'accélérateur.

La berline puissante prit de la vitesse.

Parvenu à une centaine de mètres de l'endroit où l'attendait « l'enclume », il tourna légèrement le volant sur la gauche pour amorcer une longue diagonale en travers de la route.

Un coup d'œil sur le compteur…

Quatre-vingts kilomètres-heure…

Et l'aiguille continuait à grimper…

Tout se déroula ensuite en quelques secondes.

Il bloqua le madrier entre le siège et la pédale d'accélérateur. D'un geste rapide, il passa le nœud coulant sur le levier de la boîte de vitesse automatique et tendit la cordelette pour bloquer le volant de manière à ce que la berline conserve la trajectoire désirée.

Elle longea le bas-côté couvert de feuilles mortes sur la gauche de la route et l'homme évalua qu'elle allait bien percuter l'arbre choisi. Sans hésiter, il ouvrit le plus largement possible la portière et se jeta à l'extérieur en roulé-boulé comme du temps où il était en stage commando.

Alors qu'il se redressait, la berline s'encastra dans l'arbre quelques mètres plus loin dans un craquement de tôle et l'explosion du pare-brise. Il courut jusqu'au véhicule. L'avant était complètement défoncé, de la vapeur s'échappait de sous le capot tordu et l'habitacle s'était compressé sur plusieurs dizaines de centimètres.

Sans un mot, il récupéra le bout de madrier bloqué sur la pédale d'accélérateur et détacha la cordelette. « L'enclume » le rejoignit, le corps de Chabert-Lévy sur l'épaule.

Ensemble, avec beaucoup de difficultés à cause de l'exiguïté de l'espace consécutive au choc et à l'airbag gonflé, ils parvinrent à le glisser sur le siège conducteur.

Quand il fut en place, l'homme qui avait organisé le faux accident lança brièvement à son collègue :

— Magne-toi ! Je t'attends dans la bagnole.

« L'enclume » acquiesça. Dès que son partenaire se fut éloigné, il regarda dans la voiture.

Chabert-Lévy était assoupi profondément.

Il s'empara d'un éclat de pare-brise et sans hésiter le planta dans la membrane de l'airbag afin que le gaz comprimé s'échappe. Ensuite, d'une main, il attrapa la nuque de Chabert-Lévy, banda son biceps et ses pectoraux et, avec une force inouïe, propulsa sa tête contre le volant dans un choc mat et sourd. Il tira le buste contre le dossier du siège pour évaluer le résultat. Une ecchymose se formait autour de l'impact… La peau était fendue sur cinq centimètres et le sang perlait… Pas suffisant… Trois fois de suite, il réitéra le geste d'une violence presque surnaturelle et là, une giclée d'hémoglobine arrosa le tableau de bord.

« L'enclume » rejeta à nouveau le corps contre le dossier du siège. Il eut un rictus de satisfaction. Cette fois, le crâne avait explosé. Par la plaie suintaient des petits bouts de cervelle sanguinolente.

Il ôta un gant et avança sa main vers le cou de sa victime, posa un doigt sur la carotide. Quelques pulsations anarchiques. Puis, plus rien. Il avait son compte.

Il enfila le gant, et bascula le corps vers l'avant, de manière à ce que la tête soit en contact avec le volant éclaboussé.

Un coup d'œil pour vérifier que rien ne pouvait les trahir…

Impeccable.

Alors qu'il allait partir, il lâcha un « merde » éloquent quand il s'aperçut qu'il allait oublier un des éléments clef de la mise en scène.

Il se précipita sur le chevreuil qui gisait de l'autre côté de la route près de l'arbre où il l'avait déposé, le prit à bras-le-corps et se dirigea vers l'avant défoncé du véhicule. Il contracta ses muscles et lança le cadavre contre l'aile de la berline. « L'enclume » vérifia que l'objectif était atteint : des poils s'étaient bien incrustés dans la tôle pliée.

Il ramassa une dernière fois la dépouille et alla le jeter une dizaine de mètres en arrière, dans le fossé.

Satisfait, il rejoignit le 4x4 Mercédès à l'arrière

duquel il s'engouffra.

Dans un rugissement de moteur et un crissement de pneus, le SUV s'élança dans la courbe au bout de laquelle il disparut.

L'un des passagers tapota un numéro sur le clavier de son téléphone portable qu'il colla à son oreille. Il attendit quelques secondes. Quand son interlocuteur décrocha, il prononça juste deux mots avant de couper la communication.

— Mission accomplie.

Il était 19 h 50.

Là-bas, loin derrière, pas un oiseau ne chantait.

Le silence enveloppait la berline explosée contre l'arbre.

4

Paris
Vendredi 24 octobre 2031 – 19 h 58

Dans le salon d'argent transformé pour l'occasion en plateau de télévision éphémère, l'équipe se préparait à lancer la diffusion en direct de l'allocution du président de la République. Le régisseur s'assura que les deux cadreurs, l'ingénieur du son, le directeur de la photographie, sous le regard rigoureux du chargé de production, étaient opérationnels.

– Antenne dans deux minutes, annonça la voix de la réalisatrice depuis le camion-régie extérieur stationné dans la cour de l'Élysée.

Dans les studios en bord de Seine, à trois kilomètres de là, sur le plateau de la chaîne, deux journalistes du 20 h, un œil sur un moniteur de contrôle qui affichait le compte à rebours, commentaient les réactions du monde politique au discours de Chabert-Lévy, la veille à l'Assemblée. Et ils ne pouvaient que se perdre en conjectures sur le contenu de l'allocution d'Amaury Guichard qui aurait lieu dans quelques instants. La question que tous se posaient : allait-il en parler ou pas ?

Une maquilleuse ajustait des raccords de fond de teint sur le visage d'Amaury Guichard, apparemment tendu. Toujours ce foutu trac du direct…

Mais il savait que ce stress disparaîtrait aux premiers mots qu'il prononcerait.

— Est-il possible d'avancer légèrement le prompteur vers moi ? demanda-t-il. Peut-être une question de netteté, ou d'adaptation à ma vue, ajouta-t-il en souriant…

Le régisseur déplaça l'appareil de quelques centimètres vers le bureau où se trouvait le président.

— Bien. Là. Parfait.
— Antenne dans dix secondes…

Le silence s'établit progressivement. Au top précis, les deux journalistes disparurent de l'écran, remplacés par l'image du frontispice de l'Élysée, sur fond de « Marseillaise », en surimpression de laquelle s'afficha le texte :

Palais de l'Élysée
Allocution
du Président de la République

Le régisseur, les yeux sur le chronomètre et index levé, baissa le bras une demi-seconde avant que l'image d'Amaury Guichard n'apparaisse à l'écran. Les mains posées à plat sur le bureau, il redressa ostensiblement le buste pour être conforme à la posture présidentielle adéquate.

Sur le prompteur, le texte commença à défiler. Il n'avait qu'à lire sur un ton qui donnerait à l'oralité de l'allocution l'authenticité de l'improvisation.

« Français, Françaises, mes chers compatriotes,
L'heure est venue, avec un peu d'avance, de vous faire part de mes intentions pour les prochaines élections dont la campagne sera officiellement lancée dans une semaine. Même si, j'imagine, ce n'est un secret pour personne, je vous annonce solennellement, ce soir, que je serai candidat à ma propre succession. Je sais que cette déclaration va créer des polémiques. D'aucuns clameront que cette décision fait suite à celle de monsieur Chabert-Lévy d'être candidat au nom de l'Union Parlementaire d'Opposition. D'autres avanceront l'idée que le Président craint cette mouvance contestataire et qu'il brandit sa candidature comme un glaive pour mieux abattre l'adversaire. Eh bien, je suis désolé de contredire mes détracteurs, mais au nom de la démocratie, je vous affirme aujourd'hui que non seulement je me réjouis de l'entrée de monsieur Chabert-Lévy dans la campagne, mais en plus, je m'en félicite. Tous les candidats potentiels ne se sont pas encore déclarés, mais il est fort probable que nous soyons, lui et moi, les belligérants du duel final qui nous opposera pour l'accession à l'Élysée. Et je peux vous certifier, mes chers compatriotes, ce sera un honneur que de débattre avec lui sur l'avenir de la France. J'ai vu, depuis de nombreuses

années, se profiler une stature politique extraordinaire en la personne de monsieur Chabert-Lévy, même si nos opinions divergent. C'est un homme de terrain que je respecte, et d'ailleurs, s'il a acquis la majorité des votes des électeurs de la gauche pour les représenter en le hissant aux fonctions de premier secrétaire de cette union d'opposition, c'est que tous ont bien compris sa force, sa droiture, sa générosité... »

À Matignon, le Premier ministre, Olivier Verneuil, le ministre de l'Intérieur, Lucas Serrano, et plusieurs membres de leur équipe étaient agglutinés devant l'écran plat du bureau.

— Mais... il est en train de l'encenser, lâcha Verneuil, sidéré.

Un bref sourire s'esquissa sur les lèvres de Serrano et s'effaça aussitôt.

« ... et je respecte cet engagement pour le peuple français, sa loyauté et son courage... »

— Non, mais il déconne, là, lança le directeur de cabinet de Verneuil qui le foudroya du regard.

— Excusez-moi !

Une chape de plomb retomba sur le groupe, alors qu'Amaury continuait de dérouler le texte du prompteur...

« ... et, j'aimerais réaffirmer ici que les difficultés des Français au quotidien sont liées à la conjoncture économique mondiale. L'Europe n'a cessé de se battre

contre l'aspiration communautaire engendrée par le Brexit au début de la précédente décennie. La France a toujours réussi à se maintenir la tête hors de l'eau et pour lui permettre de nager vers des rives sécurisées, je sais que monsieur Chabert-Lévy, au nom de l'Union Parlementaire d'Opposition, a avancé un certain nombre d'idées auxquelles je suis favorable et... »

— Non, mais je rêve, là, explosa Verneuil. Serrano, qu'est-ce qu'il se passe ? Il est shooté, ou quoi ?

— On a vraiment l'impression qu'il fait la lèche à son électorat, ajouta un des conseillers, mais personne ne sera dupe...

— C'est peut-être une stratégie, risqua Serrano.

— Une stratégie ? répliqua Verneuil. Une stratégie ? Mais c'est une stratégie de...

— Chut ! Écoutez... Il se passe quelque chose, le coupa le secrétaire général de Matignon...

Le président de la République venait d'être interrompu par l'apparition de son directeur de cabinet qui avait glissé une feuille devant lui.

Sans la toucher, Amaury Guichard, décontenancé, baissa la tête et déchiffra d'un coup d'œil la seule phrase qui était manuscrite...

Il pâlit...

Sa réaction ne semblait pas feinte. Il se reprit et fixa l'objectif. Son émotion était perceptible. Sa voix tremblait légèrement.

« Français, Françaises, mes chers compatriotes,
Des circonstances graves me contraignent à abréger cette
allocution. Je vous prie de bien vouloir m'en excuser. »

Il se leva et quitta le champ de caméra. La solennité de l'instant ressentie par tous les téléspectateurs fut sublimée par le générique identique à celui qui avait précédé son intervention, toujours sur le plan du frontispice de l'Élysée et sur fond de Marseillaise.

À la fin des premières notes de l'hymne national, l'image d'un présentateur en plateau remplaça celle de l'Élysée. Derrière lui, sur un écran géant était projeté le portrait souriant d'Adrien Chabert-Lévy.

Le visage du journaliste était fermé. Il tenait entre les mains une feuille simple où était imprimé un texte.

Madame, Monsieur, nous vous prions de nous excuser pour cette interruption soudaine de l'allocution du président de la République. Une information vient de tomber. Voici le texte reçu de l'Agence France-Presse tel que l'ont envoyé nos confrères du journal « L'Est Éclair » :
« La brigade de gendarmerie de Provins nous a avertis qu'Adrien Chabert-Lévy est décédé dans un accident de voiture vraisemblablement dû à un chevreuil qu'il aurait voulu éviter. Le véhicule s'est encastré contre un arbre. Le député est mort sur le coup ».

À Matignon, l'équipe de Verneuil attendait une explication au départ inopiné du président, et celle

qu'ils venaient d'entendre les sidéra.
— Incroyable !
— Stupéfiant !
— Complètement surréaliste !
— Chut ! Écoutez...

Nous allons de suite rejoindre Leila Boukri devant le siège de l'UPO pour les premiers commentaires. Leila était sur place pour un reportage sur l'union de la gauche.

Le visage de la journaliste remplaça celui de Chabert-Lévy sur l'écran de plateau.

— *Alors Leila, quelles sont les premières réactions ?*
Avec le décalage, Leila Boukri, un doigt sur son oreillette, laissa la question parvenir jusqu'à elle.

— *La nouvelle est tombée au siège de l'UPO un peu avant que ne débute l'allocution du président. Les secrétaires des partis de gauche sont arrivés les uns après les autres, mais aucun, pour le moment, n'a accepté de nous faire part d'un quelconque commentaire. Quelques Français commencent à se rassembler ici. Je vous propose de recueillir leurs réactions.*

La journaliste se retourna vers un groupe de personnes derrière elle et approcha, micro en main, d'un couple probablement de retraités.

— *Bonsoir, messieurs, dames... Pourquoi être venus jusqu'ici ?*

— Nous habitons dans le quartier, répondit l'homme, apparemment ému. Quelle tristesse ! Le peuple avait tellement d'espoir en l'avenir avec l'entrée en campagne de monsieur Chabert-Lévy…

— D'autant plus que le président avait l'air de l'apprécier, ajouta sa femme.

— Merci pour votre avis… Ah, excusez-moi, je crois que le porte-parole de l'UPO va faire une déclaration…

Leila Boukri se déplaça avec d'autres journalistes qui l'avaient rejointe sur le trottoir où un responsable politique s'apprêtait à parler. Il se racla la gorge puis commença à lire le texte officiel composé par le bureau directorial.

— C'est avec stupeur et une profonde tristesse que, comme des millions de Français, nous avons appris le décès du premier secrétaire de l'Union Parlementaire d'Opposition, notre ami, Adrien Chabert-Lévy. Bien évidemment, nous présentons à sa famille et à ses proches toutes nos condoléances et leur affirmons notre soutien et notre peine. Hier, son discours à l'Assemblée a galvanisé le peuple qui a bien compris qu'avec un tel homme au sommet de l'État, une autre ère pouvait s'ouvrir. L'avenir devenait une promesse de justice sociale, d'équité, de plein emploi, sans violences et sans répression. La cellule dirigeante de l'Union réfléchit pour qu'émerge un nouveau candidat susceptible de l'emporter au second tour des élections présidentielles de mai prochain. Une marche blanche silencieuse en hommage à Adrien Chabert-Lévy sera organisée dimanche au départ de la place de la République.

Je vous remercie.

***

Le lendemain, samedi 25 octobre

À l'Élysée, le Premier ministre et le ministre de l'Intérieur, convoqués en urgence dans le bureau présidentiel, commentaient les derniers évènements.

— Et vous avez appelé la Préfecture ? Brévain a donné son accord ? demanda Amaury Guichard.

— Oui. Il aurait été malvenu, dans le climat actuel, que le Préfet refuse cette marche populaire aux dirigeants de l'UPO.

— Bon, alors dans ce cas, Serrano, vous sécurisez la manifestation de demain… Il serait regrettable que l'impact positif de mon allocution subisse les effets négatifs de débordements.

— Bien, Monsieur le Président. Je m'en occupe.

— Si ça se gâte, envoyez nos « bébés » !

— Mais, Monsieur le Président, c'est une marche silencieuse, rétorqua Serrano.

Il n'ignorait pas que les « bébés » étaient le surnom que Guichard donnait aux fonctionnaires de la BAC[2], tout de noir vêtus et masqués, infiltrés dans les Black Blocs[3].

---

[2] Brigade Anti-Criminalité
[3] Structures éphémères utilisant des tactiques de manifestation ou des formes d'action directe collectives souvent violentes

— J'ai dit, si ça se gâte Serrano, si ça se gâte.

— Comptez sur moi, Monsieur le Président !

Le ministre de l'Intérieur quitta le bureau. Lorsqu'il fut seul face à Verneuil, Amaury Guichard lui sourit.

— Alors ? Tout va pour le mieux, non ? Chabert-Lévy éliminé... Opinions favorables pour moi après mon allocution... Voilà une campagne qui s'annonce plutôt bien...

— Excuse-moi ! Mais ils mettront un autre homme fort face à toi... Ce n'est pas encore gagné...

— Ah oui ? Mais aucun responsable de l'opposition ne pourra fédérer autant de voix que Chabert-Lévy...

— Pourquoi as-tu utilisé le mot « éliminé » pour parler de son accident. Tu.... ?

Verneuil laissa sa question en suspens, comme s'il craignait que sa supposition se confirme.

— Qu'est-ce que tu crois, toi, Olivier ?...

— Je pense que tu en serais capable...

— Moi ? s'offusqua faussement Amaury Guichard, tu me connais...

— Justement. Ce sont les hommes de Serrano qui ont fait le coup ?

— Je ne suis pas Serrano, répliqua Guichard en plissant les yeux. Mais parfois, il est nécessaire de prendre des mesures indispensables pour le bon ordre social...

— Parce que tu crois que l'ordre social va s'installer avec la mort de Chabert-Lévy ?

— Avec les propos et le ton que j'ai tenus pour parler de lui lors de mon allocution, oui.

— Tu crois vraiment que le peuple sera dupe ?

— Tu m'emmerdes, Olivier. Si je n'avais…

On frappa à la porte du salon doré. Amaury Guichard termina sa phrase.

— … pas pris ce… certaines mesures, mon avenir, ton avenir, auraient été fort compromis, mon vieux…

On frappa à nouveau.

— Oui, lança Guichard.

Un huissier apparut.

— Excusez-moi, Monsieur le Président… Monsieur le ministre de l'Intérieur souhaite s'entretenir avec vous…

— Serrano ? Qu'a-t-il oublié ? Il vient à peine de sortir… Faites-le entrer…

Le ministre pénétra dans le salon doré.

— Approchez, Serrano ! Asseyez-vous ! Eh bien, qu'avez-vous omis de me dire ?

Il s'installa dans le second fauteuil XIIIe à côté de Verneuil.

— Euh, Monsieur le Président, c'est à propos de… euh… (Il jeta un coup d'œil à son Premier ministre)… de… de l'accident…

— Allez-y ! Vous pouvez parler… Verneuil est dans la confidence…

— Eh bien, voilà… le lieutenant Gerval vient de m'appeler. C'est une de mes taupes au commissariat de Troyes dirigé par le commissaire Houdin. On a un sérieux problème…

— Comment ça ? Quel problème ?

— Ce sont ces hommes qui ont fait les premiers constats sur l'accident hier. Houdin a déjà poussé les investigations assez loin…

— Et ?

— Une autopsie a été effectuée sur les corps…

— **LES** corps ? Quels corps ?

— Celui de Chabert-Lévy et celui du chevreuil ?

— Du chevreuil ? Quel chevreuil ?

— Celui que Chabert-Lévy est censé avoir percuté et qui aurait provoqué l'accident. Il faisait partie de la mise en scène…

— Bon, venez-en au fait !

— Les toutes premières conclusions du médecin légiste posent un problème…

— Merde ! Mais cessez de tourner autour du pot, Serrano, parlez !…

— Chabert-Lévy est mort entre 19 h et 20 h hier soir…

— Ah ben là, il est fort ce toubib… L'heure du décès a été annoncée à la télévision…

— Oui, c'est vrai, Monsieur le Président, mais le chevreuil, lui, est mort huit heures plus tôt…

— Et alors ? Où est le problème ?

— Monsieur le Président, si le chevreuil est mort huit heures avant Chabert-Lévy, c'est qu'il n'a pas été percuté par sa voiture… Même si mes hommes ont fait en sorte qu'il y ait des poils de la bête sur l'avant de la carrosserie, il y a un paradoxe.

Amaury Guichard et Olivier Verneuil se

regardèrent, sombres. Ils venaient de comprendre...

Ce commissaire avait l'indice de base qui allait lui permettre de conclure que Chabert-Lévy n'était pas mort dans un accident, mais dans la mise en scène d'un meurtre programmé.

5

Paris
Dimanche 26 octobre 2031 – 14 h 50

Sur la place de la République, l'association des « Mille yeux » était en première position pour la marche silencieuse qui comptait un peu plus de cent mille participants pour rendre un hommage à Adrien Chabert-Lévy. Après plus de douze années de luttes sociales, de grèves et de manifestations, le nom « Mille yeux » avait été choisi lorsque l'infirmière, Anne Anderson, fut la millième victime de la répression à avoir perdu l'un des siens à cause d'un tir de LBD[4]. De plus, son mari, Warren Anderson, s'était noyé dans la Seine un an et demi plus tôt, à la suite d'une charge policière d'envergure pendant une fête de la musique. Son corps n'avait été retrouvé qu'un mois après les faits, soulevant une polémique qu'une enquête de l'IGPN[5] avait étouffée, laissant dans les esprits amertume et rancœur.

---

[4] Lanceur de balles de défense
[5] Inspection Générale de la Police Nationale

Pendant plus de douze ans, le monde entier, par l'intermédiaire de l'ONU, avait envoyé parfois des messages de tentative d'apaisement au gouvernement français, mais la plupart du temps avait émis de vives critiques contre cet état autoritaire qui imposait sa loi à coups de matraques, de gaz lacrymogène, de tirs de LBD et de 49-3.

Juste derrière les « Mille yeux » se tenaient les responsables et secrétaires de l'UPO.

La manifestation du jour devait se dérouler sans heurts ni violences. Qui pouvait ne pas respecter une marche silencieuse en hommage à un homme qui avait suscité autant d'espoirs ?

À 15 h précises, lorsque le cortège se lança sur le boulevard Voltaire en direction de la place de la Nation, la tristesse se lisait sur tous les visages. Quasiment tous les participants portaient un tee-shirt blanc, souvent enfilé par-dessus un pull, car la température automnale n'incitait pas aux excentricités vestimentaires.

Lorsqu'ils parvinrent à la jonction du boulevard Jules Ferry et du passage Saint-Pierre Amelot, un cordon de CRS barrait toute progression sur le boulevard Voltaire.

Autour d'Anne Anderson, les « Mille yeux », reconnaissables à leur cache-œil noir ou couleur chair, s'immobilisèrent. Martial Donnadieu, le secrétaire provisoire du parti socialiste en remplacement de Chabert-Lévy, se fraya un chemin à travers les premiers rangs du cortège, approcha à une dizaine de mètres des CRS, et prit la parole.

— Messieurs, en tant que responsable de cette marche, je vous informe que le Préfet de Paris l'a autorisée. Et à ce titre, je vous remercie de laisser passer ce cortège en hommage au député Chabert-Lévy. Il n'y a eu, et il n'y aura aucune forme de violence jusqu'à la place de la Nation où les participants se disperseront dans le calme. Je m'en porte garant.

Après quelques secondes, un CRS, vraisemblablement le plus gradé, lança un bref regard à ses hommes et un imperceptible acquiescement de la tête. À ce signal, ils se déportèrent de chaque côté du boulevard sur deux rangs devant les badauds immobiles et respectueux de l'hommage rendu ou simples observateurs. Les « Mille yeux » s'engouffrèrent en silence dans la brèche ouverte, absorbant au passage Martial Donnadieu qui réintégra sa position avec les autres responsables. À la suite de cette obéissance inattendue, certains manifestants adressèrent aux forces de l'ordre des doigts d'honneur explicites. Alors que les trois quarts du cortège étaient passés, s'infiltrèrent quatre hommes sortis de nulle part, cagoulés et entièrement vêtus de noir. Au niveau des CRS, l'un deux alluma un cocktail Molotov et le lança dans leur direction. La bouteille explosa sur le trottoir et un fonctionnaire se transforma en torche au contact du liquide en feu.

Quatre de ses collègues se précipitèrent sur lui pour éteindre les flammes avec un extincteur mobile.

Tout alla ensuite très vite.

Des deux côtés du boulevard, les CRS chargèrent à coups de matraque tout ce qui passait à leur portée : femmes et hommes, jeunes ou âgés, adolescents.

Manifestants ou badauds fuyaient et ceux qui étaient rattrapés tentaient de se protéger, souvent en vain.

La tête en sang, des victimes allongées sur le sol étaient secourues avec maladresse par d'autres, moins touchées.

Ceux qui filmaient la répression étaient ciblés en priorité. Les coups de matraque pleuvaient sur leurs bras, sur leurs mains, jusqu'à ce que leurs smartphones tombent par terre et soient piétinés.

L'avant du cortège avait fait demi-tour et tentait de protéger le groupe comme il pouvait, en s'interposant.

Des Black Blocs, apparus de nulle part, commencèrent à arracher des matériaux divers à leur portée. Ils les balancèrent violemment sur les CRS de plus en plus cernés par les manifestants agressifs. Alors que les responsables des partis leur enjoignaient de se maîtriser, la réplique policière tomba tel un couperet. Une myriade de grenades de désencerclement explosa et les émeutiers asphyxiés protégèrent leurs voies respiratoires, qui d'un mouchoir, qui de son Tee-shirt, et tentèrent d'échapper comme ils pouvaient au nuage toxique qui fondait sur eux.

Alors qu'elle s'enfuyait, Anne Anderson fut tirée

par les cheveux et jetée à terre. Trois personnes autour d'elle réussirent à la relever et à s'éloigner avec elle de la vague de violence qui s'abattait à l'avant du cortège en déroute.

Un homme handicapé dans un fauteuil roulant eut le malheur de se trouver sur la trajectoire de l'assaut des CRS décidés à en découdre définitivement dans une lutte sans merci. Un des fonctionnaires de police bouscula le fauteuil qui se renversa. L'homme chuta. Il ne bougea plus. Sa tête avait heurté le bord du trottoir. Il était mort.

La situation devenait démentielle. Les CRS frappaient à tour de bras, et comme si cela ne suffisait pas, les LBD entrèrent en action. Les balles percutaient cuisses, poitrines et visages. Des joues et des crânes saignaient, des blessés hurlaient. Il ne faisait aucun doute que la plupart allaient grossir les effectifs des « Mille yeux »…

Des manifestants s'étaient réfugiés au Bataclan proche de la scène où le drame terroriste du 13 novembre 2015 semblait se reproduire.

Sauf que cette fois, les assaillants étaient des policiers…

Sauf que cette fois, un petit homme insignifiant, en caméra cachée, filmait toutes ces scènes de répression…

C'était un reporter qui travaillait à « L'ŒIL »…

Non pas qu'il travaillait gratuitement — ce patronyme médiatique avait par ailleurs donné lieu à de joyeux délires spirituels sur les réseaux sociaux — mais « L'ŒIL » était le nom d'une chaîne de télévision subversive. Elle avait été créée dans la mouvance des discussions pour l'Union Parlementaire d'Opposition.

***

Paris — Studio de « L'ŒIL » — 18 h 50

Sur l'écran géant du plateau, les images tournaient en boucle et des députés de l'UPO, autour de Martial Donnadieu, secrétaire par intérim, commentaient en direct et dénonçaient cette violence insoutenable.

Vivait-on les prémisses d'une révolution qui couvait depuis de nombreuses années ? Quoi qu'il en soit, une information tomba en pleine émission et de toute évidence, elle était l'étincelle qui allait mettre le feu aux poudres.

Roland Pazzaro, l'un des deux journalistes animateurs interrompit les échanges alors qu'un reporter apparaissait en gros plan derrière lui. Il était dans une rue avec à la main un micro estampillé du nom de la chaîne, face à une caméra.

— Pardonnez-moi, mais nous sommes en direct de Troyes avec un de nos envoyés spéciaux qui suit l'affaire Chabert-Lévy. Nous retrouvons tout de suite Claude Thierry... Claude... Vous venez d'assister à une déclaration du commissaire divisionnaire

Stéphane Houdin…

– Effectivement, Roland, et d'ailleurs je vous propose de voir en léger différé les images de cette déclaration…

Un homme corpulent, costume parfaitement taillé et cravate noire sur chemise blanche, apparut. Il s'installa devant la porte d'entrée principale du commissariat de la préfecture de l'Aube. Une feuille entre les mains face à un bouquet de micros tendus par une dizaine de journalistes, il prit la parole.

– Mesdames, Messieurs, en tant que responsable de l'enquête sur la mort de monsieur Adrien Chabert-Lévy, je suis en mesure de vous livrer les premières conclusions. Premièrement. Les analyses du lieu de l'accident nous permettent aujourd'hui d'affirmer que le député n'est pas décédé suite au heurt de son véhicule contre un arbre pour tenter d'éviter un chevreuil. Monsieur Chabert-Lévy est mort à 19 h 45… Le chevreuil huit heures plus tôt… Deuxièmement. Les médecins légistes ont trouvé dans le sang de la victime des traces de Zolpidem et de Zopiclone, deux somnifères à effet rapide et de courte durée. Ce mélange hypnotique a été injecté vraisemblablement par surprise. Une légère perforation au niveau de la nuque a été repérée par un des médecins. Après prélèvement des tissus touchés, il ne fait aucun doute que l'origine est l'aiguille de la seringue utilisée. Et enfin, troisièmement. Le portefeuille de monsieur Chabert-Lévy a été retrouvé à trente mètres de l'impact contre l'arbre, de l'autre côté de la route, dans un fossé. Son corps a sans doute été déposé puis déplacé dans

les herbes couchées qui en témoignent. Ce qui nous amène à cette conclusion irréversible et définitive : nous sommes en présence d'un meurtre maquillé en accident. L'enquête va s'orienter maintenant vers la recherche et l'identification des assassins. Je vous remercie de votre attention.

À peine le dernier mot prononcé, les journalistes l'assaillaient de questions.

— Monsieur le commissaire, avez-vous déjà des pistes ?
— Pensez-vous qu'il s'agisse d'un crime politique ?
— D'après vous, est-il possible que le meurtre du député Chabert-Lévy soit lié à son intention de se présenter aux prochaines élections présidentielles ?

Le commissaire stoppa l'avalanche verbale d'un geste de la main et se rapprocha des micros.

— Je ne peux répondre à aucune de ces questions pour le moment. L'enquête va suivre son cours et nous vous tiendrons informés de son évolution en cas d'avancées significatives. Je vous remercie.

La diffusion de la déclaration fut interrompue pour à nouveau retrouver Claude Thiery, l'envoyé spécial de « L'ŒIL », face à la caméra.

— Voilà, Roland. Comme l'a laissé entendre le commissaire Houdin, l'enquête se poursuit...

— Avez-vous d'autres réactions après cette

révélation fracassante ?

— *Non. Ce que je peux vous dire, c'est que l'émotion est grande ici et que l'identification des criminels est attendue avec une rare impatience.*

— Merci, Claude, n'hésitez pas à revenir vers nous si vous avez de nouvelles informations.

Le journaliste se tourna vers ses invités de plateau.

— Alors, Messieurs ? Quel est votre sentiment après cette déclaration du commissaire Houdin chargé de l'enquête sur cette affaire dramatique ?

Martial Donnadieu, en accord tacite avec ses partenaires, fut en quelque sorte leur porte-parole.

— Nous estimons que cette affaire est plus que dramatique, si vous me permettez. À ce stade, nous dirons même qu'il s'agit là d'une grave affaire d'État. Très grave.

— Pouvez-vous expliciter le fond de votre pensée ?

— Quand un homme public est assassiné, alors qu'il vient d'informer le peuple qu'il était candidat aux élections présidentielles et que les sondages grimpent en sa faveur, alors oui, nous pouvons effectivement dire que c'est une affaire d'État.

— Par vos propos, sous-entendez-vous que la responsabilité est à rechercher du côté de la majorité ?

Martial Donnadieu marqua quelques secondes de silence puis lança :

— Afin de ne pas être poursuivi en diffamation, je n'affirmerai rien ici même. Mais au nom de la démocratie, ou ce qu'il en reste, personne ne pourra m'empêcher de donner mon point de vue sur l'allocution télévisée du président de la République. Personne n'a été dupe. Son admiration soudaine dont il a fait preuve à l'égard d'Adrien Chabert-Lévy est plus que surprenante. Il ne nous a jamais habitués à l'entendre le glorifier, fut-il candidat potentiel au second tour des prochaines élections. Rien ne pourra m'enlever de l'esprit que c'était une stratégie psychologique dont le but était d'inverser la tendance de popularité... Et comme en l'occurrence son adversaire n'est plus là...

— Vous pensez qu'Amaury Guichard aurait pu être le commanditaire de...

— Je n'ai rien dit de tel. J'ai juste émis une supposition personnelle de téléspectateur sur son allocution...

— Que compte faire l'UPO maintenant ?

— Une réunion des responsables aura lieu dans la soirée. Une éventuelle proposition sera envoyée aux différentes cellules réparties sur le territoire. L'action, dorénavant, appartient à la base.

***

L'Élysée — 19 h 05

Amaury Guichard s'empara d'un cendrier en

marbre qu'il balança violemment contre l'écran plat qui s'étoila dans un craquement sourd sur toute sa surface.

— Putain de merde ! Quel connard ! Mais on va le descendre, cet enfoiré ! Serrano, tout est de votre faute, merde !

— Je... je ne comprends pas Monsieur le Président...

— Vous ne comprenez pas ? Vous ne comprenez pas ? Mais bordel, qui a eu l'idée de supprimer Chabert-Lévy ? C'est moi ? Qui m'a foutu ces guignols dans ce scénario merdique avec un chevreuil ? C'est moi ?

— Je... je pense qu'il aurait fallu que Chabert-Lévy percute vraiment lui-même le chevreuil pour que son cadavre soit encore chaud...

— Ne vous foutez pas de ma gueule en plus, gronda Amaury Guichard, vos branquignols n'avaient qu'à trouver un autre plan !... Merde !...

Verneuil intervint pour apaiser l'orage présidentiel.

— Moins fort, Amaury, tes propos sont un aveu...

L'effet fut immédiat. Guichard se laissa choir dans son fauteuil, soupira et lâcha entre ses dents :

— Pu... tain... !

6

Paris
Lundi 27 octobre 2031 – 14 h 50

Une ambiance électrique flottait dans la grande salle de réunion des locaux du siège parisien de la fédération nationale de l'UPO. Plus de cinq cents militants, assis ou debout et en groupes, discutaient avec ferveur et passion des derniers événements. La température s'élevait.

À l'entrée du secrétaire général par intérim, Martial Donnadieu, en compagnie des autres responsables des partis d'opposition, un silence progressif s'imposa tout naturellement.

Le groupe de l'UPO monta sur le podium et s'installa à la grande table dévolue aux conférenciers ou animateurs de débat. Martial Donnadieu vérifia que le micro était branché et prit la parole.

— Mesdames, Messieurs, chers amis, en accord avec mes camarades du bureau national, nous avons rédigé un manifeste que nous avons adressé à toutes les fédérations départementales du pays afin qu'il soit lu à tous les militants. C'est la raison pour laquelle vous avez reçu notre invitation exceptionnelle par courriel. Il appartiendra ensuite à chaque section d'organiser un vote pour ou contre l'action que nous proposons. Sans plus attendre, voici le contenu de ce manifeste.

Paris — Siège national et régional de l'UPO d'Île-de-France
Lundi 27 octobre 2031 – 14 h 56′ 10″

« Mes chers compatriotes, responsables et membres des fédérations départementales de l'Union Parlementaire d'Opposition, militants de France, chers camarades, chers amis. Depuis treize ans, treize longues années, les gouvernements successifs ont agi et démontré à quel point le peuple de France pouvait être rabaissé, étranglé…

Lille — Siège départemental de l'UPO du Nord
Lundi 27 octobre 2031 – 14 h 56′ 30″

… asphyxié, humilié, détruit. À quel point le monde de la finance pouvait imposer sa force, sa loi, étendre les tentacules de son ambition sans ne jamais apparaître sur le devant de la scène, préférant utiliser des marionnettes dont ils tirent les ficelles dans l'ombre. Voici treize ans les premières manifestations conduites par le groupe historique des « Gilets jaunes » avançaient pour le peuple toute une série de propositions légitimes…

Saint-Étienne — Siège départemental de l'UPO de la Loire
Lundi 27 octobre 2031 – 14 h 57′ 02″

… destinées à améliorer le niveau de vie des Français, favoriser les petits commerces des villages et centres-villes, une imposition fiscale plus juste, adopter un système de sécurité sociale pour tous et de retraite solidaire, la fin de la hausse des taxes sur le carburant, protéger l'industrie française en interdisant les délocalisations, la liste des revendications est longue, et vous les connaissez. La réponse a été…

Marseille — Siège départemental de l'UPO des Bouches-du-Rhône
Lundi 27 octobre 2031 – 14 h 57′ 30″

… radicale : le mépris. Combien de passages en force de lois via le « 49-3 » ponctués par les coups de matraque des violences policières, répression à outrance des ministères de l'Intérieur et des présidents de la République, faudra-t-il subir encore avant une vraie réaction populaire ? Combien faudra-t-il encore d'hommes, de femmes, d'adolescents défigurés, éborgnés ? Combien faudra-t-il d'enfants, de bébés asphyxiés ? Combien faudra-t-il encore de…

Lyon — Siège départemental de l'UPO du Rhône
Lundi 27 octobre 2031 – 14 h 57′ 56″

… mains arrachées, de corps mutilés ? Combien faudra-t-il encore de morts maquillées, cachées, tues ? Combien de temps faudra-t-il attendre pour que les médias prennent en compte la réalité du terrain et diffusent enfin les images de ces violences insupportables, bras armé de l'autoritarisme au pouvoir contre le peuple ? Une éternité, tant que les patrons de chaînes seront à la solde de l'exécutif. Combien de temps…

Strasbourg — Siège départemental de l'UPO du Bas-Rhin
Lundi 27 octobre 2031 – 14 h 58′ 24″

… encore le peuple devra-t-il vivre avec des salaires de misère ? Depuis deux ans, l'âge de départ à la retraite a atteint la barre des 70 ans. Aujourd'hui l'espérance de vie est de 75 ans alors qu'il y a douze ans, elle était encore de 82 ans en moyenne, femmes et hommes confondus. Combien de temps encore faudra-t-il attendre pour retrouver des retraites décentes à un âge décent ?…

Toulouse — Siège départemental de l'UPO de la Haute-Garonne
Lundi 27 octobre 2031 – 14 h 58′ 52″

… Qui aujourd'hui peut vivre avec une pension de sept cents euros par mois ? Le chômage en France a dépassé le taux historique de la Grèce qui était de 17,2 % en 2019 en franchissant le cap des 18 % en ce début d'année 2031. Le nombre de pauvres en France a quasiment doublé en treize ans, passant de 8,8 millions à 16 millions, alors qu'au cours de la même période, les actionnaires ont vu leurs dividendes multipliés…

Nancy — Siège départemental de l'UPO de la Meurthe-et-Moselle
Lundi 27 octobre 2031 – 14 h 59′ 24″

… par cinq. Mais là n'est pas l'essentiel. Tout le monde connaît les difficultés du quotidien. Non. L'essentiel est dans l'actualité. L'actualité dramatique. L'actualité brûlante. L'actualité morbide. L'actualité terrible et insupportable. Je veux parler du meurtre de notre ami Adrien Chabert-Lévy. Quand un homme politique, aussi porteur d'espoirs pour le peuple, aussi engagé contre les injustices, le pouvoir de la Finance, l'égoïsme et l'individualisme…

Rennes — Siège départemental de l'UPO d'Ille-et-Vilaine
Lundi 27 octobre 2031 – 14 h 59′ 58″

… la privatisation du système éducatif, les hôpitaux-entreprises, et en règle générale le profit à outrance dans une société guidée par le néolibéralisme, quand un homme politique laisse entrevoir avec autant de clarté un avenir meilleur, plus juste pour le peuple, et que la riposte passe par son assassinat, alors, l'heure de la réaction solidaire et populaire a sonné. Mais le peuple n'a pas besoin de violences pour se faire entendre. À la manifestation silencieuse en hommage à Adrien Chabert-Lévy…

Nice — Siège départemental de l'UPO des Alpes-Maritimes
Lundi 27 octobre 2031 – 15 h 00' 27''

… nous étions plus de cent mille, et elle s'est soldée, comme vous le savez, par un déferlement insupportable de violences, augmentant de ce fait considérablement le nombre de blessés, éborgnés, avec en plus la mort d'un manifestant pacifique, pourtant handicapé dans un fauteuil. Pour exprimer au président de la République et au gouvernement notre écœurement suite au meurtre du député Adrien Chabert-Lévy… notre fatigue et notre lassitude, notre aspiration à un monde…

Bordeaux — Siège départemental de l'UPO de la Gironde
Lundi 27 octobre 2031 – 15 h 01' 15''

… meilleur et plus juste, les responsables de l'UPO et moi-même avons réfléchi à une action à mettre en place. Il est bien sûr évident que chaque fédération départementale de l'UPO soumettra au vote des militants son approbation ou son rejet. Alors voici ce que nous proposons. Les manifestations à Paris mobilisent entre dix mille et cent mille personnes. Chacune d'elles a été confrontée aux violences policières, même si, et c'était à chaque fois le cas, les organisateurs avaient obtenu...

**Reims — Siège départemental de l'UPO de la Marne
Lundi 27 octobre 2031 – 15 h 01' 45''**

... toutes les autorisations préfectorales requises. L'action que nous proposons donc se déroulera le lundi 24 novembre, juste un mois après l'assassinat d'Adrien Chabert-Lévy. Un bien triste anniversaire... Nous demandons au peuple des quatre coins de France de monter sur Paris en train, en bus — les déplacements seront financés évidemment par les fédérations — ou en voitures particulières, mais avec une consigne stricte et incontournable : s'arrêter à une vingtaine de kilomètres autour de la capitale...

**Nîmes — Siège départemental de l'UPO du Gard
Lundi 27 octobre 2031 – 15 h 02' 25''**

... cercle virtuel dont l'Arc de Triomphe serait le centre, et que chacun doit rejoindre à pied. Nous appelons cette opération « **Cercle 20** ». Les chauffeurs de bus sauront dans quels villages ou villes déposer leurs passagers. Les automobilistes gareront leurs voitures dans la zone la plus proche du « **Cercle 20** ». À 9 h précises ce 24 novembre, commencera la marche la plus extraordinaire jamais organisée, avec les Champs-Élysées comme point de chute. Chaque route, chaque autoroute, chaque avenue, chaque boulevard…

Bar-le-Duc — Siège départemental de l'UPO de la Meuse
Lundi 27 octobre 2031 – 15 h 02′ 58″

… seront des accès vers la capitale. Ce sera un gigantesque mouvement populaire, une démonstration de force contre ce gouvernement autoritaire. Nous espérons environ un million de participants. Ceux qui monteront en train ne pourront faire autrement que descendre dans les gares parisiennes… Leur départ à pied pour les Champs-Élysées se fera…

Bourges — Siège départemental de l'UPO du Cher
Lundi 27 octobre 2031 – 15 h 03′ 23″

… à partir de midi afin d'être synchrone avec la majorité des marcheurs du « **Cercle 20** ». L'objectif est de paralyser entièrement Paris, rallier l'Arc de Triomphe et descendre les Champs jusqu'à la Concorde, place symbolique située géographiquement entre le palais de l'Élysée et le palais

Bourbon. Le « **Cercle 20** » sera la démonstration de la puissance du peuple. Soit Amaury Guichard et son gouvernement démissionnent, soit nous instaurerons un bras de fer dont l'issue devra…

Paris — Siège national et régional de l'UPO d'Île-de-France
Lundi 27 octobre 2031 – 15 h 03′ 42″

… conduire de toute façon à des élections présidentielles anticipées. Mais nous n'en sommes pas encore là. Voilà l'action que nous proposons. Depuis trop longtemps, des millions de Français se sont sentis impuissants face aux injustices, aux violences, aux insultes, au mépris. Combien se sont dit « Eh oui, c'est comme ça ! On n'a pas le choix… » en courbant l'échine, isolés dans la bulle hermétique des moules individualistes façonnés par les gouvernements ? Eh bien, si ! Je vous le dis : nous avons le choix ! Si notre action est plébiscitée par une majorité d'entre vous, il vous appartiendra de diffuser parmi le peuple les directives envisagées de façon à ce que le plus grand nombre de Français participent à cette ultime manifestation. Le scrutin sera organisé cette semaine. Les résultats nationaux seront affichés dans chaque fédération départementale samedi prochain à 18 h.

Voilà, et je signe « Martial Donnadieu, pour le bureau national de l'UPO »

***

Aux quatre coins du pays, à peine les secrétaires des fédérations départementales avaient-ils lu le sigle de l'union en guise de point final du manifeste que le public se leva et applaudit à tout rompre au rythme de « Cercle 20 », « Cercle 20 », « Cercle 20 »... scandé comme un cri de guerre. Dans la foulée, un militant de Marseille improvisa même le slogan : « GUICHARD AU PLACARD, VERNEUIL AU CERCUEIL, SERRANO AU TOMBEAU ».

Si, dans un premier temps, la rime avait une saveur d'humour potache, tout le monde ignorait encore que ce slogan serait repris plus tard par les « Cerclistes », néologisme induit par l'action énoncée par Martial Donnadieu.

Dans la semaine qui suivit, les responsables politiques des quatre partis d'opposition du bureau national consacrèrent Martial Donnadieu au poste de premier secrétaire de l'UPO. Comme prévu, les résultats du scrutin sur l'ensemble du territoire furent affichés le samedi aux sièges des fédérations. L'opération « Cercle 20 » fut approuvée à une très large majorité avec près de 96 % d'avis favorables.

Dès le lendemain, la phase de communication généralisée commençait. Chacun pressentait que la France était enfin à l'aube d'un soulèvement populaire d'envergure. Des directives d'organisation descendaient de Paris vers chaque fédération de manière à encourager un maximum de cohésion globale dans un souci d'efficacité.

Le bureau national savait pertinemment qu'il serait improbable de taire ce vaste plan d'action. Il devait anticiper les réactions de l'exécutif de manière à exposer le moins possible les manifestants aux représailles et à la répression inévitable.

7

Paris
Lundi 4 novembre 2031 – 17 h 00

Owen Dratkowski, casquette enfoncée jusqu'aux oreilles, avançait d'un pas alerte dans la rue de Ménilmontant, mains dans les poches d'une veste trois-quarts fripée. Il s'arrêta brièvement devant une agence immobilière, plus pour vérifier par reflet dans la vitrine que personne ne le filait, que pour consulter les annonces. Il poursuivit son chemin sur une centaine de mètres jusqu'à la station Belleville-Ménilmontant juste au moment où un bus ralentissait le long du trottoir pour déposer des passagers. Une dame âgée monta à bord. Dratkowski l'imita. Il resta debout tout en se maintenant à l'une des barres d'équilibre et jeta un œil vers l'extérieur pour s'assurer encore une fois qu'il n'avait pas été suivi.

Owen Dratkowski appartenait au groupe anarchiste révolutionnaire extrémiste dont l'acronyme, « **GARE** », résonnait comme un avertissement à la classe politique et plus spécifiquement au gouvernement autoritaire en place. L'assassinat de

Chabert-Lévy était une véritable déclaration de guerre et la réunion secrète à laquelle se rendait Owen Dratkowski avait pour objectif des représailles d'envergure. La clandestinité du GARE était la garantie d'actions coups de poing. La violence exprimait tout le mépris et l'abjection que ses membres éprouvaient pour ce pouvoir fascisant qui, par ses décisions antidémocratiques et sa répression, avait imposé une dictature sournoise et mortifère.

Owen Dratkowski descendit dans le Marais et rejoignit à pied la station de métro Saint-Paul par la rue de Rivoli. Les deux principes fondamentaux pour préserver l'existence du GARE étaient de ne jamais se réunir deux fois de suite au même endroit et, pour les participants, d'emprunter des parcours différents en variant les moyens de transport pour brouiller les pistes.

Après plusieurs changements et cinquante minutes après avoir quitté Belleville, Owen Dratkowski entra dans un bistrot anodin dans le quartier des Batignolles. Il approcha du bar et commanda un expresso. Il observa discrètement la clientèle composée de trois personnes. Deux piliers de comptoir, un ballon de rouge à la main, refaisaient le monde. À une table, seule, une femme ridée sans âge, vraisemblablement du quartier, caressait un petit chien que Dratkowski identifia comme un Yorkshire. Elle l'avait installé sur ses cuisses tout en avalant de temps en temps une gorgée de blanc sec.

Il jeta un coup d'œil au patron. Tout en essuyant

un verre, ce dernier lui adressa un léger signe de tête vers les toilettes. Owen Dratkowski vida sa tasse de café, déposa deux euros dans la soucoupe et d'une démarche anodine en prit le chemin. Quand il fut seul devant la porte indiquée « WC », il se dirigea au fond du couloir vers celle sur laquelle était apposée la pancarte « PRIVÉ ».

Il frappa légèrement selon un code établi. Il entendit des pas suivis d'un court silence, le temps de son identification par un judas, puis la clef tourna dans la serrure. La porte s'entrouvrit et Owen se glissa dans la pénombre de l'entrebâillement avant qu'elle se referme.

***

Autour de la table, une dizaine de compères, noyau dur du GARE, écoutaient Owen Dratkowski détailler le plan d'action qu'il envisageait pour la manifestation du 24 novembre. L'un d'entre eux l'interpella.

— Moi, je suis d'accord pour un coup de force. Le problème, ça va être de s'infiltrer dans la manif' avec les Kalach'. Les flics vont nous tomber dessus comme des aigles sur leur proie. As-tu envisagé une solution ?

— Hors de question de se pointer avec des armes de poing ou des fusils d'assaut, répliqua Owen Dratkowski. Non, j'ai une idée, mais qui va dépendre de Yann…

Il regarda Yann Segura, assis en bout de table, réalisateur de longs métrages de fiction et de documentaires. C'était surtout l'un des fondateurs historiques du GARE avec Owen et Claudio Mancini, rescapé de la COOP-FAI, organisation anarchiste insurrectionnelle italienne dont cinq militants avaient été arrêtés vingt-cinq ans plus tôt. Mancini y avait échappé et s'était réfugié en France où il avait pu, grâce à de faux papiers fournis par Dratkowski, obtenir la nationalité française et monter une entreprise de déménagement.

— Je t'écoute, lâcha Yann Segura.

— Tu es cinéaste et, en tant que tel, tu peux te procurer pour les besoins de tes films du matériel militaire, d'accord ?

— Oui. Quel genre ?

— Blindés.

— Blindés ?

— Oui. Je t'explique mon idée. Pourrais-tu nous trouver un véhicule blindé de petite taille qu'on conduirait sur les Champs Élysées et…

— Attends, je t'arrête. Premièrement, les véhicules que je loue auprès de mon collectionneur de matériel militaire de la Seconde Guerre mondiale ne sont pas armés. Ce sont mes artificiers qui les équipent à blanc. Et deuxièmement, il serait impossible d'acheminer un blindé sur les Champs sans se faire repérer.

— Je sais tout cela. Mais tu ne m'as pas laissé terminer. Quand je parle de blindé, je pense à un véhicule de petite taille, genre M8 Greyhound. Je me suis renseigné sur ses dimensions : cinq mètres de long, sur deux mètres cinquante de large pour deux mètres trente de haut. On oublie le canon M6 de 37 millimètres. De toute façon, on ne pourrait pas l'armer. Par contre, il est doté d'une mitrailleuse coaxiale Browning de 7,62 millimètres, et d'une mitrailleuse lourde, Browning également, mais de 12,7 millimètres sur la tourelle. Je suis sûr que tes artificiers seraient capables de les charger avec des balles réelles si on les leur fournissait. Oui ou non ?

Yann Segura réfléchit quelques secondes.

— Non. Leur conscience professionnelle le leur interdirait. Ils n'appartiennent pas au GARE. Par contre...

— Par contre ?

— Moi, je pourrais le faire. Je les assiste souvent pour les chargements à blanc.

— Bien. Donc tu peux nous trouver cela ?...

— A priori, oui. Pour autant que mon collectionneur en ait sous la main.

— Parfait. Tu pourras le savoir rapidement ?

— Je dois aller le voir vendredi pour finaliser la location de matériel militaire dont on a besoin dans mon prochain film. On doit tourner une action spécifique qui s'est déroulée à Caen après le débarquement britannique à Sword Beach. Les Anglais ont utilisé ce genre de blindés. Leur appellation d'origine était M8 Light Armored Car. Ce sont eux qui l'ont surnommé Greyhound qui signifie lévrier. Mon collectionneur doit avoir ça. Je pourrai l'ajouter au chargement. Mais dis-moi… Si je parviens à en avoir un, comment penses-tu le déposer sur les Champs-Élysées ? Ce n'est pas un banal véhicule de tourisme…

— Comment est convoyé le matériel militaire que tu loues ?

— Par le train depuis Roanne, dans la Loire où se trouve le parc, jusque Brétigny. J'ai ensuite une équipe qui les emmène sur plateaux.

— Jusque Caen ?

— Non, bien sûr. À Bry-sur-Marne. Le film est tourné en studios. Ils sont stockés dans des hangars. C'est à cet endroit qu'ils sont armés à blanc.

— C'est donc là que tu pourras opérer ton tour de passe-passe ?

— Oui. Je trouverai un moment pour le faire.

— Bien, Claudio, penses-tu pouvoir véhiculer le Greyhound sans difficulté dans un des camions de déménagement de ta boîte ?

— Si les dimensions que tu as indiquées sont exactes, oui, avec une rampe, c'est possible !

— Bien, l'opération pourra avoir lieu en journée ?

— Oui, assura Yann Segura. Le hangar où il sera stocké est vaste. Et surtout, le chargement des munitions pourra se faire portes closes, à l'abri des regards.

— Parfait. Claudio, il faudra stationner le camion sur les Champs Élysées la veille avant la manifestation. Tu penses que c'est faisable ?

Claudio Mancini réfléchit quelques instants

— Sur les Champs même, c'est mission impossible. Par contre, un de mes amis vit dans un appartement rue Galilée, dans un immeuble avec une cour intérieure. Lorsqu'il a emménagé, on a pu y rentrer le camion. C'est à deux pas des Champs.

— Parfait. Yann… dernière question…

— Oui ?

— Combien de gars faut-il dans le blindé ?

— Tu as dit qu'on n'utilisait pas le canon ?

— Oui. Trop compliqué.

— Alors on a besoin de trois personnes. Un pour le piloter, et deux aux mitrailleuses. Mais dis-moi… qui sera la cible ?

— La cible ? Qui a chargé les manifestants pendant toutes ces années ? Qui a matraqué ? Qui a éborgné ? Qui a estropié ? Qui a même tué ?

— La police ?

— Oui, la police. Les CRS ! Voilà quelle sera notre cible ! Nous allons venger les milliers de victimes qu'ont ignorés en toute impunité les gouvernements qui se sont succédé depuis plus de dix ans. L'heure de la révolution a sonné. **VIVE LA RÉVOLUTION** ! chuchota-t-il.

— **VIVE LA RÉVOLUTION** ! murmura d'une seule voix l'ensemble des membres présents.

— Qui sera aux mitrailleuses ? demanda l'un d'eux.

Le silence qui suivit la question suscita une sorte d'embarras collectif que chacun put percevoir. C'est

Owen Dratkowski qui, en premier, l'abrégea.

— J'y serai.

Tous le regardèrent avec admiration et comprirent à cet instant pourquoi il avait été choisi comme chef.

Yann Segura se leva et enchaîna.

— Pour le piloter, je demanderai à Lenny Richard. C'est un des techniciens de mon équipe qui vient de rallier le GARE. Il sera aux commandes. Je serai à la seconde mitrailleuse, Owen…

Dratkowski rejoignit Segura, et les deux hommes s'étreignirent comme pour sceller leur destin sous les applaudissements volontairement légers du groupe.

8

Paris
Vendredi 21 novembre 2031 – 18 h 00

Dans le salon doré, Lucas Serrano, Olivier Verneuil et le Général Arnaud Laffon de Joux, ministre des Armées entouraient Amaury Guichard comme tous les jours depuis un mois. Ils faisaient un dernier point sur la mise en place des forces militaires et policières en vue de la manifestation d'envergure annoncée pour le lundi suivant.

Personne ne savait combien le « Cercle 20 » de Martial Donnadieu et l'UPO mobiliserait de Français. Si le chiffre supposé au départ par les organisateurs était d'un million de personnes, les instituts de sondage avançaient un nombre compris entre un million cinq et deux millions.

C'est ce chiffre qui avait incité le président à solliciter l'armée pour appuyer les forces de police qui, même avec l'augmentation des effectifs, avaient été jugées insuffisantes pour maîtriser un tel afflux sur Paris.

Arnaud Laffon de Joux, debout devant un tableau

sur lequel était affichée une carte de la capitale, expliquait son plan de bataille.

— … et les trente-cinq portes principales d'accès seront bloquées par deux mille cinq cents militaires de l'armée de terre, soit environ soixante-dix hommes en position à chacune d'entre elles.

— De mon côté, il y aura deux mille CRS et gendarmes mobiles concentrés autour des Champs-Élysées, ajouta Serrano.

— Et pour les appuyer, mille cinq cents autres de mes hommes en renfort, compléta Laffon de Joux.

— Vous ne pouviez pas en mettre plus, demanda Amaury Guichard.

— Les troupes sont actuellement déployées en Somalie, au Yémen, au Mali, en Arabie Saoudite, en Irak et en Turquie au côté de nos alliés…

— Ah oui ! D'ailleurs où en est-on de ce côté ?

— L'armée iranienne est concentrée le long des frontières, plus en démonstration de force que pour une intervention qui serait interprétée comme une agression.

— Bien. Alors, ceux qui sont mobilisés à Paris seront armés, j'espère ? demanda le président pour se rassurer.

— Pour ce qui est de la police, nous déploierons l'artillerie habituelle : lacrymogène, flash-ball Super Pro, canons à eau, confirma Serrano.

— Mes militaires seront tous équipés de HK416. Ce sont des fusils d'assaut traditionnels et performants, compléta Laffon de Joux.

— Chargés, je suppose ? avança Amaury Guichard.

— Oui. À balles réelles de calibre 5,56 mm. Comme d'habitude, ils n'ouvriront le feu que si leur sécurité, celle du gouvernement ou la vôtre sont compromises.

— Si j'ai bien calculé, intervint Olivier Verneuil, ce sont six mille hommes qui seront sur le pied de guerre pour une manifestation qui se veut pacifiste et…

— Pardonnez-moi, Monsieur le premier Ministre, le coupa Laffon de Joux, mais une manifestation à plus d'un million de personnes n'est jamais entièrement pacifiste. À la moindre échauffourée, nous serons prêts.

— Le général a raison, Olivier. Il vaut mieux prévenir que guérir. Et si je…

Le téléphone sonna. Amaury Guichard décrocha.

— Oui, bonjour, je suis occupé, là… QUOI ?…

Au fur et à mesure qu'il écoutait ce qui lui était communiqué, les trois ministres silencieux et inquiets le virent pâlir. Son regard était défocalisé. Il était absent. Décomposé. Le bras qui tenait l'appareil tomba sur le bureau.

Verneuil et Serrano entendirent la voix de l'interlocuteur…

— Monsieur le Président ?… Monsieur le Président ?… Vous êtes là ?…

Verneuil s'adressa à Guichard.

— Heu… Amaury… je crois que…

107

Guichard sembla sortir d'un rêve.

— Hein ? Quoi ? Comment ? Ah oui…

Il porta à nouveau le téléphone à son oreille.

— Allô… Oui, oui, je suis là… Comment ?... Rien pour le moment… Les médias en ont parlé ?... Ah ? Bientôt ? Mais c'est quand, bientôt ?... Bon, alors, attendez la confirmation de… oui, je sais… Tenez-moi informé… Merci…

Il reposa le téléphone et, hagard, s'affaissa contre le dossier de son fauteuil, face à ses trois ministres assis, dans l'attente de ce qu'il allait leur annoncer. Car aucun doute, pour le mettre dans un tel état, une bombe venait d'exploser.

— C'était Zardelli. Il m'appelait depuis le ministère de l'Écologie. La communauté scientifique mondiale a reçu une alerte du centre d'observation des pôles installé au Groenland. Elle a prévenu tous les gouvernements de la planète avant de l'annoncer sous peu dans les médias. Quatre-vingt-quinze pour cent de la banquise arctique vient de se fendre et des millions de blocs de glace ont sombré dans les flots, élevant ainsi le niveau des océans de plusieurs mètres…

Un silence plomba le bureau quelques secondes. Serrano réagit en premier.

— Mais… cette élévation du niveau des océans n'était programmée que pour la fin du siècle, non ?

— C'est vrai, mais ce putain de réchauffement climatique a décidé de nous emmerder…

— Tu as dit plusieurs mètres ? Je ne comprends

pas. Il me semble avoir lu que même sous forme liquide, la glace n'a pas un volume supérieur…

— Sans doute, mais ce n'est pas une élévation effective du niveau. C'est ce que m'a confié Zardelli. Dans le communiqué il était spécifié que la masse glaciaire qui s'est fracturée et immergée a augmenté considérablement le gyre de Beaufort. Si j'ai bien compris, c'est un mélange d'eau douce et de glace qui tourbillonne sous l'océan arctique. Cet effondrement aurait provoqué ainsi une onde en réaction qui multiplierait des vagues gigantesques qui vont sans doute avoir un impact en priorité sur l'Europe de l'Ouest.

— Et la France ?

— Peut-être aussi, oui.

— Quelles décisions comptes-tu prendre ?

Amaury Guichard ébaucha un rictus qui révélait par anticipation le cynisme et la perversité de son arrière-pensée. Il se leva et se dirigea les mains dans les poches vers la porte-fenêtre qui donnait sur les jardins.

— Contactez les responsables des chaînes d'info en continu qui travaillent pour nous. Dites-leur de faire le forcing sur le scoop qui va leur parvenir sous peu. Qu'ils noient d'images les écrans…

— C'est ce qu'ils feront de toute manière dès qu'ils seront avertis, non ? jugea Verneuil.

— Certainement. Mais en plus, qu'ils invitent rapidement sur les plateaux des scientifiques dans un objectif pédagogique… Qu'ils créent des débats entre pro et anti écologie…

— Pourquoi ce déferlement médiatique ?

Amaury Guichard se retourna vivement face à ses trois interlocuteurs.

— Pourquoi ? Mais voyons, c'est évident ! En mettant la pression sur cette catastrophe annoncée, la manifestation sera fortement perturbée, peut-être même annulée.

— Mais… si les côtes françaises risquent d'être affectées, nous devrions peut-être anticiper, non ?

Amaury Guichard soupira et lança à son Premier ministre :

— Certes ! Convoque-moi un conseil extraordinaire pour ce soir !

— Mais il est déjà…

— Pour 22 h ! En plus de vous trois, je veux l'Écologie, les Solidarités et la Santé, l'Europe et les Affaires étrangères, la Cohésion des territoires et les relations avec les collectivités territoriales. Nous prendrons les mesures qui s'imposent en fonction de l'évolution des informations et de l'urgence programmée dont les scientifiques nous feront part…

***

Paris — Samedi 22 novembre 2031 – 17 h 40

Un camion de déménagement s'engagea dans la rue Galilée, ralentit et s'immobilisa devant un immeuble. Un lourd portail à doubles battants s'ouvrit sur une cour intérieure vers laquelle le conducteur manœuvra en marche arrière.

Lorsque le véhicule disparut entièrement, le portail se referma.

***

Dimanche 23 novembre 2031 – 11 h 15

Une édition spéciale sur la catastrophe écologique arctique bouscula tous les programmes télévisés. Sur toutes les chaînes, les journalistes lurent le même texte qu'on venait de leur glisser…

« Le gyre de Beaufort, sous l'effet des submersions glaciaires de la banquise fracturée, génère par intermittence des ondes océaniques de grande ampleur. Les premières se sont engouffrées dans la mer de Barents et du Groenland, élevant de plusieurs mètres le niveau de la mer de Norvège. Les fjords norvégiens ont été les premiers touchés. Undredal, Skudenshavn, Aurland, Geiranger, Sørvågen, Tromsø, la plupart des agglomérations du littoral sont inondées et dévastées par les vagues successives, tout comme l'archipel des Orcades au nord de l'Écosse ou la côte nord-ouest de l'Islande. Heureusement, Oslo a anticipé rapidement dès les premières alertes scientifiques et le gouvernement, en partenariat avec les chaînes de télévision et les radios locales, a incité les riverains à se réfugier à l'intérieur des terres d'altitude supérieure. Les moins réactifs y ont laissé leur vie et les victimes se comptent par centaines. Les prochaines vagues sont attendues sur la Grande-Bretagne, les Pays-Bas et le nord de la France. »

***

Dimanche 23 novembre 2031 – 13 h 25

Comme chaque jour, Anne Anderson quitta la clinique Arago et après la demi-heure en métro et le chemin à pied habituel, grimpa l'escalier jusque chez Thérèse pour récupérer Louise.

Comme chaque jour, elle sonna.

Comme chaque jour, la porte s'ouvrit.

Comme chaque jour, sa petite fille de cinq ans lui sauta dans les bras.

— Mamaaaaaan !

— Bonsoir, ma puce lança joyeusement Anne en l'embrassant. Tu as été sage ?... Bonjour Thérèse ! Ça s'est bien passé ?

— Mais oui, Anne, ne vous inquiétez pas !

— C'est gentil de votre part de me la garder aussi le dimanche...

— Bah, ça ne me dérange pas, va...

— Merci malgré tout ! Bon, à demain alors Thérèse. Ah, au fait, je pourrai vous l'amener plus tard...

— C'est vrai ? jubila Louise.

— Oui, ma puce.

112

— Ah oui, vous allez à la manifestation, se souvint Thérèse.

— Oui, ça tombe bien, c'est mon jour de récupération. J'ai rendez-vous à 10 h à Montparnasse pour rejoindre les « Cerclistes » qui montent à Paris en train et les guider à pied jusqu'aux Champs-Élysées. Je ne pourrai évidemment pas venir chercher Louise à midi.

— Je m'en doute.

— Je la récupèrerai en fin d'après-midi, après la manif' !

— Pas de problème ! J'espère que vous serez nombreux…

— A priori, oui…

— Vous me raconterez…

Juste avant que les portes des deux appartements ne se referment, comme à chaque fois, Thérèse et Louise s'adressèrent le même dernier signe de la main.

***

Dimanche 23 novembre 2031 – 23 h 00

Devant l'ampleur du désastre annoncé, le conseil des ministres restreint décida un plan d'action à l'Élysée. Dans la nuit de dimanche à lundi, des consignes furent annoncées sur toutes les chaînes de télévision. De Dunkerque à Cherbourg, les services de la sécurité civile et militaire furent déployés pour organiser l'évacuation des populations du littoral vers l'intérieur des terres.

Devant l'impact médiatique des images diffusées en boucle sur la catastrophe en Norvège et en Écosse, le président de la République n'avait aucun doute : le « Cercle 20 », sans jeu de mots, allait tomber à l'eau. Pour enfoncer le clou, il demanda à Lucas Serrano d'envoyer à tous les préfets un ordre d'interdiction de la manifestation.

La consigne fut transmise à toutes les préfectures le lundi 24 novembre à 6 h.

Il était trop tard.

Dans tout le pays, en bus, en véhicules particuliers ou en trains, la France montait à Paris.

Direction le « Cercle 20 »…

9

Cercle 20
Lundi 24 novembre 2031 – 8 h 00

Dans un rayon de vingt kilomètres autour de Paris, les voitures venues de toute la France stationnaient où elles pouvaient. Trottoirs, places, impasses, rues, avenues, boulevards étaient pris d'assaut.

Versailles, Jouy-en-Josas, Antony, Thiais, Créteil, Champigny-sur-Marne, Noisy-le-Grand, Livry-Gargan, Aulnay-sous-Bois, Gonesse, Sarcelles, Franconville, Sartrouville, Saint-Germain-en-Laye, Marly-le-Roi, Le Chesnay, aucune des villes périphériques situées approximativement aux alentours du « Cercle 20 » n'échappaient à l'envahisseur. Les chauffeurs de bus déposaient leurs passagers à l'entrée des agglomérations et repartaient aussitôt se garer plus en retrait, le long des routes de campagne quand ils le pouvaient, allongeant des files continues sur les bas-côtés.

À 10 h précises, un cortège populaire immense prenait la direction de Paris à pied. Des couples, des familles, des amis, des voisins, des jeunes, des vieux, formaient une multitude de grappes humaines. De minute en minute, elles s'agrégeaient les unes aux autres comme des atomes à des molécules et offraient ainsi l'incroyable spectacle de la naissance d'une masse vivante. Le plus impressionnant résidait dans le fait que cette concentration était silencieuse. Pas un cri, pas un slogan, pas un mégaphone, pas un chant, rien ne pouvait laisser supposer qu'une révolution était en marche.

Progressivement, les voies d'accès à Paris furent avalées par les vagues d'une marée périphérique colorée inédite. Les autoroutes A1, A3, A4, A13, phagocytées par une fourmilière grouillante, avaient coupé tout flux de circulation vers Paris et généré d'interminables bouchons.

Pour mesurer l'ampleur de ce qui se préparait, la sécurité civile, en relation avec le ministère de l'Intérieur, avait dépêché plusieurs hélicoptères et des centaines de drones qui survolaient la capitale et la banlieue. Par recoupements photographiques numériques qu'ils recevaient en direct, les experts avaient annoncé à Serrano et Laffon de Joux, retranchés dans le QG de campagne officiel à l'Hôtel Beauvau avec leurs conseillers respectifs, qu'au-delà des sondages les plus alarmistes, au moins trois millions de personnes composaient ce rassemblement d'envergure. Serrano en informa l'Élysée par téléphone.

— Et alors, lança Amaury Guichard, vous

maîtrisez la situation, non ?

— Oui, oui, Monsieur le Président, mais je voulais juste vous faire part des derniers éléments susceptibles de changer la donne.

— Ah oui ? Et qu'est-ce qui d'après vous est susceptible de changer la donne ?

— Je… euh… trois millions de personnes sur Paris, c'est quand même du jamais vu sous la cinquième république…

— Six mille hommes, Serrano ! Vous avez six mille hommes à votre disposition pour maîtriser la situation, non ?

— Euh… oui, oui, Monsieur le Président !

— Alors, gérez !

***

— C'était Serrano, expliqua Amaury Guichard à son Premier ministre en reposant le téléphone sur le bureau.

— Un problème ?

— Non, non. Juste trois millions de manifestants qui s'apprêtent à envahir Paris…

— Trois millions ? ne put s'empêcher de répéter Verneuil, abasourdi.

— Eh bien, oui ! Trois millions ! Et alors ? Où est le souci ? Tu ne vas pas non plus mouiller ta culotte comme Serrano, non !… Bordel, on a quand même six mille policiers et militaires pour les accueillir…

— Les portes ne sont pas les seuls accès à Paris.

Depuis les différents boulevards parallèles au périphérique, des centaines d'avenues et de rues ne seront pas bloquées par nos forces.

— Serrano et Laffon de Joux les auront déployées devant chacune d'entre elles, non ?

— Pour ça, il aurait fallu tripler le nombre de militaires…

— On ne va tout de même pas se laisser intimider par trois millions de guignols sortis de leur trou pour imposer leur loi à Paris.

— Je crois que tu ne devrais pas les sous-estimer…

— De toute façon, le reste des hommes n'est-il pas concentré sur les Champs et autour de l'Élysée ?

— Oui, mais trois millions…

— Juste deux fois plus que lors de la première coupe du monde gagnée par la France en 1998…

— Sauf qu'à l'époque, c'était la liesse, l'euphorie… Là, c'est une manifestation contre le pouvoir… Contre nous…

— Tu m'emmerdes, Olivier. Si le…

Le téléphone sonna. Amaury Guichard décrocha.

— Allô ?... Ah ! Alors ?... On en est où ?... C'est Zardelli, annonça-t-il à Verneuil tout en commutant le haut-parleur. Il est à la préfecture de Rouen…

— … je vous passe le professeur Jean-Paul Grandidier, responsable des études et de l'observatoire sur l'Arctique à la DGRIS[6]...

— Bonjour, Monsieur le Président...

— Bonjour, Professeur. Quelles sont les nouvelles ?

— Elles ne sont pas bonnes. Les premières vagues ont frappé la côte est du Danemark et surtout le nord des Pays-Bas par la mer de Wadden. L'Afsluitdijk, digue-barrage de trente-deux kilomètres sur laquelle passe l'autoroute qui relie la Hollande septentrionale à la Frise, a été submergée emportant au passage des centaines de véhicules dans le Zuiderzee, l'ancien golfe de la mer du Nord...

— Et quelle était la hauteur de cette digue ?

— 7,25 m ! La vague était bien supérieure... Mais ce n'est pas tout. L'onde de choc venue d'Arctique a touché les villes au nord de l'Islande, tout comme les îles Féroé, préservées par leurs falaises, ainsi que les côtes ouest de l'Irlande et de l'Écosse.

— Comment une telle vague peut-elle se déplacer aussi vite ?

— Pas une seule, Monsieur le Président ! Plusieurs. Je vais utiliser une image pour vous faire comprendre le phénomène. Prenez un verre rempli d'eau. Tenez un glaçon entre deux doigts au-dessus de ce verre et lâchez-le. Un débordement du liquide sera inéluctable, plus ou moins important selon la grosseur du glaçon. Alors, imaginez la banquise...

---

[6] Direction générale des relations internationales et de la stratégie dépendant du ministère de la Défense

C'est le même principe...

— Je vois. La France ne devrait-elle pas être protégée par la Grande-Bretagne ?

— Détrompez-vous, Monsieur le Président. Les observations satellitaires nous ont permis de repérer un phénomène qui va aggraver la situation les prochaines heures. Dans sa progression dans l'Atlantique nord, l'onde de choc a percuté le Gulf Stream et généré de nouvelles vagues océaniques puissantes qui se dirigent plein est.

— En clair ?

— En clair, ça signifie que d'un côté, nous avons une déferlante monstrueuse qui descend de la mer du nord vers la Belgique et le nord de la France. De l'autre, celles de l'Atlantique qui se développent en direction de la Cornouaille et vont pénétrer dans la Manche au sud de l'Angleterre.

— Et ?

Le professeur marqua une pause, comme pour mieux faire prendre conscience de la catastrophe qu'il allait annoncer.

— Même s'il est probable que le Cotentin servira de bouclier, avec déjà les dégâts que je vous laisse imaginer, la rencontre des deux mouvements océaniques va provoquer une réaction physique qui peut s'apparenter à un tsunami. Les conséquences seront dramatiques et nous avons estimé que la Normandie serait la région la plus impactée...

Un silence pesant ponctua la révélation coup de poing du professeur Grandidier. Amaury Guichard, sous le choc comme Olivier Verneuil, toussota, ce qui chez lui exprimait un réel malaise.

— Et... euh... êtes-vous certain de ce que vous avancez ?

— Monsieur le Président, en tant que porte-parole et responsable de l'unité d'observation de l'Arctique, les conclusions que je viens de vous livrer ont été établies par la communauté scientifique de la DGRIS composée de plus de trente personnes dont la réputation n'est plus à démontrer.

— D'accord. Merci, Professeur. Veuillez me repasser le ministre de l'Écologie...

— ... Oui, Monsieur le Président ?... C'est Zardelli...

— L'évacuation de la population est-elle toujours en cours ?

— Oui, Monsieur le Président, et cela se déroule plutôt bien...

— Quelle est la zone côtière concernée ?

— De Dunkerque à Dieppe avec une attention particulière sur la Baie de Somme dont la configuration topographique est un facteur de risque accru. Jusqu'à maintenant, nous pensions que l'estuaire de la Seine, plus éloigné et surtout protégé par les falaises du pays de Caux, pouvait être écarté du plan d'évacuation. Mais suite à ce que vient de nous révéler le professeur Grandidier, nous allons devoir l'étendre à toute la Normandie.

— Eh bien, prenez les mesures qui s'imposent, Zardelli !

— Monsieur le Président ?

— Je vous écoute…

— Les services de la sécurité civile et militaire de Normandie sont montés en renfort de leurs collègues des Hauts-de-France. Plus d'hommes seraient nécessaires, Monsieur le Président…

— Une seconde…

Amaury Guichard posa une main sur son téléphone et interrogea du regard son Premier ministre.

— Il faudrait voir avec Laffon de Joux pour qu'il détache un contingent d'Île-de-France en appui…

— Avec trois millions de manifestants aux portes de Paris ?…

Il poursuivit l'entretien avec son ministre de l'Écologie.

— Zardelli ?

— Je suis là, Monsieur le Président…

— Organisez une réunion de crise avec tous les Préfets de région, les responsables de la sécurité civile et militaire, les scientifiques également si…

Le professeur Grandidier demanda le téléphone à Zardelli qui le lui passa.

— Excusez-moi, Monsieur le Président, c'est Grandidier… Je crois que vous n'avez pas conscience de la gravité de la situation ni de l'ampleur de la catastrophe qui se prépare. Nous sommes dans l'urgence. Sans vous commander, vous devriez venir nous rejoindre pour participer à cette réunion de crise qui, contrairement à ce que vous suggérez, est déjà à pied d'œuvre. Nous pourrions vous montrer des…

— Excusez-moi, Professeur ! Mais nous allons être confrontés ici à une manifestation inédite de trois millions d'énergumènes prêts à en découdre. Voilà où est l'urgence.

— Non, Monsieur le Président. Pardonnez-moi d'insister, mais l'urgence c'est toute une population à déplacer de Dunkerque à Caen. Sans parler du nord de la Bretagne et du Cotentin qui seront affectés en priorité. C'est de votre responsabilité.

— Professeur Grandidier ! Tout grand scientifique que vous êtes, votre fonction ne vous autorise pas à me donner des ordres. Le président de la République française, c'est moi. Vous me devez le respect. J'estime, moi, que la crise qui se profile ici m'impose d'être garant de la sécurité de la capitale. Trois millions de révolutionnaires battent le pavé et s'apprêtent à envahir le cœur de Paris. Trois millions, Professeur Grandidier, vous comprenez ce que cela signifie ?

— Et la vie de huit millions de Français à sauver, vous comprenez ce que cela signifie ?

— Il suffit. Passez-moi Zardelli !...

Bref silence.

— … oui, Monsieur le Président ?

— Zardelli, je vous donne tout pouvoir pour gérer la situation. Entourez-vous au mieux et prenez les décisions qui s'imposent pour le déplacement des populations. Et tenez-moi au courant de l'évolution !

— Bien, Monsieur le Président !

Amaury Guichard raccrocha.

À la préfecture de Rouen, Zardelli, dépité, coupa la communication et posa le téléphone sur la table. Les préfets des départements du littoral et les quinze autres membres de la cellule de crise n'en revenaient pas.

Le professeur Grandidier se leva et lança :

— C'est un incompétent ! Je vais boire un café…

***

Toute la matinée, des TGV avaient déversé sur les quais de la gare Saint-Lazare, de la gare de l'Est, de la gare de Lyon, de la gare d'Austerlitz et de la gare Montparnasse des flots de voyageurs venus des régions de France les plus éloignées.

Amassés au milieu d'une circulation perturbée, c'est à 14 h comme convenu que les manifestants guidés par des militants parisiens de l'UPO, prirent la direction des Champs-Élysées.

À peu près à la même heure, les premiers marcheurs du « Cercle 20 » parvinrent aux abords du périphérique. Grâce aux vidéos partagées sur les téléphones portables, l'information s'était propagée : la police et l'armée contrôlaient les portes d'accès à Paris. Munis de plans et de talkiewalkies puissants, les responsables des fédérations départementales répartis sur tous les fronts avaient réagi et adopté une stratégie commune. Toutes les portes devaient être évitées et l'entrée dans Paris devait se faire par les centaines de rues délaissées et parallèles aux axes principaux. À peine l'information était-elle diffusée qu'au même moment, au nord, à l'est, à l'ouest et au sud de la capitale, sans heurts, sans accrocs, sans la moindre confrontation avec les forces en présence, tels les tentacules d'une pieuvre géante, des milliers de manifestants s'infiltraient sur les boulevards des maréchaux. Lorsqu'une rue perpendiculaire était libre d'accès, ils s'y engouffraient.

À 14 h 10, les marcheurs du « Cercle 20 » entraient dans Paris.

***

— Comment ça, ils entrent dans Paris, s'écria Amaury Guichard au téléphone avec le général Laffon de Joux. Il me semblait que les portes étaient tenues par vos hommes, non ?

— Oui, mais ce ne sont pas les seuls accès, Monsieur le Président, et trois millions de personnes, ce n'est pas une banale manifestation…

— Je croyais que la police et les militaires étaient armés…

— Ils le sont…

— Eh bien, alors, pourquoi n'ont-ils pas tiré ?

— Il n'y a pas eu d'agressions, pas de confrontations, Monsieur le Président… Leur sécurité n'était pas comprise…

— Laffon ?

— Monsieur, le Président ?...

— S'il y a du grabuge sur les Champs, je vous en tiendrai pour responsable !

***

Les premiers marcheurs parvenaient sur la place Charles de Gaulle. Dans la cour intérieure de l'immeuble de la rue Galilée, Lenny Richard s'introduisait à l'arrière du camion de déménagement et se glissait aux commandes du Greyhound. Owen Dratkowski s'installait dans la tourelle et prenait possession de la mitrailleuse lourde Browning M2. Yann Segura de la mitrailleuse coaxiale avec chacune des bandes métalliques de deux cent cinquante cartouches.

— Combien de coups par minute ? demanda Owen.

— Environ cinq cents.

Owen évalua sa réserve.

— Avec ça, en trente secondes, on aura fini...

Yann Segura indiqua une malle à leurs pieds.

— Ouvre !

Owen s'exécuta et découvrit une dizaine de bandes identiques à celles qui étaient introduites dans les deux mitrailleuses.

Claudio Mancini vérifia que les rampes étaient opérationnelles pour le moment voulu et referma les portes arrière du camion. Il rejoignit la cabine dans laquelle il grimpa et s'installa au volant. Il saisit un smartphone posé sur le tableau de bord et appela le contact dont le nom était affiché à l'écran. Dès que son interlocuteur prit la communication, il lança :

— Prêt !

À cinq cents mètres de là, un cordon de CRS contrôlait l'accès sur les Champs-Élysées. Georgio Del Santo, un complice, écouteurs dans les oreilles, observait la montée de la vague de manifestants qui enflait autour de l'Arc de Triomphe.

— Démarrage en principe à 16 h. Je te dis dès qu'ils se mettent en marche… je ne sais pas comment ça va se passer avec tous les flics et l'armée en face…

— OK, répondit Claudio Mancini. Je sors le camion, parce qu'il y a déjà du monde dehors. Si j'attends, je serai bloqué. Je resterai en stand-by. À ton signal, on libère le fauve…

— Ça roule !

Sur la façade de l'immeuble de la rue Galilée, le portail s'ouvrit et le camion de déménagement déboîta de la cour intérieure. Avec difficulté, il réussit à se frayer un chemin dans la masse humaine vivante qui se referma sur lui comme si elle l'avait absorbé. Seul le haut du véhicule dépassait. Après une lente progression de deux cents mètres, Claudio Mancini parvint à se garer le long d'un terre-plein de l'avenue Marceau.

Il était à cent-cinquante mètres des Champs-Élysées.

10

Paris
Lundi 24 novembre 2031 – 15 h 30

Vue par les caméras des drones de surveillance, la fourmilière ne cessait d'enfler. Les avenues de la Grande-Armée, Carnot, Mac Mahon, Wagram, Hoche, Friedland, Marceau, Iéna, Kléber, Victor Hugo et Foch avaient drainé des flux d'hyménoptères vers l'Étoile jusqu'à saturation.

Une foule immense issue de l'ouest et du sud-ouest avait choisi les quais de Seine pour progresser et éviter l'engorgement des accès à l'Arc de Triomphe et aux Champs-Élysées, avec pour objectif la Place de la Concorde.

Au milieu des Parisiens du « Cercle 20 » déjà agglutinés sur la place du Général de Gaulle, les secrétaires des fédérations départementales avaient rejoint le bureau national composé de Martial Donnadieu et de tous les responsables politiques des partis d'opposition pour ce qui serait la tête officielle de l'événement.

Les manifestants qui avaient démarré la marche

depuis le « Cercle 20 nord » approchaient des Champs par les rues Balzac et Washington, rues de Berri, de la Boétie et du Colisée, les avenues Franklin Roosevelt, Matignon. Ceux du « Cercle 20 est » commençaient à s'entasser aux abords de la Concorde qu'ils avaient atteints par les quais de la rive droite de la Seine et la rue de Rivoli. Mais ils réalisèrent qu'aller plus loin était impossible. L'armée et la police constituaient un rempart qui interdisait l'accès à la place donc aux Champs-Élysées. Un autre cordon de plus de mille hommes répartis sur l'avenue de Marigny, la rue du Faubourg Saint-Honoré, la rue de l'Élysée et bien sûr les Champs, cernait le palais présidentiel pour assurer une protection maximale de sécurité à la demande conjointe du ministère de l'Intérieur et des Armées.

Les manifestants du « Cercle 20 sud » et du « Cercle 20 ouest » avaient franchi le pont de Grenelle par la rue Linois, le pont de Bir-Hakeim par le boulevard de Grenelle, le pont d'Iéna par le Champ-de-Mars, le pont de l'Alma par les avenues Rapp et Bosquet, le pont des Invalides par le boulevard de la Tour-Maubourg, et le pont Alexandre III par l'avenue du Maréchal Gallieni. Et enfin, ils avaient envahi le quai d'Orsay puisque l'accès au pont de la Concorde était interdit.

Trois millions de personnes étaient aux portes des Champs-Élysées tel un poumon empli d'air, prêt à expirer dans un souffle de libération. Toutes les rues et avenues perpendiculaires étaient maintenant gorgées à la limite de l'explosion.

Pour la première fois de leur carrière, la dizaine de policiers et militaires postés à l'entrée de chacune d'entre elles n'étaient pas rassurés.

Paris
Lundi 24 novembre 2031 – 16 h 00

Devant l'Arc-de-Triomphe, une banderole de trente mètres de long fut déployée en tête du mouvement. Des lettres rouges géantes sur fond blanc composaient une seule phrase, un slogan unique qui se voulait percutant et symbole de l'unité :

CERCLE 20 LA FRANCE
FATIGUÉE DERRIÈRE L'UPO

Les organisateurs et autres secrétaires des fédérations ou des différents partis autour de Martial Donnadieu donnèrent le signal et se mirent en marche vers les Champs-Élysées, suivis par une foule phénoménale extraordinairement silencieuse.

Les « Mille Yeux » étaient en seconde position, avec, en tête, l'infirmière Anne Anderson, symbole de l'association.

Était-ce le silence de la masse imposante qui progressait face à eux, ou le fait de savoir que la France entière était là, derrière Martial Donnadieu, mais les hommes du cordon de sécurité qui interdisaient l'accès à l'avenue, sans concertation et sans ordre, commencèrent à reculer.

Lorsque le mouvement parvint à la première intersection de la rue de Presbourg et de la rue de Tilsitt, de chaque côté le poumon gonflé expulsa sa concentration de « Cerclistes » dans un souffle, sans autres sons que le martèlement feutré des chaussures sur l'asphalte.

Comme leurs camarades du haut de l'avenue, les policiers et militaires postés aux différents accès se replièrent.

Quand ils comprirent qu'ils dominaient les forces en présence, quelques manifestants scandèrent le slogan qu'un militant marseillais de l'UPO avait improvisé à la fin du discours de Donnadieu lu dans les fédérations du pays...

« GUICHARD AU PLACARD, VERNEUIL AU CERCUEIL, SERRANO AU TOMBEAU ».

... rapidement repris par cent, puis mille, dix mille, cent mille, et plus d'un million de voix hostiles au président de la République et au gouvernement Verneuil.

La capitale implosait.

La France implosait.

C'est au Rond-Point des Champs-Élysées, intersection des avenues Montaigne, Franklin

Roosevelt et Matignon qu'à force de reculer, six cents policiers et militaires rejoignirent un autre cordon de sécurité composé de quatre cents collègues.

Au total, mille hommes statiques et armés faisaient face maintenant aux « Cerclistes ».

C'était là que tout allait basculer.

Parvenus à vingt mètres du bloc, Martial Donnadieu et les responsables des partis d'opposition estimèrent rapidement que le bataillon était infranchissable, et qu'insister faisait courir un danger certain aux millions d'insurgés autour et derrière eux. La situation devenait cornélienne. Comment, après avoir déclenché une manifestation de cette envergure, pouvaient-ils renoncer ? Pouvaient-ils dire maintenant, « Bon, on arrête tout et on rentre chez nous » ?

Ils n'eurent pas le temps de pousser plus loin leurs réflexions, car lancés de quelque part derrière eux trois cocktails Molotov sifflèrent au-dessus de leurs têtes et explosèrent au sol aux pieds des CRS en première ligne.

***

À l'Hôtel Beauvau, les ministres de l'Intérieur et des armées, assis devant un large bureau, suivaient sur trois écrans le comportement des manifestants via des caméras embarquées sur plusieurs gradés de la sécurité ou sur des drones. Ils étaient en même temps en visioconférence avec Amaury Guichard, le Premier ministre, Olivier Verneuil, et Daniel Trodzy, son directeur de cabinet au palais de l'Élysée. La réaction tomba.

— Eh bien, qu'est-ce que vous attendez, lança Guichard en colère, que vos hommes se fassent cramer ?

Laffon de Joux se tourna vers Serrano acquiesça d'un bref hochement de tête. Ils s'étaient mis d'accord, mais espéraient l'ordre présidentiel. Les CRS montaient au front avec l'armée en soutien et en observation.

Serrano appuya sur le commutateur posé sur le socle d'un micro duquel il s'approcha.

— Allez-y !

***

Des grenades à gaz lacrymogènes précédèrent la charge et roulèrent au pied de la première ligne des manifestants. Martial Donnadieu et les autres responsables politiques furent touchés en priorité et tentaient d'échapper à l'asphyxie programmée par des mouchoirs, des écharpes ou encore des intérieurs de vestes au col retourné sur le visage. Une réaction de masse pour se protéger fut le recul systématique, occasionnant de nombreuses chutes et de victimes piétinées. C'est le moment que choisirent les policiers pour s'engouffrer dans la faille à coups de matraque.

La foule de plus en plus compacte poursuivait cependant sa progression sur les avenues qui aboutissaient au Rond-Point des Champs-Élysées. Se sentant menacée plus par la densité croissante que par des individus agressifs, la police gazait à tout va syndicalistes, hommes, femmes, adolescents, simples manifestants, sans distinction d'âges. Les charges provoquaient bousculades et chutes plus ou moins graves, mais ils n'en avaient cure. C'était comme une drogue. Une euphorie de combattants assoiffés, couverts par la hiérarchie gouvernementale, et sûrs de leur domination et de leurs lanceurs de balles de défense.

Martial Donnadieu était tombé au sol et plusieurs personnes de son entourage l'aidaient à se relever. Lorsqu'il fut d'aplomb, il réajusta ses vêtements et se sentit à cet instant investi d'une puissance incroyable. Pas une force musculaire façon Superman, non. Une force mentale extraordinaire dictée par sa responsabilité d'organisateur de cette manifestation d'ampleur nationale qui avait drainé plus de trois millions de Français au cœur de Paris. Trois millions de Français las de la démocratie bafouée. Trois millions de Français usés par les ordonnances fascisantes du pouvoir, le mépris présidentiel pour les classes ouvrières. Trois millions de Français fatigués des taxes, de la hausse systématique des impôts. Trois millions de Français venus des quatre coins du pays pour faire part de leur colère contre les injustices et l'évasion fiscale.

Voilà ce que ressentait Martial Donnadieu.

— Ne reste pas là, lui cria un des responsables de

l'UPO, tu vas te faire massacrer !

Martial Donnadieu se tourna vers lui. Mais il était ailleurs. Son regard était fixe, perdu dans le vague de ses pensées utopiques. Il fut tiré en arrière par la manche, dans un geste ultime de sécurisation et de défense illusoire.

— Laisse-moi !... Je dois leur parler...

— Tu es fou ! Tu vas te faire massacrer...

— Non... Je suis responsable et je veux justement éviter le massacre de tous ces pauvres gens qui sont montés à Paris à mon appel...

Cinglé... songea son protecteur. Il tourna les talons et l'abandonna sur place face à son destin.

Martial Donnadieu réajusta une dernière fois ses vêtements.

Tel Jésus sur les eaux de la mer de Galilée, d'un pas assuré, mais lent, Martial Donnadieu avança à travers les violences policières qui le cernaient de tous côtés.

Mais le miracle n'eut pas lieu.

Un tir de LBD le frappa de plein fouet, et il s'écroula en hurlant, le visage en sang.

Il venait de perdre un œil.

Un vent de panique souffla sur les responsables de l'UPO. Plusieurs d'entre eux se précipitèrent sur leur chef de file blessé pour le relever et l'évacuer sur l'arrière pour autant que la densité du cortège le permette.

L'indignation cédait aux assauts de la peur.

***

Giorgio Del Santo avait assisté à toute la scène. Il porta son micro filaire à son visage, une main pour masquer ses lèvres, appuya sur le commutateur et lança cette simple information qui allait mettre le feu aux poudres :

— Ils viennent de descendre Donnadieu.

Il coupa la communication puis se noya dans la manifestation.

***

Paris
Lundi 24 novembre — 17 h 10

Claudio Mancini attendit que Yann Segura prenne son appel.

— Oui ? finit-il par entendre.

— C'est l'heure ! Ils ont abattu Donnadieu !

— Putain ! OK, on y va !

Claudio Mancini coupa la communication et rangea son smartphone dans sa poche. Il descendit du camion de déménagement. Les manifestants continuaient d'affluer en direction des Champs-Élysées, mais le flot lui parut moins dense.

Il se rendit à l'arrière, déverrouilla et ouvrit les portes. Il décrocha un boîtier de commande fixé à la paroi intérieure et appuya sur plusieurs touches. Les deux rampes métalliques commencèrent à glisser de sous le plancher du camion et se posèrent en douceur sur le macadam. Quand l'opération fut terminée, il adressa son poing fermé, pouce levé à Lenny Richard et Yann Segura dont il n'apercevait que les têtes casquées aux ouvertures avant. Ils lui renvoyèrent le signe, abaissèrent leurs lunettes de protection devant leurs yeux. Lenny mit les gaz et le moteur vrombit.

Le Greyhound s'ébranla, avança et bascula légèrement sur les rampes sur lesquelles il se déplaça jusque dans la rue au milieu des manifestants à la fois surpris et inquiets.

Lenny manœuvra l'engin de manière à l'orienter dans le sens de la marche des « Cerclistes », par conséquent en direction des Champs-Élysées.

Entre temps l'information sur l'agression de Martial Donnadieu par un tir de LBD avait remonté les cortèges, quels que soient les axes d'arrivée. La colère grondait. C'est à cet instant que les premiers Black Blocks, bien identifiables, s'insérèrent dans la manifestation. Ils étaient tous vêtus de blousons noirs à capuche, de masques ou d'écharpes sur le visage et de lunettes de piscine. Ils avaient en main leurs armes favorites : marteau, brise-vitre, pied-de-biche et cocktails Molotov.

La confrontation avec les forces de police était inéluctable.

Le Greyhound avançait sur la rue de Galilée à la même vitesse que les « Cerclistes », plus par contrainte que réelle volonté. Peu après, il atteignit les

Champs-Élysées et il se fondit au milieu des manifestants inquiets dans un premier temps, puis ébahis. La perception négative, mais légitime, qu'ils avaient de cet engin militaire incongru piloté par deux hommes casqués, fut rapidement dissipée quand Owen Dratkowski apparut au sommet de la tourelle pour les rassurer en répétant à l'envi à qui voulait l'entendre :

— N'ayez pas peur ! Ne craignez rien ! Nous sommes avec vous ! Vive la révolution !

Des rires et des applaudissements succédaient aussitôt à ses derniers mots.

— Vive la révolution ! reprenaient en chœur les manifestants ravis de cette aubaine.

Mais aucun d'eux n'aurait pu imaginer que ce véhicule inattendu et symbolique allait changer la face du monde.

***

— Quoi encore ? aboya Amaury Guichard dans le téléphone.

— Pardonnez-moi, Monsieur le Président, l'alerte est maximale sur la Normandie et...

— Écoutez, monsieur le ministre de l'Écologie, vous ne croyez pas que l'urgence est à Paris en ce moment ? J'ai trois millions de manifestants aux portes de l'Élysée et le...

— Monsieur le Président, rugit Grandidier qui venait d'arracher le téléphone des mains de Zardelli, les vagues d'Atlantique ont touché les côtes ouest des îles anglo-normandes. Jersey et Guernesey dénombrent des centaines de morts, tout comme le nord du Cotentin. Le port de Cherbourg est détruit en partie. Là non plus, on ne compte pas les victimes. Mais le pire est à venir. Le niveau de la Manche a considérablement augmenté. Les vagues de la mer du Nord se sont amplifiées entre Douvres et Calais touchées de plein fouet. Elles se sont ensuite engouffrées dans la Baie de Somme, ont rasé les villes côtières de Saint-Valery et du Crotoy, et remonté la Somme jusqu'aux portes d'Abbeville...

— Je crois que vous avez anticipé, non ? N'avez-vous pas évacué les populations ? le coupa Amaury Guichard.

Le professeur Grandidier inspira profondément pour éviter d'exploser, puis poursuivit :

— Oui, bien sûr ! Mais l'alerte dont vous a parlé le ministre Zardelli concerne une catastrophe annoncée certaine. Tout le Pays de Caux, comme nous l'avons prévu, sera protégé par ses falaises. Mais elles vont aussi servir de démultiplicateur à la force des vagues du nord. Une sorte de toboggan sur lequel elles vont prendre de la vitesse.

— Et alors ?

— Et alors ?... Alors avec les experts qui travaillent avec moi, nous sommes certains que la puissance océanique de l'ouest va se heurter à celle du nord. D'après nos calculs, la jonction aura lieu entre le Havre et Cabourg...

— Donc je suppose que leurs forces vont s'annuler, conclut Amaury Guichard.

— Vous n'avez pas l'air de vous rendre compte de la gravité de ce qui nous attend, Monsieur le Président. Non seulement le choc n'annulera pas les forces, mais il va créer une véritable onde dévastatrice qui va percuter de plein fouet le littoral. Houlgate, Villers, Bionville, Deauville, Trouville, toutes les villes situées en première ligne seront impactées et…

— Monsieur le Président, nous avons un problème, l'interrompit Serrano sur un des écrans de la visioconférence.

Amaury Guichard retourna le combiné contre lui.

— Quoi ? Qu'est-ce qu'il y a encore ?

— Des Black Blocs attaquent nos hommes !

— Merde ! Ils savent comment riposter, non ?

Il reprit le téléphone. Le professeur argumentait toujours.

— … même les méandres ne les arrêteront pas…

— Pardon, Professeur, j'ai été interrompu. Pourquoi me parlez-vous de méandres ?

Grandidier bouillait. Il débita d'un seul trait :

— La vague gigantesque née de la rencontre entre les flux ouest et nord va s'engouffrer dans l'estuaire de la Seine. Le port d'Honfleur sera pulvérisé.

— Honfleur ?

— Oui, Honfleur. Mais là n'est pas le seul problème. La vitesse de la vague va décupler et poursuivre sa progression en remontant la Seine…

— C'est la raison pour laquelle vous me parliez

des méandres... Sa force va diminuer avec tous ces détours...

— Détrompez-vous ! Le chemin le plus court est la ligne droite. Nous craignons que Rouen soit aussi touchée de plein fouet... Peut-être plus loin...

— Rouen ? Et pourquoi pas Paris ? Allons, Professeur... Les aménagements du fleuve depuis les années soixante ont éliminé tout risque d'inondation due aux grandes marées...

— Je crois que vous n'avez pas compris la nature du danger, Monsieur le Président...

— Dites aussi que je suis un imbécile...

— Non, Monsieur le Président, mais il n'est pas question ici de grandes marées. Il s'agit d'un phénomène maritime et écologique d'une ampleur exceptionnelle dont nous ne connaissons même pas les conséquences... C'est pire qu'un tsunami.

— Monsieur le Président, intervint à nouveau Serrano sur son écran, excusez-moi... une dizaine de policiers sont en feu... Le gazage et les lanceurs ne suffisent plus... Il y a trop de monde...

Amaury Guichard soupira.

— Bon, écoutez ! dit-il en s'adressant à Grandidier au téléphone, la véritable urgence est ici. J'ai des manifestants qui deviennent agressifs et violents. Les forces de l'ordre sont attaquées. Je dois intervenir... Dites au ministre de l'Écologie de me prévenir quand les choses évolueront de façon significative.

Il raccrocha sans laisser le temps à son

interlocuteur de répliquer.

À la préfecture de Rouen, les membres de la réunion de crise avaient suivi la conversation et étaient consternés de l'irresponsabilité de Guichard.

Le professeur Grandidier était médusé.

— Non seulement il est incompétent, mais en plus, il est con !

— Vous parlez du Président de la République, s'insurgea le préfet du Calvados, un peu de respect et de retenue, Professeur !

— Il est temps d'ouvrir les yeux, répliqua Grandidier en colère et en se levant.

— Restez assis, Professeur. Nous n'avons pas terminé…

— Moi, si.

— Le président veut sauver Paris…

— Je vais vous dire une chose, Monsieur le Préfet. Avec tout le respect que je vous dois. Paris n'est pas que la capitale. Elle est aussi le symbole **DU** capital. C'est la raison pour laquelle il veut la sauver. Le littoral, c'est le peuple. Il n'en a que faire. Messieurs, bonne continuation ! Je retourne sur le terrain où la Sécurité civile et l'armée s'occupent du peuple.

Il quitta la salle à grandes enjambées dans un silence de mort, ouvrit la porte et disparut sans la refermer.

***

Sur les écrans de la visioconférence, les deux ministres, Intérieur et Armées, attendaient une prise de position de la Présidence. Amaury Guichard tapotait le capuchon d'un stylo sur son bureau, signe d'une hésitation passagère.

Daniel Trodzy, son directeur de cabinet, le tira de ses pensées.

— Pardon, mais Serrano et Laffon de Joux attendent vos ordres, Monsieur le Président...

Amaury Guichard leva la tête et vit effectivement les visages de ses deux ministres dans l'expectative. Sur un troisième écran, la manifestation composée d'activistes masqués ne cessait d'enfler sous le nombre croissant des « Cerclistes » et des Black Blocs. Les policiers incendiés avaient été « éteints » avec des extincteurs portatifs et évacués pour soins immédiats. L'avant-garde résistait tant bien que mal, protégée par un mur de boucliers, mais il était évident que sous la densité humaine de plus en plus agressive, le repli systématique semblait inéluctable.

— Ouvrez le feu ! déclara Amaury Guichard, sans desserrer les dents. Lâchez l'armée ! Ce sera le meilleur moyen de calmer les ardeurs et...

— À vos ordres, Monsieur le Président, répliqua Laffon de Joux déterminé.

Par écran interposé, Amaury Guichard assista à une scène qui lui vrilla l'estomac. Une grenade lancée du milieu de la manifestation explosa au sein des forces en présence. Trois CRS s'effondrèrent, ensanglantés et inanimés.

— Nom de dieu ! Qu'est-ce que vous attendez ?

Le ministre des Armées en relation téléphonique permanente avec le commandement logistique lâcha juste l'ordre par lequel tout bascula :

— Feu, Colonel !

Dans les secondes qui suivirent, les policiers de première ligne s'écartèrent pour laisser monter les hommes du 24e régiment d'infanterie de Paris en repli opérationnel depuis le début du face-à-face.

Munis de leurs fusils d'assaut HK416, les militaires tirèrent plusieurs rafales en l'air.

La bête « cercliste » ne réalisa pas le sens de cette sommation.

La dizaine de Black Blocs, persuadés qu'il s'agissait là d'une stratégie d'intimidation, allumèrent ensemble des cocktails Molotov.

Devant l'imminence de l'agression, les HK416 furent braqués dans leur direction.

Avant que les bouteilles incendiaires ne soient lancées, l'ordre vint de l'arrière… « Feu ! ».

Pendant six à dix secondes, un tir nourri mit immédiatement un terme à l'offensive.

« Cessez le feu ! »

Les Black Blocs étaient à terre.

Avec eux, une vingtaine de manifestants.

Parmi les victimes au sol, un symbole… l'infirmière Anne Anderson. La millième éborgnée de la décennie venait de rendre l'âme.

Silence impressionnant.

Puis…

Mouvement de foule…

Fuite panique…

C'est à cet instant qu'il apparut.

Immobile.

Tel un fauve prêt à bondir.

Le Greyhound était là.

***

— Qu'est-ce que c'est que ça ? demanda Guichard. C'est à nous ?

— C'est quoi, ça ? répéta Laffon de Joux dans son téléphone.

— C'est un AM-M8… Un véhicule blindé utilisé par les Alliés pendant la Seconde Guerre mondiale…

— C'est à nous ?

— Non, Monsieur !

— Qu'est-ce que ça fout là ? insista Guichard.

Laffon de Joux n'eut pas le temps de répondre. Owen Dratkowski et Yann Segura avaient ouvert le feu. Les rafales de leurs mitrailleuses vengeresses arrosaient les forces armées et policières qui leur faisaient face. Les hommes tombaient comme des mouches. Une hécatombe. Quelques militaires parvinrent à tirer en direction du Greyhound, mais, par manque de précision, plusieurs dizaines de manifestants furent abattus sur le coup.

En réaction du haut de sa tourelle, Owen Dratkowski, de rage, élargit son angle de tir.

146

L'ennemi avait considérablement battu en retraite et rejoint les troupes de protection du palais présidentiel dans la rue de Marigny. Une balle ajustée explosa la tête du chef anarchiste dont le casque était bien insuffisant. Son corps glissa et disparut dans le Greyhound. Yann Segura, alerté par le bruit de sa chute derrière lui, se retourna et, épouvanté, découvrit son ami. De rage, il rechargea une bande de munitions puis arrosa l'ennemi qui, fort de la neutralisation de la mitrailleuse de tourelle commençait à cerner le blindé. Sous la rafale ininterrompue de son arme meurtrière, Yann avait l'impression de créer au ralenti une gerbe de cadavres tout autour. Ce fut la dernière image qui lui vint à l'esprit. Derrière lui, une grenade explosa, coupant net la pellicule du film de guerre projeté par l'ouverture avant. Noir. Le dos de Lenny Richard était déchiqueté et son corps était affaissé sur les commandes de pilotage.

Envahi de fumées intérieures qui s'échappaient par la tourelle, le Greyhound était immobile au milieu des manifestants. Les quelques militaires encore debout crurent à cet instant que l'heure de la victoire avait sonné. Mais leur intuition était fausse. Fascinée, en transe, telle une lave volcanique en fusion, la foule des « Cerclistes » grossissait, les absorbait et les piétinait sans aucun scrupule, et surtout sans avoir conscience de ce qui se déroulait vraiment. Une vague humaine envoûtée et guidée par la hargne, la révolte, la lassitude de temps d'années d'oppression, de dictature plus ou moins affirmée, d'autoritarisme, de violences subies, enflait sous l'écume de la colère et de la vengeance.

Progressivement toutes les rues qui convergeaient vers la résidence présidentielle étaient assiégées : Ponthieu, Colisée, Penthièvre, Miromesnil, Saussaies, Montalivet, Faubourg Saint-Honoré et bien sûr les Champs-Élysées, tous les accès étaient pris d'assaut.

La mouvance cessa quand la vague se heurta au mur de mille hommes des forces policières et armées en position de défense tout autour du palais et des jardins de l'Élysée.

Des rafales de vent commencèrent à se faire sentir alors que des nuages noirs se déplaçaient à une vitesse inhabituelle au-dessus de l'Île-de-France.

Au même moment, les manifestants agglutinés ne progressaient plus sur le quai d'Orsay et le quai Anatole France. Sans concertation ni aucune directive particulière, la jonction avec les « Cerclistes » qui avaient remonté le Boulevard Saint-Germain eut lieu devant le Palais Bourbon. La pieuvre aux tentacules multiples s'infiltra à l'intérieur, débordant le service d'ordre happé par la succion humaine. En peu de temps, l'ensemble du Palais et l'Hémicycle de l'Assemblée nationale au bord de l'implosion furent engloutis et digérés par la bête.

***

— Excusez-moi, Monsieur le Président, dit Zardelli, je suis en survol de la région avec le Professeur Grandidier.

Amaury Guichard le sentit anxieux. Presque paniqué.

— Oui, et alors ?

— Le professeur avait raison, la côte est dévastée. La vague est géante... Le ciel roule des nuages obscurs... L'anémomètre de bord signale des vents de plus de soixante-dix nœuds... cent-trente kilomètres heure...

— Des dégâts ?

Silence.

— Eh bien ?

Zardelli reprit la parole, des sanglots dans la voix.

— Honfleur est sous les eaux... Le pont de Normandie et le pont de Tancarville se sont effondrés...

— Quoi ?

— Et ce n'est pas tout. Elle a atteint Rouen...

— La Seine est sortie de son lit ?

— Monsieur le Président... La Seine n'existe plus...

— Comment ça ?

— Non, c'est comme si la mer avait envahi les terres... On ne voit que les toits du Centre-ville dont émerge la flèche de la cathédrale...

— Des morts ?

— Sans doute...

— Je croyais que vous aviez procédé à

l'évacuation des populations…

— Oui, Monsieur le Président, celle du littoral… Là, nous sommes à soixante-dix kilomètres à l'intérieur…

— Écoutez, Zardelli, faites au mieux !… Je dois gérer ici la situation… C'est la guerre !

— Monsieur le Président ?

— Quoi encore ?

— La vague poursuit sa progression. En ce moment nous sommes du côté de Giverny… Mantes-la-Jolie est exposée…

— Mais bordel, elle n'a pas été ralentie par les méandres ?

— Il n'y a plus de méandres ! La vague a pris le chemin le plus court… Nous allons abandonner le survol. Le pilote m'informe qu'avec les rafales il a des difficultés à stabiliser l'appareil. Je peux vous dire qu'au rythme où le tsunami se déplace, il est probable qu'il atteigne Paris d'ici une heure…

— Paris ?

— Oui, et nous avons fait une projection… en premier seront touchées Vernouillet, Poissy, Saint-Germain-en-Laye, puis Rueuil-Malmaison, Nanterre, Neuilly-sur-Seine et…

Laffon de Joux et Verneuil accompagnés de gardes républicains et de gardes du corps entrèrent dans le salon doré dans lequel Amaury venait de s'effondrer dans son fauteuil, hagard.

— Excusez-moi, Monsieur le Président, lança Laffon de Joux, nous avons pris la décision de vous évacuer. Vous êtes en danger. La République est en danger. Trois millions de Français sont sur le point de déborder le cordon de sécurité que nous avons mis en place autour de l'Élysée…

Amaury Guichard leva la tête vers lui, comme sonné.

— Autour de l'Élysée ?... Mais… il y a mille hommes… Ils n'ont qu'à ouvrir le feu…

— C'est ce qu'ils ont fait… les morts s'entassent partout, dans toutes les rues, c'est un massacre… Mais la foule comme hallucinée n'en a rien à faire… Elle avance… Nos hommes sont acculés, broyés… C'est pourquoi nous devons vous évacuer… Venez ! Un hélicoptère nous attend dans les jardins…

— Monsieur le Président ? Vous êtes toujours là ? hurlait Zardelli dans le téléphone, tellement fort, que même sans le haut-parleur activé, tous l'avaient entendu. Mais pour eux, ce n'était pas l'urgence.

— Dépêche-toi, Amaury, il n'y a pas une minute à perdre, lança Verneuil en lui prenant le téléphone des mains pour couper la communication.

***

Quelques minutes plus tard, un hélicoptère Super Puma décollait des jardins de l'Élysée avec à son bord, Amaury Guichard, Olivier Verneuil et Arnaud Laffon de Joux.

***

Au ministère de l'Intérieur, Serrano tentait d'organiser avec les chefs d'État-major et le Préfet de Paris une ultime charge réactive conjointe de l'armée et des forces de police.

***

Dans l'hélicoptère qui survolait Mantes-la-Jolie submergée, Zardelli ne comprenait pas pourquoi Guichard avait coupé la communication.

Le professeur Jean-Paul Grandidier, le regard troublé par l'amplification de la catastrophe au sol murmura :

— C'est un connard !

Zardelli s'offusqua.

— Professeur !... Vous parlez du Président de la République...

— Ah, pardon ! Alors c'est un putain de connard de Président de la République...

***

Depuis le Super Puma, Amaury Guichard et ses deux ministres découvraient l'ampleur de l'invasion « cercliste ». Les Champs-Élysées ne désemplissaient pas. Sur les bords de Seine, les quais, les jardins, les ports, tout était saturé.

Le téléphone d'Amaury Guichard vibra. Le nom du Président de l'Assemblée nationale, Jocelyn

Guillaumet, s'afficha à l'écran. Il prit la communication et mit directement le haut-parleur.

— Guichard… Je vous écoute…

Au ton paniqué de sa voix, tous comprirent que quelque chose de grave se produisait. On entendait des coups de feu.

— Président, c'est affreux… Les manifestants ont assailli le palais. Ils se sont emparés des armes de nos agents de sécurité. Plusieurs députés sont morts dans l'Hémicycle, d'autres sont abattus pendant leur fuite et les…

La voix de Jocelyn Guillaumet se tut. Ne subsistaient que cris, coups de feu, hurlements alors que les révolutionnaires chantaient la Marseillaise à tue-tête.

Comme si la confirmation s'imposait, une femme en larmes s'écria dans le téléphone :

— Le président a été tué !... LE PRÉSIDENT A ÉTÉ TUÉ !...

Alors que l'hélicoptère s'éloignait du Palais Bourbon à l'intérieur duquel il imaginait l'émeute, Amaury Guichard coupa la communication. L'environnement immédiat de l'Assemblée nationale grouillait d'ennemis. La patrie était en danger. Il devait prendre une décision.

— Monsieur le ministre ?

— Je vous écoute, Monsieur le Président…

— Il faut envoyer vos Rafales ! Faites sauter l'Assemblée nationale !

Laffon de Joux et Verneuil se regardèrent,

interloqués.

— Mais, Monsieur le Président, il va y voir des milliers de morts et puis c'est un symbole de la République que vous me demandez de détruire… Le monde entier sera contre nous. Lorsqu'un président réagit de la sorte pour enrayer une guerre civile…

Amaury Guichard serra les dents et lança froidement :

— Une guerre civile ? Avec des blindés qui déciment nos forces de police et militaires ? Avec des députés et le président de l'Assemblée assassinés ? Mais ce n'est pas une guerre civile, Monsieur le Ministre ! C'est LA GUERRE ! Et dans toute guerre, il y a des pertes ! Je suis le chef des Armées. C'est un ordre !

Déconfit, Laffon de Joux appela le Major général de l'Armée de l'Air.

***

Deux points noirs apparurent à l'horizon est. En quelques secondes deux Dassault Rafale de la base de Saint-Dizier plongeaient sur Paris.

À l'ouest, le ciel s'était obscurci

À l'instant où le dôme du Palais Bourbon et le bâtiment qui abritait l'Hémicycle volaient en éclats dans un cataclysme d'explosions assourdissantes, de flammes et de fumées noires, le Super Puma était à l'aplomb de la Porte de Versailles. C'est à cet instant que Verneuil, épouvanté, s'écria :

— Nom de dieu !

Tous les passagers tournèrent la tête dans la direction où se portait son regard et se décomposèrent.

Tel un raz-de-marée, une vague gigantesque s'engouffrait sur Paris dans le lit de la Seine par Boulogne-Billancourt.

Amaury Guichard demanda à survoler le désastre en marche.

Alors que l'hélicoptère était secoué au moment du demi-tour, le pilote lança dans le micro fixé à son casque :

— Nous allons devoir regagner la base, Monsieur le Président. Mes appareils annoncent un vent à soixante-quinze nœuds.

Amaury Guichard et ses deux ministres entendirent l'avertissement dans le haut-parleur intérieur. Laffon de Joux qui était également muni d'un système de communication répliqua :

— Tâchez de vous maintenir en position géostationnaire, Lieutenant !

Le pilote fit une grimace tout en luttant aux commandes contre les bourrasques qui maintenant s'intensifiaient.

Le nez collé aux hublots, tous étaient captivés par l'hallucinant spectacle qui se déroulait quelques centaines de mètres plus bas.

La vague géante semblait mue par une puissance phénoménale. Elle roulait des millions de mètres cubes d'eau qui déferlaient sur les quais, entraînant des tonnes de débris arrachés sur les berges d'aval.

— Tous… tous ces points colorés qui… qui se déplacent… c'est quoi ? demanda Amaury Guichard maintenant effrayé et refusant de croire ce qu'il voyait.

— Descendez un peu, capitaine ! ordonna Laffon de Joux dans son micro.

— Il y a danger, monsieur le ministre ! Nous devons partir…

— Attendez, il faut…

— Oh, ce sont des cadavres ! s'écria Verneuil… Et… et là… regardez ! Regardez !...

Les « Cerclistes » entassés sur les quais avaient bien vu le ciel s'obscurcir et entendu dans leur dos la constance effrayante d'un mugissement monstrueux accompagné de longues plaintes ectoplasmiques du vent. Ils avaient anticipé par peur sans savoir ce qui les provoquait. La masse tentait de se mouvoir pour s'éloigner de l'improbable créature dont les rugissements s'amplifiaient. Mais de l'agglomérat, la fuite était impossible.

Des cris, des hurlements de terreur et de souffrance s'élevaient dans le ciel de Paris. Sous l'effet de la panique, des femmes, des hommes s'écroulaient au milieu de leurs congénères qui les ignoraient totalement. Ça piétinait les corps, ça les écrasait, ça les aplatissait dans une épouvantable boucherie. L'individualisme et l'instinct de survie primaient sur toutes tentatives de certains pour relever les blessés. Le moindre arrêt se transformait en chute de nouveaux corps broyés sous le rouleau compresseur du chacun pour soi.

Des grappes entières de fuyards étaient propulsées dans la Seine dont des vagues inexplicables à contre-courant les recouvraient aussitôt. Ceux qui nageaient se débattaient quelques instants, emportés sous l'eau par ceux qui ne savaient pas et qui s'accrochaient à eux comme à des bouées de sauvetage.

C'est à cet instant que tout bascula sous les yeux effarés des deux ministres et du président devant ce qui ressemblait autant à un film catastrophe qu'à un film d'horreur.

Il faisait presque nuit. La vague géante dont il était envisageable que la puissance diminuât dans sa progression, a contrario, gonflait en volume et en intensité. Le pont Mirabeau et celui de Grenelle furent balayés. La réplique de la statue de la Liberté sombra dans les flots. L'île des Cygnes fut submergée. Les berges étaient effacées comme si elles n'avaient jamais existé. Les premiers « Cerclistes » furent fauchés et emportés par un bourbier surréaliste, mélange d'eaux noirâtres de terre et d'arbres arrachés dans les parcs, de carcasse de voitures et de cadavres. Le pont de Bir-Hakeim et le pont d'Iéna furent anéantis en quelques secondes en même temps que la vague se séparait en deux. Pendant que l'une continuait de lancer son rouleau dévastateur dans le cours de la Seine et ses berges, l'autre s'engouffrait comme une lame de fond titanesque vers le Champ-de-Mars. En peu de temps, la tour Eiffel devint l'invraisemblable phare d'un océan déchaîné démentiel.

— Foutons le camp maintenant, hurla le pilote dans le micro de son casque en tentant comme il pouvait de stabiliser son appareil dans la violence décuplée de bourrasques vomies par des vents anarchiques.

Toujours collés aux hublots, les trois hommes politiques assistaient impuissants aux infernales scènes cauchemardesques qui les tétanisaient et annihilaient la moindre réaction.

Alors que le zouave du pont de l'Alma s'étonnait de disparaître définitivement de la carte postale de Paris, le monstre explosa sa rage meurtrière sur les milliers de manifestants encore présents sur le Cours la Reine et le quai des Tuileries.

Un tombereau de cadavres s'écrasa contre les voûtes du pont de la Concorde qui s'effondra sous l'ombre du Palais Bourbon vaincu, en flammes et en ruine.

Dans le Super Puma, Amaury Guichard, Verneuil et Laffon de Joux, tétanisés, ne pouvaient détacher leur regard de la catastrophe. Paris semblait rayé du monde. Leur fascination les empêchait de prononcer le moindre mot. Un cri du pilote les tira de leur léthargie.

— Putain, merde…

À cet instant, le ciel noir de nuages mouvants effaça le film d'épouvante et les trois hommes furent projetés contre la paroi de l'hélicoptère militaire qui venait de basculer sur le flanc gauche.

Sonné, Laffon de Joux leur intima l'ordre de s'attacher aux sièges, puis il hurla dans son micro :

— Qu'est-ce que vous foutez, Lieutenant, bordel ?

Le pilote parvint à redresser l'appareil instable.

— Il faut dégager, MAINTENANT ! Nous sommes dans un tourbillon de vents contraires. Les pales s'affolent et… MEEEEEERDE…

Emporté par la violence de bourrasques chaotiques, le Super Puma se déporta d'un seul coup, mais cette fois sur son flanc droit. Le moteur gronda dans un hurlement de bête blessée. Le pilote comprit qu'il ne maîtrisait plus l'appareil. L'issue était fatale.

Dans un long gémissement, l'hélicoptère partit en vrilles. Guichard, Verneuil et Laffon de Joux, les doigts crispés sur les accoudoirs de leurs sièges, pâlissaient à vue d'œil.

Avec la volonté du désespoir, le lieutenant tenta de reprendre les commandes pour le redresser. Mais en une fraction de seconde, la convergence inattendue de plusieurs bourrasques figea les loopings et plaqua le Super Puma au sol dans le Jardin des Tuileries dans un fracas effroyable d'acier.

L'explosion qui s'ensuivit résonna dans Paris comme un point final à un monde agonisant.

**

Dans les minutes qui suivirent, la vague s'affaissa, comme épuisée par son long cheminement.

Ou peut-être sa mission était-elle accomplie.

Comme si une main divine avait actionné un disjoncteur céleste, les vents qui rugissaient encore s'essoufflèrent et les nuages se dissipèrent dans le ciel pour se transformer en une chape grisâtre.

La pluie commença à tomber à grosses gouttes qui explosaient à la surface de l'eau stagnante au sol.

La Seine n'existait plus.

Des femmes et des hommes miraculés, hallucinés, cherchaient à échapper aux cadavres vomis par la vague épuisée.

Seuls les cris et les pleurs constituaient la bande-son d'un film catastrophe parvenu à son terme.

Le monde agonisait.

2084

11

Paris
Vendredi 19 mai 2084 – 11 h 50

— … et c'est ainsi qu'a commencé l'effondrement de la civilisation. Vous avez compris que la France vivait à l'époque sous la dictature de Guichard et qu'avec son gouvernement il a précipité le pays dans un tel chaos, que nous en ressentons les effets encore aujourd'hui…

Un étudiant leva la main.

— Oui ? Je vous écoute…
— Mais le chaos vient aussi du bouleversement climatique dont vous nous avez parlé avec ces vagues venues de l'Arctique et de l'Atlantique. La catastrophe aurait-elle pu être évitée si le président avait pris les décisions qui s'imposaient ?
— Non. Parce que les décisions prises dès la fin du XXe siècle et pas seulement au niveau de la France, mais à l'échelle de la planète, auraient dû être appliquées. Ce qui n'a pas été le cas. Le processus de

réflexion était pourtant bien engagé. La première « Conférence des États signataires », COP en anglais pour « Conference of Parties », a eu lieu à Berlin en 1995. Avant cela, une première conférence mondiale sur le climat a eu lieu à Genève en 1979. Il faut attendre 1988 avec la création d'un Groupe d'Experts intergouvernemental sur l'évolution du climat. En 1990, ce groupe rédige le tout premier rapport qui reconnaît la responsabilité humaine dans le dérèglement climatique. Et enfin, le premier sommet de la Terre s'est tenu en 1992 à Rio de Janeiro. C'est pourtant une étape cruciale puisque suite aux négociations internationales avec la signature de la Convention-cadre des Nations unies, il est reconnu officiellement l'existence du dérèglement climatique et la responsabilité humaine dans ce phénomène. L'objectif est de stabiliser la concentration de gaz à effets de serre à un niveau qui empêche toute perturbation humaine dangereuse du système. En 1997, avec le protocole universel de Kyoto, les pays industrialisés s'engagent à réduire leurs émissions de gaz à effet de serre de cinq pour cent. C'est en 2009, à la conférence de Copenhague qu'ils s'obligent à limiter le réchauffement climatique à deux degrés Celsius.

Un autre étudiant leva la main. L'enseignant lui passa la parole.

— Pourtant le processus de réflexion était bien

engagé. Puisque c'est à la COP21 qui s'est tenue à Paris en 2015 qu'un accord ambitieux dans ce sens a été signé, applicable à tous les pays, différencié selon que les pays sont développés ou en développement.

— Oui, vous avez raison. Jusqu'à ce que le président américain de l'époque, Donald Trump, tourne le dos à la planète, à la réalité du réchauffement climatique et annonce le retrait isolé de cet accord sur le climat. En y opposant l'enjeu politique des emplois dans son pays pour rester fidèle à sa promesse de campagne, il a suscité la consternation de près de deux cents pays signataires. La brèche était ouverte.

Une sonnerie de fin de cours retentit et annonça du même coup midi.

— Pour la semaine prochaine, vous ferez des recherches sur les conséquences de ce retrait des États-Unis, et notamment sur les prises de position du Brésil et l'annulation de la COP24. Je vous souhaite un bon week-end.

Les étudiants quittèrent l'amphithéâtre tout en commentant par petits groupes les explications de leur enseignant. Ou peut-être élaboraient-ils déjà des projets d'avenir à plus ou moins court terme.

Fabien Brissot, quarante-trois ans, était professeur et maître de conférences à l'université Martial Donnadieu, ex-Sorbonne, rebaptisée ainsi pour calmer les esprits après son décès par Jean-Louis Gravelle, président de droite qui avait succédé à Amaury Guichard. Fort d'un doctorat en histoire-géopolitique, il était aussi l'auteur de nombreux ouvrages-références sur les tragiques évènements climato-politiques de 2031 suite auxquels la civilisation avait sombré vers la dictature totale. Et le fait d'enseigner dans cette prestigieuse faculté donnait à sa bibliographie une légitimité à laquelle sa notoriété n'était pas étrangère.

Il quitta à son tour l'amphithéâtre, passa rapidement dans la salle de repos des enseignants, ouvrit son casier, sortit sa mallette, y glissa ses cours, salua ses collègues pour le week-end et quitta l'établissement. Après quelques centaines de mètres, il escalada les escaliers de la station de métro aérien. Après la catastrophe de 2031, quatre-vingts pour cent des voies souterraines avaient été inondées. Le plan de restructuration des décennies suivantes avait reposé sur une majorité de lignes extérieures dont la plupart avaient été construites sur piliers en béton armé plantés au milieu des boulevards principaux de la capitale. La physionomie architecturale globale en avait été profondément bouleversée. Ne subsistaient en souterrain que les anciennes lignes RER dont aucune ne traversait Paris comme autrefois. Toutes convergeaient vers le centre, mais la construction des stations terminales en avait été éloignée de deux kilomètres. Ainsi avaient été évités les deuxième, septième et huitième arrondissements touchés par la catastrophe. Leurs sols avaient subi à l'époque une telle infiltration d'eau que de nombreux immeubles s'étaient effondrés en surface, modifiant considérablement la topographie de la zone touchée. L'insécurité qui en avait découlé avait conduit les présidents et gouvernements qui s'étaient succédé, à raser une partie des quartiers authentiques et séculaires. Depuis la rue de Rivoli jusqu'à la rue Montaigne dans le sens est-ouest, et du quai d'Orsay jusqu'à la rue Saint-Honoré du sud au nord, les bâtiments qui ne s'étaient pas écroulés avaient été détruits méthodiquement par sécurité. Entre autres constructions historiques, le Grand Palais avait disparu, tout comme les hôtels de Crillon et de la Marine. Par chance, le Palais de l'Élysée n'avait subi aucune détérioration. C'était donc toujours là qu'avaient continué de résider les chefs d'État, jusqu'à Nicolas Belami, le président de la république actuelle.

Le Jardin des Tuileries s'en était trouvé agrandi puisqu'il débutait comme autrefois de l'Arc de Triomphe du Carrousel, mais s'étendait depuis une trentaine d'années jusqu'au Rond-Point des Champs-Élysées, longeait les bords de Seine et se confondait avec les jardins de l'Élysée, entourés de murs infranchissables, transformant le Palais en véritable forteresse.

Le retour progressif du tourisme, depuis trois décennies, en avait fait un lieu incontournable de promenade, bien que l'appréciation de la vue générale fût perturbée par cette ligne aérienne du métro qui le traversait, malgré son pilotage automatique.

Depuis le raz-de-marée de 2031, « La Vague » comme l'avait immortalisée l'histoire, les catastrophes s'étaient enchaînées dans le monde pendant trois années. Tempêtes, ouragans, tremblements de terre, inondations avaient causé de nombreuses pertes humaines à travers la planète. Une accalmie en 2035 avait permis à l'humanité de se lancer dans des reconstructions phénoménales.

La température moyenne de ce mois de mai oscillait régulièrement entre 35 et 38°. La climatisation de la rame de métro offrait un court répit aux passagers le temps de leur transport.

Par la vitre, comme à chaque fois qu'il passait à cet endroit, Fabien Brissot regarda avec émotion ce qu'il considérait comme le mémorial le plus émouvant qu'il connaisse. Dans la vaste pelouse déjà grillée du jardin public où se situait autrefois la Place de la Concorde, une allée conduisait au pied d'une butte artificielle en ciment brut. Un escalier donnait accès à une plateforme en marbre entourée d'une balustrade à colonnes de granit. De là, un point de vue marquait à tout jamais les esprits.

En direction du lit de la Seine dont le niveau d'eau flirtait avec celui du jardin depuis un demi-siècle, une sculpture monumentale se dressait au milieu d'un parterre fleuri. Il s'agissait du Mémorial.

Ce n'était pas tant ses proportions ni son ampleur qui impressionnaient le plus, mais la disposition de l'œuvre et son symbole. L'artiste l'avait conçue de manière à ce que le message soit sans ambigüité. Des corps sculptés d'hommes et de femmes s'entassaient les uns sur les autres, enchevêtrés dans la mort. Le torse statufié d'un homme jeune, rescapé, émergeait de cette masse, la bouche largement ouverte dans un cri silencieux, les traits du visage déformés par la terreur, le regard halluciné, horrifié, le bras droit tendu vers le ciel. Le coup de génie de l'artiste reposait sur l'accusation muette de cet unique survivant. Depuis la position stratégique de la plateforme, les visiteurs qui la découvraient en percevaient immanquablement le sens : au bout du bras tendu, l'index pointait le toit et le dôme détruits du Palais Bourbon. D'un seul regard, la catastrophe écologique se confondait avec ce qui subsistait de l'Assemblée nationale.

L'ordre lancé par le président de l'époque de bombarder en 2031 ce lieu mythique de la démocratie qui avait coûté la vie aux émeutiers, aux députés présents, aux fonctionnaires et au Président de l'Assemblée nationale, avait créé un traumatisme qui s'était répercuté sur plusieurs générations.

C'est la raison pour laquelle les présidents et gouvernements qui étaient nés de ce chaos avaient décidé d'en faire le musée « Bourbon » après que les vestiges eurent été étayés, ravalés, restaurés dans une configuration sécurisée, mais identique à ce qu'il en

171

restait après la catastrophe. Sa vocation était de témoigner à tout jamais de la folie dictatoriale d'Amaury Guichard, mais reposait aussi sur deux autres raisons. La première, mémorielle : que la France se souvienne. Le 24 novembre, un hommage était d'ailleurs rendu chaque année par les présidents de la République à l'intérieur même de ce qu'il subsistait de l'Hémicycle, au-dessus duquel un toit de verre avait été dressé en appui sur les murs et colonnes encore résistants. Et la deuxième : pédagogique. Sa longue histoire républicaine et les hommes qui s'y étaient illustrés favorisaient les visites scolaires et touristiques. La première fois où Fabien l'avait découvert, il était en terminale. Il avait été pris de la même émotion que celle qu'il avait ressentie lorsqu'au cours d'un voyage scolaire de seconde, il s'était retrouvé au milieu des ruines du village d'Oradour-sur-Glane en Haute-Vienne, plus d'un siècle après le massacre de la population le 10 juin 1944 par les Allemands.

En tant que professeur universitaire émérite et auteur-historien, Fabien connaissait ce musée par cœur d'autant plus que la conservatrice, Sybelle Veyssière, était une amie personnelle.

Le parc et le musée Bourbon s'effacèrent à son regard quand la rame glissa vers l'Arc de Triomphe.
Après un dernier changement, Fabien descendit de la station-plateforme et se retrouva sur le trottoir.

Il rejoignit à pied le 49 avenue des Ternes où se situait son appartement. Il se dirigea vers la lourde porte de verre et d'acier de l'immeuble qui s'ouvrit automatiquement à son approche, tout comme celle de son appartement après que l'ascenseur l'eut élevé au quatrième étage. Il était 14 h 30. Linda ne rentrerait qu'à 19 h. Ça lui laissait une bonne partie de l'après-midi pour préparer ses cours de la semaine suivante et être libéré pour la soirée, qui s'annonçait comme un véritable tournant dans leur vie : il envisageait de la demander en mariage après deux ans de vie commune.

Ses activités tant littéraires que professionnelles avaient occulté sa vie sentimentale pendant de longues années jusqu'à sa rencontre avec Linda, journaliste de huit ans sa cadette. Ils s'étaient croisés en 2082 dans la salle de réception de sa maison d'édition dont le siège se situait à Montmartre à deux pas de la place du Tertre, lors du lancement de son ouvrage historique « Et si... ou le destin tragique d'Adrien Chabert-Lévy ». Linda Marchal travaillait pour le magazine « Histoire & Politique ». Ce jour-là, elle avait été invitée pour faire un article, communication oblige, et son éditeur, Alfred d'Anjou, les avait présentés l'un à l'autre.

Fabien s'en souvenait comme si c'était la veille. Il avait été subjugué d'emblée par la jeune femme dans une robe blanche « Hell Bunny » comme celle qu'avait popularisée au siècle dernier une ancienne actrice américaine dont il avait oublié le nom, dans un film dont il avait oublié le titre. Hormis les documentaires, le cinéma de fiction n'était pas son fort. Autour du visage de la journaliste dont les yeux verts pétillaient d'intelligence, ses longs cheveux châtains tombaient sur ses épaules dénudées et un collier noir ras du cou avec une seule perle lui donnait à la fois une prestance mystérieuse et sensuelle. Après les présentations d'usage, il lui avait proposé une coupe de champagne.

***

Paris — Maison d'édition
Mercredi 20 mai 2082

— À votre livre sur Adrien Chabert-Lévy ! lança Linda en levant son verre.

— À votre article ! sourit Fabien.

— Puis-je vous poser une question, monsieur Brissot ?

— Je vous en prie ! Appelez-moi Fabien !

— Pourquoi vous être intéressé à la biographie d'un homme politique décédé depuis plus de cinquante ans ?

— Parce que c'était un homme de gauche qui, à l'époque, occupait une position favorable pour accéder à la présidence de la République et qu'il a été assassiné.

— Un assassinat commandité par l'exécutif. Tout le monde sait cela. Alors, pourquoi revenir dessus ?

174

— Dans mon ouvrage, j'ai voulu exprimer ce que personne n'a écrit. Parce que le contexte écologique dramatique qui en a découlé a éteint l'incendie que son meurtre avait allumé. J'explique notamment, s'il était resté en vie, que le rassemblement dit du « Cercle 20 » n'aurait pas eu lieu, puisque les responsables politiques de l'UPO, l'union Parlementaire d'Opposition, conduite par son secrétaire par intérim, Martial Donnadieu, ont appelé le peuple à cette manifestation contre le pouvoir en place. Plus de trois millions de Français ont répondu présents. Mais vous savez cela aussi…

— Avec la catastrophe que l'on connaît…

— Oui. L'ordre dictatorial du président de lancer les avions de chasse pour bombarder le Palais Bourbon, combiné à « La Vague », a provoqué plus de trois cent mille morts, sans compter les Parisiens. Mais excusez-moi, je m'enflamme…

— Non, non, je vous en prie, continuez !

— Je tente d'expliquer ensuite pourquoi les gouvernements qui se sont succédé étaient toujours orientés à droite ou à l'extrême droite, jusqu'à aujourd'hui avec Nicolas Belami comme président et Cornélius Burgholster Premier ministre d'ultra droite, en grande partie grâce aux lobbies de la finance d'année en année de plus en plus puissants.

— Dites-moi, Fabien, vous êtes-vous penché plus particulièrement sur la personnalité d'Adrien Chabert-Lévy pour d'autres raisons qui vous seraient plus… intimes ? Mais peut-être devrais-je vous appeler… Gabriel ?

Fabien avait pâli, puis il avait entraîné Linda à l'écart des oreilles indiscrètes sur un balcon de l'immeuble qui dominait Paris. Fabien tenta de reprendre un semblant d'assurance.

— Que voulez-vous dire ?

— Avant de vous rencontrer afin de ne pas arriver bredouille, j'ai enquêté sur votre parcours, bref, votre biographie, mais aussi sur votre bibliographie. J'ai interviewé plusieurs de vos étudiants et collègues. Et puis, j'ai cherché à connaître vos origines via des sites de généalogie très performants…

— Et ?...

— Eh bien, j'ai trouvé douze Fabien Brissot. Aucun n'est écrivain. Je me suis alors dit que vous aviez dû adopter ce nom et ce prénom comme pseudonyme. Je me suis amusée à taper Fabien Brissot sur Internet et là, vous existiez. Mais aucun site ne parlait de pseudo.

— Alors ?...

— Alors, avec un ami qui travaille aux services administratifs de la Bibliothèque Nationale de France, nous avons retrouvé tous les numéros ISBN de vos ouvrages. Mais rien de particulier. Tous faisaient référence à l'auteur historien-géopoliticien Fabien Brissot.

— Mais ?...

— J'allais abandonner mes recherches lorsque mon ami est tombé sur le dossier du tout premier manuscrit que vous avez déposé en autoédition le 14 décembre 2061. Vous vous en souvenez ?

— Oui. Il s'agissait d'un essai sur l'impact de l'intelligence artificielle sur les décisions politiques prises lors des premières années qui ont suivi la catastrophe de 2031. Mais je ne vois pas le rapport...

— Là, vous m'étonnez. C'est vous qui avez rempli préalablement le dossier que vous avez déposé afin d'obtenir un numéro ISBN. Au nom de Fabien Brissot, mais comme pseudonyme. Vous avez aussi fait mention de votre véritable identité, puisqu'elle était obligatoire. Vous vous appelez Gabriel Chabert.

— C'est vrai, je vous le concède. Mais je n'ai aucune filiation avec Adrien. C'est un homonyme. En choisissant Fabien Brissot comme nom d'emprunt, j'évitais toute confusion chez mes lecteurs et surtout tout imbroglio familial pour mes étudiants. J'ai pu ainsi travailler sur la vie de Chabert-Lévy sans que l'on m'accuse d'une quelconque partialité.

Linda esquissa un sourire qui n'échappa pas à Fabien.

— Vous ne me croyez pas ?

— Vous me décevez. Je suis une journaliste rompue au métier et aux enquêtes. Dès que j'ai connu votre véritable identité, j'ai consulté à nouveau les sites de généalogie. Mais pas sur votre ascendance. Sur la descendance d'Adrien Chabert-Lévy. Et là, tout a coulé de source, pardonnez-moi d'utiliser cette métaphore spirituelle. Adrien était père de deux enfants, une fille et un garçon. La fille, Annabelle, est morte en 2034 à l'âge de vingt-et-un ans d'une overdose. Des recherches plus poussées m'ont appris qu'elle ne s'était jamais remise de l'assassinat de son père. Elle n'avait laissé aucune lettre, mais l'enquête a conclu à un geste suicidaire. Le garçon, Arthur, né en 2010 a suivi des études de médecine qui l'ont conduit à embrasser une carrière de chirurgien-cardiologue de notoriété européenne. Il est aujourd'hui décédé. Il s'est marié à Francesca Salvatori, petite-fille d'émigrés italiens, qui ne s'est jamais remise de son absence et qui l'a rejoint deux ans après... Je continue ?

— Inutile ! soupira Fabien.

Il laissa errer son regard sur les toits de Paris, et poursuivit comme s'il y trouvait l'inspiration.

— Oui, ce sont mes parents. Adrien Chabert-Lévy était effectivement mon grand-père. J'ai abandonné Lévy. Pour l'état civil, je m'appelle Gabriel Chabert. Mon travail, mes recherches, mes enquêtes sur sa vie ne sont guidés que par un seul objectif : expliquer pourquoi la France a été à deux doigts de basculer dans un monde de justice, de répartition égalitaire des richesses.

— Ne pensez-vous pas que même s'il n'avait pas été assassiné, donc s'il était resté candidat aux élections présidentielles, le destin l'aurait rattrapé avec « La Vague » et le désastre humanitaire qui en a découlé ?

— Non, je ne crois pas. Il y aurait eu des victimes, certes. Mais pas autant. Parce que si mon grand-père était resté en vie, la manifestation du « Cercle 20 » qui a drainé plus de trois millions de Français n'aurait pas eu lieu.

— Vous pouvez peut-être me dire maintenant pourquoi vous avez décidé de cacher votre véritable identité…

Fabien tourna la tête vers elle et plongea son regard dans le sien. Pour la première fois, il remarqua une particularité dans ses yeux. Un mélange de vert et de brun clair formait la couleur générale des lamelles pigmentaires des iris. Mais en couronne, autour des pupilles, irradiaient des éclairs d'or et de feu qui leur donnaient une attirance quasi hypnotique.

— Ce que je vais vous dire maintenant restera confidentiel. Je peux compter sur vous ?

— Vous pouvez. De toute façon, loin de moi ne serait-ce que l'idée de dévoiler votre véritable identité. Mon article ne portera que sur votre ouvrage…

— Qui sortira officiellement en librairie lundi.

— C'est vrai. Mais votre éditeur m'en a envoyé un exemplaire en même temps que l'invitation. C'est mon livre de chevet actuel… Je vous poserai des questions à ce sujet un peu plus tard.

— Avec plaisir. Reprenez-vous un peu de champagne ?

— Je veux bien merci.

— Excusez-moi deux secondes, je reviens…

— Je vous en prie…

Fabien retourna à l'intérieur et, quelques instants

après, rejoignit Linda sur le balcon, deux flûtes à la main. Il lui en tendit une, puis se lança dans les explications attendues par la journaliste.

— Dans les années 20, une première pandémie a secoué l'international avec ses plus de quatre cent mille morts à travers le monde à cause de la Covid-19, un virus originaire de Chine. On parlait déjà à l'époque d'un vaccin mondial, mais non lancé sur le marché immédiatement. Il s'agissait d'inoculer un carnet de santé sous-cutané à nanoparticules composées de cristaux à base de cuivre, encapsulés dans des microcapsules et censés renseigner sur la mise à jour des vaccins à l'aide d'une application spécifique dans les smartphones. Les complotistes supposaient qu'il y avait là matière à tracer, géolocaliser les individus. L'œil d'un nouvel ordre mondial néolibéral. Plus de vingt ans plus tard, une autre pandémie due cette fois au Covid-45, beaucoup plus sévère avec plus de deux millions de morts à l'échelle de la planète, a eu raison des détracteurs : vaccination obligatoire pour tous avec injection effective et légale d'un carnet de vaccination sous la peau grâce à une seringue spéciale équipée d'un patch de microaiguilles. À cette époque, et c'est là que les complotistes n'avaient pas tort, avec l'évolution de la nanotechnologie et notamment de la manipulation et la maîtrise des nanoparticules, un traceur nanométrique mis au point par les Américains a complété l'injection. C'est le fameux NBT pour Nanometric Blood Tracer, qui s'appuie sur l'aluminium contenu dans les vaccins. Depuis bientôt trente ans, cet espion biotechnologique permet aux responsables scientifiques du CNSAP[7] asservis aux pouvoirs en place et sous des prétextes fallacieux de lutte contre le terrorisme international de nous localiser géographiquement en permanence. Mais vous connaissez tout cela, bien sûr…

— Oui, mais pardonnez-moi de revenir à ma question à laquelle vous n'avez pas répondu : pourquoi occulter votre véritable identité ?

— J'allais y venir. Tout ce système de surveillance, de traçage, nous a tous réduits à l'état de robots bien gentils, pour ne pas dire des esclaves au service des différents pouvoirs qui, depuis cette période de la Covid-45, ont tissé les uns après les autres les filets d'un autoritarisme entre guillemets « bienveillant », mais qui n'en a pas moins revêtu les habits d'apparat d'une dictature déguisée. Et ce, jusqu'à aujourd'hui, avec Belami.

— Et votre grand-père dans tout cela ?

— Mon travail, mes recherches, mes thèses correspondent à une ambition : démontrer ce qu'auraient été la vie politique, le quotidien des Français, l'évolution de la société, s'il avait pu devenir président de la République. D'où le titre de mon dernier ouvrage.

— Et votre pseudonyme ?

— Si j'avais signé mes livres Gabriel Chabert,

---

[7] Centre National de Surveillance Active de la Population

n'importe qui l'aurait associé à mon grand-père et pensé que je voulais l'imiter. Je n'ai ni sa vocation ni son aura. Autant Fabien Brissot espère apporter sa pierre à la réflexion politique d'opposition, autant Gabriel Chabert souhaite garder l'anonymat afin d'être garant d'une forme d'impartialité.

— Vous ne craignez pas des fuites de ma part ?

— Mon éditeur m'avait prévenu de votre présence ce soir. Je savais que la revue « Histoire & Politique » était de gauche. J'ai lu pas mal de sujets sur lesquels vous avez écrit et vous êtes réputée pour dire ce que vous pensez. Et force est de constater, d'après le contenu de vos articles, que vous n'êtes pas franchement à droite…

Elle avait souri.

— Et avec tout ça, je ne vous ai même pas posé de questions sur votre livre Et si…

— Que diriez-vous d'une interview vendredi soir au restaurant ? Si vous êtes disponible, bien sûr…

Linda plongea son regard de feu dans le sien. Elle y lut plus qu'une invitation à dîner.

À partir de ce fameux soir, une attirance irrésistible les avait rapprochés. Un véritable amour était né entre eux, à tel point que deux mois plus tard, il lui avait proposé de le vivre sous le même toit.

Dans la semaine qui avait suivi, Linda s'était installée chez lui.

***

Paris
Vendredi 19 mai 2084 – 15 h 50

Fabien était concentré sur le thème majeur qu'il demanderait de développer à ses étudiants de quatrième année : « Pourquoi est-il important de considérer les catastrophes écologiques de la première moitié du siècle, sans parler de chute de la civilisation, comme détonateur des nouvelles fondations de la société ? » Tout en marchant dans le salon, les mains dans la poche, il énonça à voix haute la question. À peine avait-il terminé de la prononcer qu'elle s'affichait à l'écran suivie d'une vingtaine de lignes. Fabien prit place dans son fauteuil et lut en diagonale les propositions récupérées dans la mémoire quantique. Elles découlaient directement de la question posée. En réalité, une analyse éclair du processeur sur le Web 4.0 avait fusionné toutes les pistes de données en adéquation avec le thème exposé par la voix de Fabien. Une routine qu'il appréciait pour la rapidité de synthèse…

Il structura les informations en chapitres sous forme d'un conducteur qui lui permettrait de développer son cours.

À 17 h 15, il avait terminé. Il passa en cuisine afin de préparer **LA** surprise qu'il réservait à Linda.

Deux heures plus tard, tout était prêt. Il jeta un

dernier coup d'œil sur la table de la salle à manger et ravi, tira les portes coulissantes sur sa mise en scène.

Il regarda la pendule électronique. Elle affichait 19 : 20. Linda n'allait pas tarder. Il retourna dans le vaste vestibule qui faisait office de bureau et s'assit à nouveau devant l'ordinateur, toujours allumé sur son travail de l'après-midi. Il entendit le bip d'arrivée à l'étage. Les portes de l'ascenseur glisser sur le palier. Les pas jusqu'à l'appartement.

La porte s'ouvrit en silence et Linda apparut. Il la trouva magnifique et lui sourit.

Elle vint directement vers lui, l'enlaça et déposa un tendre baiser sur ses lèvres.

— Tu prépares encore tes cours ?

— J'ai presque terminé, ma chérie. J'en ai pour un petit quart d'heure...

— Je vais prendre une douche. Il a fait vraiment trop chaud aujourd'hui... Tu as préparé quelque chose pour dîner ?

— Pas eu le temps. Je t'emmène au restaurant. Fais-toi belle !

— Ah ? On fête quelque chose ?

— Si à chaque fois que nous allons manger à l'extérieur, nous devions fêter quelque chose, que de prétextes à trouver !

Il eut presque honte de ce petit mensonge, mais n'était-ce pas pour la bonne cause ?

— Que de mystères !... Toi, tu me caches quelque chose...

Il lui sourit, mais par crainte de trop en faire, il se

tourna vers son écran.

— Bon, allez, dépêche-toi, je termine ma prép'…

— OK, OK !

Elle ôta sa veste enfilée sur sa combinaison ajustée au corps et se dirigea directement vers la salle de bain.

Heureusement, elle avait tellement eu hâte de se rafraîchir qu'elle n'avait même pas remarqué que les portes coulissantes étaient tirées sur la salle à manger.

Vingt minutes plus tard, elle lui lança :

— Tu préfères que je mette un pantalon, ou une robe ?

— Une robe ! répondit-il, tu auras moins chaud…

En comptant la durée du maquillage auquel elle ne dérogerait pas, il estima qu'elle serait prête dans dix minutes. Il éteignit l'ordinateur, entrouvrit l'une des deux portes coulissantes et se glissa dans la salle à manger. Il alluma la grosse bougie sur son support en verre ciselé au milieu de la table et déplaça légèrement deux, trois roses rouges du bouquet dans son vase en cristal plus par perfectionnisme que réelle utilité. Il vérifia qu'il avait placé les couverts correctement de chaque côté des assiettes estampillées « Este Ceramiche Porcellane » dont il avait hérité de la famille Salvatori par sa mère. Satisfait, il quitta la pièce et fit glisser en douceur les portes derrière lui.

Il ne manquait plus que Linda.

Elle apparut enfin et Fabien en tomba des nues. Elle était vêtue exactement comme lors de leur rencontre, deux ans plus tôt. Même robe blanche, épaules dénudées, collier noir ras du cou avec la perle.

— Alors, tu… tu t'es souvenue ? parvint-il à articuler.

— Même si j'avais oublié que cela fera deux ans demain que nous nous connaissons, les portes coulissantes de la salle à manger tirées, les petites odeurs qui flottent dans l'appartement… J'aurais eu la puce à l'oreille. Bon, tu m'y emmènes dans ton restaurant ?

Sa surprise était tombée à l'eau, mais Fabien digéra facilement sa déception, notamment grâce à la tenue sublime de Linda qui le renvoyait à ses premières émotions.

Il la prit par la main et la conduisit devant les portes coulissantes qu'il lui proposa d'ouvrir.

Elle ne se fit pas prier et les poussa latéralement. Ce qu'elle découvrit la laissa littéralement bouche bée.

***

Paris
Vendredi 19 mai 2084 – 23 h 58

— Ton repas était une merveille et une bien belle surprise, mon amour. J'ai passé une soirée formidable. Que dirais-tu si nous allions nous coucher ? Pas que je sois franchement fatiguée, mais… Que fais-tu ? Tu ouvres une bouteille de champagne ?

On a déjà bu une bouteille de vin...

— Ne t'inquiète pas ! Juste pour trinquer...

— Trinquer ? Eh bien, l'anniversaire de notre rencontre aura été bien arrosé...

Fabien fit sauter le bouchon et versa le liquide pétillant dans deux flûtes qu'il venait de déposer sur la table. Il prit ensuite Linda par la main et l'invita à se lever. Il jeta un coup d'œil à l'horloge numérique où étaient affichés les chiffres à LED... Encore une minute...

— Qu'est-ce que tu mijotes, toi ?

Fabien saisit les deux flûtes et simula une sérieuse concentration, les yeux fermés. Lorsqu'il les rouvrit, l'horloge affichait 00 : 00. Il lui tendit une flûte.

— Voilà, mon amour ! Cela fait exactement deux ans aujourd'hui que nous nous sommes rencontrés et c'est ce qu'il m'est arrivé de mieux dans ma vie. À nous !...

Linda sourit.

— C'est ce que je disais... Deux ans bien arrosés !

Elle lui offrit un léger baiser tendre, approcha sa flûte de la sienne et ils trinquèrent. Après une première petite gorgée, il reprit les deux verres qu'il mit sur la table. Puis il entraîna Linda par la main sans un mot. Il l'installa dans un spacieux fauteuil en cuir noir du salon.

— Que fais-tu ?

En silence, il posa un genou sur le parquet tout en gardant sa main dans la sienne. Il plongea l'autre dans la poche de son pantalon et en tira un petit boîtier qu'il lui offrit.

— Qu'est-ce que c'est ?

— Ouvre ! Tu verras…

Linda, troublée, souleva le couvercle et aperçut, plantée dans un coussinet en soie blanche, une bague sertie d'éclats de diamants autour d'une pierre taillée.

— Wouah !...

— C'est une gemme de Tourmaline. Son nom vient du mot cingalais « turmali » qui signifie « mélangé »…

— Elle est magnifique.

Linda la délogea du boîtier. Fabien la lui enleva, lui prit la main gauche et la lui glissa à l'annulaire. Sans lui lâcher la main, il la regarda droit dans les yeux en souriant. Une émotion était palpable entre eux. Elle allait lui dire quelque chose, mais l'en empêcha d'un doigt en travers de ses lèvres. Sa voix trembla légèrement lorsqu'il lui murmura :

— Linda, mon amour, acceptes-tu de devenir ma femme ?

Elle sentit ses yeux s'emplir de larmes et se jeta contre lui.

Pour Fabien, nul doute que le baiser dont elle le gratifia était la meilleure réponse qu'il put avoir.

***

Paris
Samedi 20 mai 2084 – 8 h 30

Ce fut la mélodie d'appel qui les tira de leur sommeil. Après la folle nuit d'amour qu'ils venaient de passer, Fabien mit quelques secondes avant de réaliser.

— Ne réponds pas ! marmonna Linda encore endormie. Quelle heure est-il ?

Fabien saisit son smartphone et lut la double information à haute voix.

— Il est 8 h 30. C'est un appel inconnu.

— Oh, mince ! C'est samedi… Si c'est important, ils te laisseront un message…

— Tu as raison, confirma-t-il en reposant l'appareil sur la table de nuit.

**

Paris
Samedi 20 mai 2084 – 8 h 40

Mélodie d'appel. Un coup d'œil sur l'écran.

— C'est le même numéro, annonça Fabien qui n'avait pas réussi à se rendormir.

Linda soupira et insulta intérieurement l'auteur indélicat. Fabien prit cette fois-ci la communication.

— Allô ?
— Monsieur Brissot ?

— Oui, c'est moi.

— Êtes-vous disponible ce matin ?

— Qui est à l'appareil ?

— Je ne peux pas vous le dire. Mais c'est important. Cela concerne votre grand-père Adrien Chabert-Lévy...

Fabien, de surprise, s'assit sur le bord du lit.

— Mon... Mais enfin, qui êtes-vous ?

— Une Polestar X noire aux vitres teintées vous prendra en bas de chez vous dans une heure.

— De... de chez moi ?

— Oui. 49, avenue des Ternes.

La communication fut coupée.

— Qu'est-ce qu'il se passe ? demanda Linda maintenant parfaitement réveillée.

— Je l'ignore. Quelqu'un qui sait que je suis le petit-fils d'Adrien. Il posséderait des informations sur lui qu'apparemment je n'ai pas citées dans mon livre "Et si...". Une voiture passe me prendre dans une heure...

— Tu vas y aller ?

— Je ne sais pas... Je veux d'abord connaître l'auteur de cet appel...

Fabien se rendit à son bureau et prononça à haute voix le numéro affiché sur l'écran de son smartphone pour lancer la recherche vocale auprès de son assistante personnelle virtuelle connectée en permanence via Echo Show 15.

— Alexa, qui est l'abonné correspondant à ce

numéro ?

La voix féminine virtuelle de l'appareil apporta la réponse en moins d'une seconde.

— L'abonné correspondant à ce numéro bénéficie d'un masque de sécurité numérique. Trouver son identité est impossible.

Fabien retourna dans la chambre.

— Numéro secret, annonça-t-il à Linda.

— Tu vas y aller ?

— Oui. J'aimerais rencontrer la personne qui connaît mon adresse, mon véritable nom et sait qu'Adrien est mon grand-père.

— Aujourd'hui, n'importe qui est capable d'avoir l'adresse de quelqu'un, surtout avec une notoriété d'écrivain comme la tienne. Un fan ? Un journaliste ?

— Je ne pense pas... Il se serait présenté... Non, le mieux est que j'y aille...

— Sois prudent !

— Tu veux venir avec moi ?

— Impossible. J'ai une réunion au magazine pour planifier les interviews de la semaine prochaine... Je serai de retour vers 16 h... Tu seras là ?

— Eh bien, j'espère...

— Parce que j'aurai aussi une surprise pour toi...

— Alors, je serai là !

12

Paris
Samedi 20 mai 2084 – 9 h 45

Fabien quitta son immeuble et repéra la Polestar X noire aux vitres teintées garée en double file. Il s'en approcha, méfiant. La portière arrière s'entrouvrit. Il jeta un œil à l'intérieur. Un homme d'une cinquantaine d'années aux cheveux argentés, costume gris, cravate beige sur chemise jaune paille, lui souriait. Il l'invita à le rejoindre.

— Bonjour, monsieur Chabert... Je vous en prie...

Fabien, malgré tout suspicieux, accepta.

D'un geste de la main, l'homme l'incita à s'asseoir sur une banquette en face de lui, comme dans une sorte de salon intime. Fabien s'y installa.

Pas de conducteur. Juste un écran à dominante rouge incrusté dans le tableau de bord au milieu duquel était affiché un bouclier d'argent, symbole de Mars, ancien dieu romain de la guerre. La marque automobile vieille de cent soixante-dix ans, aujourd'hui numéro un des ventes sur le marché européen, l'avait adopté comme sigle. L'homme s'y adressa.

— Gordon ?

La pixellisation vira au vert jusqu'à stabilisation.

— Vitesse de croisière ! Coordonnées n° 2 du planning prévu !

La Polestar amorça un léger déplacement vers l'avant, attendit que la circulation se fluidifie et, quand l'opportunité se présenta, s'inséra dans le flux sans la moindre perception d'une quelconque motorisation. L'homme sourit à l'expression admirative de Fabien.

— C'est un modèle de dernière génération à radio-isotopes. Avec une batterie nucléaire, si vous préférez. Gordon est à l'automobile ce qu'Alexa est à la domotique.

— Impressionnant, j'en avais entendu parler, mais c'est la première fois que je monte dans ce type de véhicule.

— Un café ? proposa l'homme.

Plus par curiosité que réelle envie, Fabien accepta.

— Gordon ?... Café !

Un plan de travail bascula du plafond et se déplia devant eux. Le couvercle d'une trappe dissimulée dans la table glissa et deux tasses en acier inoxydable, pelliculées sur la partie supérieure, apparurent sur un plateau qui s'élevait de l'intérieur. Une diode rouge jouxtait chaque tasse.

— Gordon ajuste le café à température. Quand elles passeront au vert, la magnétisation sera annulée et nous pourrons nous servir.

— La magnétisation ?

— Sans elle, les tasses se renverseraient. C'est la raison pour laquelle elles sont métalliques... Voilà, vous pouvez la prendre... Souhaitez-vous du sucre ?

— Non, merci...

— Vous devez ôter la partie supérieure...

Ce que fit Fabien et aussitôt un fumet de café lui chatouilla les narines.

— Vraiment impressionnant ! répéta-t-il avec sincérité après une première gorgée.

— Je suis ravi que cela vous plaise.

— Et si vous me disiez maintenant qui vous êtes et où nous allons...

L'homme sourit et ne répondit pas immédiatement. Mais il savait. Le moment était venu.

— Je ne vous ferai pas l'affront de vous demander si vous connaissez l'UPO ?

Fabien manqua de s'étrangler. Évidemment, l'Union Parlementaire d'Opposition, parti unifié de gauche dont son grand-père avait été le premier secrétaire éphémère lors de sa création en octobre 2031 n'avait plus aucun secret pour lui. L'homme n'ignorait pas que sa bibliographie concernait cette période et que ses travaux étaient reconnus pour leur authenticité, leur pertinence et leur rigueur. Le ton choisi pour poser la question lui laissait sous-entendre que son interlocuteur connaissait sa réponse.

— Oui, bien sûr !

— Après les évènements tragiques sur lesquels

vous vous êtes appuyé dans une bonne partie de votre œuvre, vous n'êtes pas sans savoir qu'un groupe de politiciens restés dans l'anonymat a décidé de perpétuer l'UPO. Non pas par opposition au pouvoir qui succéderait à Guichard et son gouvernement, opposition fondée à l'origine sur la défense des valeurs fondamentales. Mais pour construire une véritable force historique qui, un jour, du moins l'espéraient-ils, serait en mesure de renverser les dictatures qui s'installaient durablement dans le paysage politique français depuis plusieurs années.

— Oui, je suis au courant, affirma Fabien après avoir terminé sa tasse de café. Jusqu'à la présidence de Koch en 57 qui a purement éliminé les membres du parti parce que son impact auprès de la population commençait à prendre une envergure dangereuse. La pérennité de leurs projets mégalomanes en relation avec les lobbies financiers était compromise. C'est à cette époque que l'UPO a disparu définitivement du paysage politique.

— Eh bien, non, monsieur Chabert, pardonnez-moi, mais... pas définitivement.

— Comment ? s'exclama Fabien interloqué en tentant de dissimuler un bâillement inopportun.

— Le sigle UPO a effectivement disparu. Mais contrairement à ce qu'ont cru Koch et sa mafia, les partisans étaient nombreux et si la plupart se sont effacés de la scène politique, un noyau dur s'est constitué. Et ce noyau a créé une force, une nouvelle philosophie pour renaître des cendres du parti originel. Tellement secrète que même vous, monsieur Chabert, l'ignorez. Et que cette force existe encore aujourd'hui.

— Vous… vous me racontez n'im… n'importe quoi… Si… si… s'il y avait eu un… une… je…

L'homme observa Fabien sans ajouter un mot. Il s'était endormi. Le somnifère avait agi comme prévu.

***

C'est le silence qui le tira du sommeil dans lequel il était plongé.

Il ouvrit les yeux.

Il était allongé sur un lit. La pièce était dépourvue de fenêtres, éclairée par un simple néon suspendu qui projetait une lumière crue. Un siège basique avec deux accoudoirs et une table à roulettes constituaient les seuls autres mobiliers.

Une femme d'une cinquantaine d'années en blouse blanche entra avec un plateau-repas.

— Bonjour, monsieur Chabert, vous vous sentez bien ?

— Comment voulez-vous que je me sente bien ? Je ne sais ni où je suis ni ce que je fais là…

Une image fugitive d'un café pris dans une voiture à côté d'un homme qui lui parlait de… l'UPO, traversa son esprit à la vitesse de l'éclair.

— Où est la personne qui m'a amené ici ? J'ai été

drogué, n'est-ce pas ? Vous êtes infirmière ?

La femme ne sembla pas perturbée outre mesure.

— Non, pas du tout.

— Non quoi ? Non, je n'ai pas été drogué, ou non, vous n'êtes pas infirmière ?

— Je suis une scientifique. Allez, mangez ! Vous en avez besoin…

Fabien réalisa qu'il avait effectivement l'impression de ne rien avoir avalé depuis plusieurs jours. Il regarda le plateau-repas et sentit son ventre gargouiller. Il s'installa dans le fauteuil et décida d'attaquer le plat proposé : un genre de spaghettis à la sauce tomate. En proie à une inquiétude légitime, il cessa de les mastiquer. Et s'ils étaient également drogués afin de le maintenir dans une forme d'asservissement ?

Il cracha dans l'assiette ce qu'il avait en bouche et y déposa les couverts.

C'est cet instant que choisit l'homme de la voiture pour entrer dans la chambre.

— Vous n'aimez pas, monsieur Chabert ?

Fabien explosa.

— Je me fous de votre repas. La nourriture doit être droguée, comme le café que vous m'avez offert ? Qui êtes-vous exactement ?

— Calmez-vous ! Je suis venu vous chercher pour que vous compreniez la nécessité de votre participation au Projet.

— Un projet ? Quel projet ?

— Vous allez tout savoir dans quelques instants.

Mais si j'étais à votre place, je mangerais un peu. La soirée va être longue.

— La soirée ?

Fabien regarda sa montre. Il était 16 h. Linda allait bientôt rentrer.

— Mais… j'ai dormi au moins six heures… Forcément, j'ai été drogué… Comme doivent l'être ces aliments d'ailleurs…

L'homme saisit une fourchette dans le plat, enroula quelques spaghettis et les mit dans sa bouche. Il les mâcha puis les avala.

— Vous pouvez être rassuré. C'est très fin ce que vous a préparé notre cuisinier… Je m'appelle Philippe Aubert…

***

Impossible de savoir où il se trouvait dans ce long couloir voûté, éclairé par une lumière artificielle dont la source n'était pas identifiable. Tout en marchant avec ce Philippe Aubert à qui il n'accordait aucune confiance, ils croisèrent d'autres couloirs perpendiculaires dans lesquels déambulaient des hommes et des femmes affairés. Une véritable fourmilière.

— Qui sont tous ces gens ?

— Des scientifiques pour la plupart !

— Des scientifiques ?

— Oui. Ils travaillent tous sur le Projet.

— Mais quel est donc ce projet dont vous me

parlez ?

— Un peu de patience, monsieur Chabert.

Ils parvinrent devant un ascenseur. Philippe Aubert appuya sur le bouton d'appel.

Quelques secondes plus tard, la porte coulissa et après qu'ils eurent accédé à la cage, elle se referma en silence.

— Administration ! commanda Aubert.

Vibrations presque imperceptibles. Fabien lut les noms affichés des étages qu'ils franchirent : restaurant… parking… résidences… laboratoires…

Un bref signal sonore retentit au moment où apparaissait le mot Administration.

— Voilà. Nous sommes arrivés, dit Philippe Aubert avec un sourire qui se voulait rassurant.

Ils se dirigèrent dans un nouveau couloir aux murs dénués de la moindre décoration, jusqu'à une porte qui s'ouvrit d'elle-même à leur approche.

Ils se trouvaient dans une vaste pièce demi-sphérique au milieu de laquelle discutaient trois hommes assis sur une banquette blanche circulaire avec juste un passage dans la circonférence pour y accéder. C'est par là qu'ils rejoignirent les trois hommes qui se levèrent pour les accueillir. L'un d'eux, barbiche et cheveux poivre et sel, afficha un franc sourire, main tendue vers lui.

— Bonjour, monsieur Chabert, ravi de faire enfin votre connaissance. Je m'appelle Antonin Gasparri. Je suppose que vous avez des questions à nous poser et c'est plus que légitime.

Fabien lui serra la main et préféra le laisser venir pour en apprendre davantage

— Je suis président de cette force secrète dont vous a parlé Philippe Aubert. Mais je vous en prie, asseyons-nous… Souhaitez-vous boire quelque chose ?

— Non, merci.

— Bien. Je vous présente mes amis. Voici Benjamin Lacombe… et Werner Hoffmann…

Ce dernier était le seul à porter une blouse blanche. Ils échangèrent des poignées de main.

— Avant que vous nous posiez vos questions, permettez-moi de vous donner des informations qui, je pense, vous apporteront déjà pas mal de réponses.

À cet instant précis, Fabien eut l'étrange impression d'être dans un film de science-fiction. Le lieu, l'atmosphère, la lumière artificielle, les personnages, tout corroborait la sensation d'un décor futuriste.

— Sachez, monsieur Chabert, que nous connaissons votre travail colossal d'écrivain, je préfère même, vu votre finesse dans la quête du détail, le terme d'historien documentaliste. Vos recherches, vos thèses et vos ouvrages en histoire-géopolitique ont contribué énormément à l'instauration du Projet que nous allons vous présenter. Comme vous l'a fait comprendre Philippe, nous sommes les descendants de l'UPO dont vous avez remarquablement retracé l'évolution depuis sa naissance officielle en 2031, juste avant le drame

201

climatique, jusqu'à sa disparition définitive en 2057. Les dictatures qui se sont succédé, depuis cette tragique catastrophe de triste mémoire, n'ont laissé aucune marge de manœuvre à la moindre opposition. En cinquante ans, tous ceux qui commençaient à prendre une importance trop dangereuse pour les pouvoirs en place ont été éliminés. Quand je dis éliminés, je veux dire éliminés physiquement. Assassinés. Comme l'a été votre grand-père le 24 octobre 2031. C'est la raison pour laquelle des irréductibles convaincus ont développé en secret cette force que nous perpétuons encore. L'objectif a toujours été de créer un nouveau système, une stratégie différente hors champ politique, qui nous permettrait de renverser la dictature. Mais attention, pas une révolution qui, vu l'histoire et la machine policière fasciste sur laquelle s'appuie le pouvoir, serait une hécatombe pour le peuple. Et aujourd'hui, je suis en mesure de vous dire que nous avons trouvé. C'est le Projet. Que nous allons vous exposer. Nous avons besoin de vous. C'est la raison pour laquelle vous êtes là. Mais avant, nous allons vous laisser nous poser toutes les questions que vous souhaitez et je vous promets que nous nous ferons un plaisir d'y répondre afin que vous soyez en osmose avec nous.

Fabien en avait tellement en tête. Il prit un temps de réflexion pour choisir par laquelle commencer.

— Quel est cet endroit ? Où sommes-nous ?

— Vous êtes au siège secret du groupe politique RENAISSANCE. C'est le nom retenu en 2057 par ceux qui n'ont rien lâché et dont, encore une fois, nous sommes les descendants.

— Il ne doit pas être aussi secret que vous le dites…

Antonin Gasparri esquissa un sourire tout en regardant ses collègues.

— Pouvez-vous nous expliquer pour quelles raisons, s'il vous plaît ?

— Avec le NBT, je suis certain que le CNSAP vous a tracé depuis longtemps…

— En êtes-vous si sûr que cela ?

— Évidemment ! Grâce à ce mouchard biotechnologique, les scientifiques chargés de la surveillance de la population pour le compte du gouvernement et de Belami détectent n'importe quel citoyen. Même si chacun sait que le système a des failles…

Le président de RENAISSANCE ne répliqua pas immédiatement. Il semblait hésiter. Finalement, il lança :

— Le professeur Hoffmann va vous expliquer… Werner…

Le scientifique acquiesça et enchaîna.

— L'injection du Nanometric Blood Tracer remonte à vingt-huit ans. Les membres de RENAISSANCE ont estimé qu'il devait trouver un endroit secret pour rechercher en toute quiétude la stratégie qui annihilerait toute forme de dictature. Ils se sont installés dans cet endroit, une ancienne forteresse souterraine militaire réhabilitée en laboratoire…

— Où ?

— Quelque part en France. Inutile que vous connaissiez le lieu pour le moment. Donc jusqu'en 2045, pas de problème. Mais à partir du moment où toute la population a subi la vaccination combinée au NBT, ce fut compliqué pour eux d'éviter le traçage, comme vous l'avez parfaitement expliqué. Jusqu'à ce qu'un de mes prédécesseurs trouve la parade…

Werner Hoffman marqua une pause pendant laquelle il rechercha l'assentiment d'Antonin Gasparri sur la suite de la révélation. Celui-ci lui accorda un simple signe de tête qui n'échappa pas à Fabien.

— Comme vous l'avez justement exprimé, les médias ont parlé de mystérieuses défaillances dans le traçage depuis trois ans…

— Oui, ce que les politiques ont expliqué comme des intrusions étrangères dans le système sans qu'ils puissent réellement en déterminer la source…

— Il y a trois ans, afin de nous assurer un parfait anonymat, nos informaticiens se sont penchés sur le problème. Sans rentrer dans les détails techniques, ils ont mis au point une puce électronique de brouillage du NBT qui s'appuie notamment sur l'aluminium injecté avec les vaccins. C'est elle qui est à l'origine des perturbations des ondes issues du système Bluetooth inventé au début du siècle qui transmettent les informations sur chaque individu.

— Une seule puce est donc capable de brouiller l'ensemble du territoire ? s'étonna Fabien.

— Sachez simplement que des milliers de puces

semblables sont infiltrées dans les réseaux de communication et qu'elles sont indécelables. C'est d'ailleurs ce qui rend fou les techniciens du CNSAP.

Pendant que Werner expliquait les principes de brouillage du traçage, Fabien ressentit le besoin de poser les questions qui le taraudaient.

— Soit. Vos activités et les membres de votre parti sont invisibles. Si vous pensez que j'ai un rôle dans votre projet, pourquoi m'avoir drogué ?

— Pas drogué, rectifia Gasparri, endormi !

— Vous jouez sur les mots…

— Soit. Le petit somnifère que vous avez ingurgité avec votre café avait juste pour but de vous faire ignorer une information qui pourrait vous nuire par la suite.

— Laquelle ?

— La connaissance du lieu de notre siège.

— Puis-je téléphoner au moins à ma compagne pour la rassurer ? Elle doit se demander où je suis passé…

— Inutile. Elle est déjà au courant.

— Au courant ? Mais au courant de quoi ?

— Que vous êtes en réunion professionnelle pour le week-end. Nous avons fait déposer une lettre en ce sens à votre domicile.

Fabien se retint d'exploser. Ces gens-là commençaient à l'agacer.

— Je l'appelle. Elle sera vraiment rassurée si elle m'entend.

Il chercha son smartphone dans ses poches sans

le trouver.

— Nous vous l'avons confisqué pendant votre sommeil. Ces appareils sont autant susceptibles de nous localiser que les NBT. Nous vous le restituerons en temps voulu. Je vous demande de me faire confiance. Dès lundi matin, vous pourrez retourner chez vous et lui expliquer…

— Lundi ? Mais lui expliquer quoi ?

— La nature de votre mission.

— Eh bien, c'est peut-être le moment de m'en parler, vous ne croyez pas ?

— Tout à fait. Avant que Werner s'en charge, j'aimerais vous apporter quelques précisions importantes afin que vous soyez partie prenante du Projet à mille pour cent. Je reviens sur les éléments que nous avons déjà abordés. Les avoir à l'esprit le moment venu vous sera utile.

— Le moment venu de faire quoi ?

— De votre implication.

— Mon implication ? Mais mon implication dans quoi ?

— Je comprends que vous soyez curieux et c'est légitime. Nous y sommes presque, mais laissez-moi récapituler les points qui vous seront indispensables à la compréhension de ce que nous attendons de vous. Détendez-vous ! Je vais faire appel maintenant à votre intelligence.

— Je suis détendu.

— Pas tant que cela. Vous allez vraiment devoir décompresser pour réaliser la nature de ce que l'on vous demande. Bien, je résume. Premier point. Vous êtes au siège secret du groupe RENAISSANCE dont l'objectif est de renverser, par une stratégie nouvelle autre que politique, la dictature qui nous gouverne. Deuxième point. Vous êtes un intellectuel qui maîtrisez l'histoire et qui connaissez sur le bout des doigts la vie de votre grand-père Adrien Chabert-Lévy.

Antonin Gasparri ouvrit un dossier qui était posé sur la table basse centrale. Fabien reconnut immédiatement à la couverture son livre publié depuis deux ans.

— Troisième point. Vous êtes l'auteur de cet ouvrage de 2082 : « Et si... ou le destin tragique d'Adrien Chabert-Lévy ». Un document exceptionnel, principal élément du quatrième point. Sans doute celui qui va vous paraître le plus saugrenu. Notre ambition est d'effacer toutes les dictatures qui se sont succédé à partir de la catastrophe du 24 novembre 2031.

— Vous voulez dire que vous envisagez de réécrire l'histoire telle qu'elle aurait pu se dérouler si...

— Justement, monsieur Chabert. C'est un peu cela. Mais bien plus que vous le supposez. Nous sommes parvenus au seuil du Projet que va maintenant vous expliquer le professeur Hoffmann. Soyez certain, monsieur Chabert, que nous sommes tout ce qu'il y a de sensé. Ce que vous allez entendre pourrait relever de la science-fiction, mais nous sommes en 2084. La science a progressé. Et notre ami Werner est l'auteur d'une découverte exceptionnelle. Non seulement elle peut bouleverser le paysage politique, mais elle peut aussi nous donner la possibilité de réécrire l'histoire et aboutir, enfin, à cette stratégie que RENAISSANCE a espérée pendant cinquante ans.

Gasparri marqua une pause et fixa avec intensité Fabien dans les yeux, comme pour mieux solliciter son attention.

— Monsieur Chabert... Êtes-vous prêt à entendre une révélation scientifique incroyable qui devrait permettre de gérer **LA** révolution attendue par le peuple français depuis un demi-siècle ?

Fabien commençait à être perturbé par cette solennité qu'il percevait dans la voix de Gasparri. Il toussota brièvement avant de répondre.

— Euh... je ne sais pas sur quel chemin vous allez m'embarquer, mais je suis prêt. Ma réaction dépendra de la nature de votre... euh... projet...

— Bien. Werner... C'est à vous...

13

Siège de RENAISSANCE
Samedi 20 mai 2084 – 19 h 30

— Merci, Président... Monsieur Chabert, permettez-moi tout d'abord de vous expliquer quelle branche scientifique a fait l'objet de mes recherches. Mes maîtres sont Planck, Einstein, Dalton, Thomson. Tous se sont intéressés à la lumière et leurs travaux ont donné naissance à la mécanique quantique dans les systèmes physiques, plus particulièrement à l'échelle atomique et subatomique. Je ne veux pas vous faire ici un cours sur le sujet, mais sachez que mes études ont abouti récemment à une découverte que l'on pourrait croire issue de l'imagination débordante d'un auteur de science-fiction. Et pourtant, cette découverte est bien réelle, monsieur Chabert, et la source vraisemblable de la conception du Projet et, nous l'espérons, de son succès.

Werner Hoffmann chercha dans le regard d'Antonin Gasparri son assentiment pour poursuivre. Le président cligna une seule fois des yeux en signe d'acquiescement.

— Monsieur Chabert... ma découverte repose sur le transfert spatio-temporel de la matière. Pour être plus clair, je dois vous dire que nous sommes aujourd'hui capables de déplacer n'importe quel objet dans l'espace-temps.

Le scientifique fixait Fabien et attendait sa réaction. Elle était partagée entre rire et doute. C'est ce dernier qui l'emporta sur la balance.

— Bon, messieurs, je vous remercie pour votre accueil. J'ai passé un agréable moment en votre compagnie, mais je crois que je vais pouvoir rentrer chez moi. Votre projet m'a laissé curieux, dans un premier temps, puis perplexe. Je dois dire maintenant, avec le respect que je vous dois, monsieur Hoffmann, que je ne suis pas naïf au point d'avaler n'importe quelle couleuvre sous le couvert de la science. Je suis un intellectuel. Chaque jour, je dois convaincre mes étudiants que l'Histoire est une ligne droite parsemée de références, d'anecdotes, de faits, de décisions, de traîtrises. Je dois leur prouver que tout ce qui participe à l'élaboration des fondations de la société, à son évolution, s'appuie sur du concret. J'ai construit ma pensée pendant des années sur des recherches, des vérifications d'actes, de dates, des choix. J'ai un esprit cartésien. Tout, dans ma vie, repose sur le rationnel, la méthode, la logique.

— Monsieur Chabert, intervint Antonin Gasparri, si vous me permettez, nous comprenons parfaitement votre réaction et à vrai dire, nous nous y attendions. Mieux, nous l'avons anticipée. Que diriez-vous si le professeur Hoffmann vous apportait maintenant une preuve de la réalité de sa découverte ?

— Une preuve ?

— Oui. Werner, je vous en prie...

Le scientifique sortit une télécommande d'une des poches de sa blouse, l'orienta vers le plafond. Un écran pivota face à eux. L'intensité de la lumière diminua.

— Je vous propose de regarder ce petit film tourné dans mon laboratoire il y a deux jours. Cela devrait vous rappeler quelque chose.

Sur les premières images de la vidéo projetée apparut en plan fixe une paillasse carrelée blanche sur laquelle se trouvait un support cubique en verre d'environ 20 centimètres d'arête. Il était centré entre deux sortes d'électrodes en position horizontale. Werner Hoffmann entra dans le champ en plan rapproché et prit la parole.

« Bonjour, monsieur Chabert. Voici donc l'expérience que je vous propose. Suivez-moi bien !... »

Il présenta la une d'un quotidien régional d'Île-de-France qu'il avança au plus près de l'objectif.

« ... Regardez tout d'abord la date de ce journal acheté aujourd'hui même en kiosque... Vous lisez bien comme moi Jeudi **18 mai 2084**... Bien. Maintenant, vous connaissez bien sûr cet ouvrage... »

Le scientifique posa le journal et présenta en gros plan face à la caméra le livre que Fabien identifia immédiatement comme le sien au titre et à la couverture : « Et si... ou le destin tragique d'Adrien Chabert-Lévy ».

Werner Hoffmann poursuivit.

« Nous sommes donc aujourd'hui le 18 mai 2084. Vous serez d'accord avec moi. Votre livre a bien été publié il y a deux ans... »

Fabien suivait avec attention le déroulement de l'expérience sans savoir où il voulait en venir.

« Maintenant, regardez bien... »

Werner Hoffmann saisit un stylo, tourna la première de couverture et commença à écrire quelque chose sur la première page. Sans doute quelques mots, car l'opération dura peu de temps. Il posa le stylo et présenta le livre fermé, couverture face à la caméra, toujours en gros plan.

« Voilà. Vous êtes prêt, monsieur Chabert ? Je pense que vous allez avoir un choc... »

Tout en maintenant le livre toujours face à la caméra, il tourna cette fois la couverture. La première page, blanche, apparut avec la phrase que le scientifique venait d'écrire. Fabien, sidéré, la déchiffra : « **Ceci est la preuve du transfert !** ». En une fraction de seconde, il se remémora ce qu'il avait vécu deux ans plus tôt.

***

Université Martial Donnadieu
Jeudi 21 mai 2082

Fabien était sur un nuage. Sa rencontre avec Linda Marchal la veille au soir chez Alfred D'Anjou, son éditeur, laissait présager un avenir plutôt intéressant. Cette fille lui avait paru remarquable. Et puis ses yeux ! Oh, punaise ! Et dire qu'elle avait accepté l'interview au restaurant... Rien que d'y repenser, il se sentait encore tout chamboulé.

La rencontre, c'était une chose. Mais lundi, son livre sortait officiellement dans les librairies. Pour l'heure, il s'apprêtait à retrouver ses étudiants de première année et à leur présenter en avant-première Et si.... Toujours jubilatoire de leur montrer le nouveau bébé, privilège de l'auteur de posséder le premier exemplaire...

Il parvint devant la porte de l'amphithéâtre qu'il déverrouilla avec sa clef. Il aimait arriver en avance afin de se préparer au mieux : vérifier que le vidéoprojecteur fonctionnait, que l'écran était baissé, relire une fois le plan de son cours.

Il repéra immédiatement un livre sur le bureau au milieu de la scène. Il s'en approcha. Quelle ne fut pas sa stupeur lorsqu'il réalisa que c'était le sien. Il vérifia dans son sac... Non, il y était ! Alors à qui ? Linda ? Non, c'était son livre de chevet... À quelqu'un d'autre ? Impossible ! Aucune vente n'avait encore eu lieu. Son éditeur le lui avait confirmé. Il le saisit, jeta un œil à la quatrième de couverture. Pas de doute, c'était bien lui en photo sous le texte d'accroche qu'il avait lui-même rédigé. C'était à n'y rien comprendre. Machinalement, il tourna la première de couverture. Il lâcha à haute voix un « merde ! » quand il vit qu'une phrase manuscrite souillait la première page : « **Ceci est la preuve du transfert !** ». De rage, il l'arracha.

***

Siège de RENAISSANCE
Samedi 20 mai 2084 – 19 h 50

Comment cela était-il possible ? À l'époque, l'anecdote l'avait perturbé sans qu'il puisse expliquer la présence de cet exemplaire dans l'amphithéâtre, de plus avec cette phrase qui réapparaissait deux ans après dans ce film. La suite de la projection lui apporta la réponse. Werner Hoffmann poursuivait son expérience.

« Je suppose qu'il y a deux ans, ce qui à vos yeux vous semblait un mystère d'une totale incompréhension est revenu du fond de votre mémoire où vous l'aviez refoulé. Eh bien, monsieur Chabert, aujourd'hui, je vous en propose la résolution. À partir de maintenant, suivez bien votre livre que la caméra ne quittera pas une seconde... »

Werner Hoffmann le referma et le déposa sur le cube en verre de la paillasse. Il poursuivit son discours en relation avec ses gestes.

« Comme je vous l'ai expliqué de vive voix tout à l'heure, j'ai découvert le procédé qui permet le transfert spatio-temporel de la matière. Je vais vous le démontrer maintenant. Avec votre livre... »

Un clavier apparut sur l'avant, dans le prolongement de la paillasse. Hoffmann poursuivit.

« Dans quelques instants, je vais programmer le transfert de votre livre sur le bureau dans l'amphithéâtre dans lequel vous vous apprêtez à entrer le 21 mai 2082 pour votre cours de 9 h 30. Le fils d'un de nos collaborateurs, que vous avez eu comme étudiant en première année cette année-là, nous a confirmé votre planning. Il suit encore vos cours en troisième année en ce moment. Relever et nous transmettre les coordonnées longitudinales, latitudinales et altitudinales du bureau a été pour lui un jeu d'enfant avec son smartphone hyperconnecté de dernière génération... »

Pendant quelques secondes, il montra qu'il tapait sur les touches du clavier les informations spatiales qu'il venait d'énoncer. Son visage réapparut dans le champ de la caméra, sans masquer pour autant le livre sur le socle en verre au second plan.

« Voilà, monsieur Chabert, nous y sommes. Je vais rester face à vous et continuer à parler. Même pendant la désintégration. Toute la scène est filmée en plan séquence, c'est-à-dire sans arrêt du moteur de la caméra. Ce sera la preuve qu'il n'y a ni montage ni effets spéciaux. Et ce sera le cas. Vous verrez mes lèvres bouger pendant que je vous décrirai ce qu'il se passe. Bien, alors je crois que nous sommes prêts pour la dernière étape. Tout est programmé pour que votre livre soit transféré sur le bureau le jeudi 21 mai à 9 h. Je me donne une marge de trente minutes avant le début de votre cours. Il n'y a personne dans l'amphithéâtre puisque vous êtes le premier enseignant de la journée à intervenir… Allez, c'est l'heure ! Ce petit boîtier, que je tiens à la main, est une télécommande de désintégration avant transfert. Regardez cette touche… je vais appuyer dessus… voilà… Observez maintenant les éclairs qui apparaissent sur les électrodes de chaque côté du livre et qui vont croître l'un vers l'autre… Vous les voyez s'allonger ?… Le bruit, ou plutôt le souffle, que vous percevez accompagne leur progression. Il témoigne de la réduction atomique de la lumière… »

Werner Hoffmann jeta un coup d'œil derrière lui sur l'opération en cours pour s'assurer que tout correspondait à ce qu'il expliquait. Puis il poursuivit sa description de l'expérience face à la caméra.

« Lorsque les éclairs vont toucher le livre, dans quelques secondes, un halo violent va le cerner... »

Un chuintement strident se fit entendre au même instant.

« Voilà... les éclairs des deux électrodes fusionnent sur le livre... le halo blanc apparaît maintenant... »

Nouveau coup d'œil rapide derrière lui, puis retour face caméra.

« ... il l'enveloppe maintenant entièrement... Voyez comme il tremble sur son socle... Et là... »

Bruit mat d'une brève explosion assourdie. Diminution du halo. Résorption des éclairs vers les électrodes latérales. Seul restait sur la paillasse le cube en verre. Le livre s'était volatilisé. Hoffmann se retourna pour le vérifier et une dernière fois, regarda la caméra. Il arborait un sourire de satisfaction.

« ... Oui, monsieur Chabert, votre livre a bien disparu en 2084... mais il est déjà apparu sur le bureau de l'amphithéâtre en 2082, et il sera bientôt entre vos mains… »

***

Noir. L'écran fut replié et la lumière retrouva une intensité normale. Fabien était muet et troublé. Ce qu'il venait de voir dépassait l'entendement. Et pourtant, il y avait peu de chances, comme l'avait expliqué le scientifique, que le livre ait disparu par la magie d'un effet audiovisuel quelconque. Il avait besoin d'une preuve supplémentaire. L'idée se dessina dans son esprit.

— Il y a deux ans, lorsque j'ai eu mon livre entre les mains et que j'ai lu ce qui était écrit sur la première page, de rage, je l'ai arrachée. Faites-le revenir à aujourd'hui, et je serai disposé à vous croire.

— Impossible, monsieur Chabert ! répliqua Werner Hoffmann. Tout transfert spatio-temporel est unilatéral. Nous pouvons déplacer la matière dans le passé, mais pour des théories et des équations scientifiques compliquées à vous expliquer, le retour est irréalisable. Disons simplement que le même matériel serait nécessaire en 2082 et que quelqu'un dirige l'opération en sens inverse.

L'argument renforça le trouble de Fabien.

Antonin Gasparri, Benjamin Lacombe, Philippe Aubert et Werner Hoffman, tous les quatre assis autour de Fabien, respectaient son émotion palpable. Ils sentaient que le professeur d'université, historien et auteur, était ébranlé par ce qu'il avait vu.

L'interpeller maintenant sur son ressenti aurait été une insulte à son intelligence. Pour avoir vécu de visu cet instant déroutant d'un transfert spatio-temporel, tous savaient ce qu'il éprouvait, les questions qu'il se posait, le truc supposé de la disparition qu'il cherchait à déceler. Jusqu'à ce que lui-même finisse par aboutir à la conclusion : quelle était la nature du Projet ?

— Souhaitez-vous boire quelque chose ? demanda Antonin Gasparri.

— Euh… oui, de l'eau… je veux bien, merci.

Benjamin Lacombe se leva, se dirigea vers la porte dissimulée d'un réfrigérateur incrusté dans le mur de la pièce. Il revint avec un plateau sur lequel se trouvaient une bouteille et un verre qu'il remplit avant de le tendre à Fabien. Il le but d'un trait.

Le bref sourire qu'il adressa aux uns et aux autres traduisait plusieurs étapes de sa perception, un état émotionnel graduel que les quatre hommes connaissaient parfaitement pour l'avoir eux-mêmes ressenti. Un, la stupéfaction. Le livre disparaît. Deux, la suspicion. Quel est le truc ? Trois, le trouble. Comment accepter l'invraisemblance, l'incohérence ? Quatre, l'effet mémoire. Le retour deux ans avant avec le livre entre les mains. Cinq, le doute. Ce devait être un livre identique, mais pas celui de l'expérience. Et enfin, six, la certitude. La phrase manuscrite : « Ceci est la preuve du transfert ».

— Bon. Admettons ! Mon livre a effectivement disparu. C'est celui que j'ai découvert sur le bureau de l'amphithéâtre, il y a deux ans. Et encore, j'ai beaucoup de mal à accepter ce à quoi je viens d'assister. Je reconnais que je suis troublé. Je me pose toujours des questions. C'est une absurdité que la logique de mon esprit refuse a priori. Mais admettons ! Votre groupe secret, Renaissance, dont j'ignore où se trouve le siège, votre ambition politique et la nature de cette expérience m'incitent à des interrogations qui me plongent dans la perplexité.

Antonin Gasparri s'apprêta à lui répondre. Puis il se ravisa, prit un temps de réflexion et finalement, le fixa avec intensité.

— Monsieur Chabert... Si vous deviez nous poser une question... une seule... ce serait laquelle ?

Que cachait cette demande particulière. Les quatre hommes avaient gardé le silence jusque-là. Sans doute pour lui permettre de raisonner. Quelle question pouvait-il poser si elle était unique ? Revenir sur l'expérience ? Inutile. Quelles qu'en soient l'incohérence et l'extravagance, il était maintenant quasiment convaincu que le livre qu'il avait eu entre les mains, deux ans en arrière, était bien celui sur lequel le scientifique avait rédigé sa phrase en première page. Donc il acceptait la réalité de l'improbabilité. Il admit aussitôt l'aberration des deux mots contradictoires qu'il venait d'utiliser dans sa réflexion. Mais pourquoi avoir fait appel à lui, et le rendre témoin de cette expérience ? C'était peut-être dans ce sens qu'il devait poser sa question.

— Qu'attendez-vous de moi ?

Fabien ressentit comme une sorte de soulagement dans la réaction des quatre hommes. Comme si une tension latente retombait. Comme si la question posée était celle qu'ils espéraient.

Antonin Gasparri adressa un léger signe de tête à Philippe Aubert qui se leva et sortit de la salle sans un mot.

— Avant de vous expliquer la nature du Projet dans lequel vous allez être impliqué, monsieur Chabert, vous allez maintenant pouvoir rassurer votre compagne.

— Quelle heure est-il ?

— 20 h 30 ! Elle sait que vous avez participé à une réunion politique importante. Nous lui avons envoyé un message dans ce sens. Je crois que si elle vous entend maintenant, et que vous lui confirmez votre adhésion à un programme capital, vous lèverez les doutes qui peuvent subsister.

— Quel programme ? Le soir ?

— Oui, monsieur Chabert. Ce soir pour vous l'expliquer, demain pour le réaliser.

— Demain ? Je dois me rendre à l'université lundi matin…

— Vous y serez, monsieur Chabert. Nous allons entrer dans le Projet. Le temps n'aura plus d'importance pour nous, si vous voyez ce que je veux dire…

— Désolé, non, pas vraiment…

— Ne vous inquiétez pas ! Tout sera limpide. Faites seulement part à votre compagne du sujet vers lequel nous allons nous tourner…

— Et quel est ce sujet ?

Philippe Aubert entra dans la salle et se dirigea vers Fabien à qui il tendit son smartphone. Antonin Gasparri attendit qu'il s'en empare pour annoncer :

— Adrien Chabert-Lévy.

— Mon… grand-père ?

— Il me semble, non ? sourit Antonin Gasparri.

— Oui, mais quel programme comptez-vous mettre en place ?

Le président de Renaissance adopta un ton mystérieux, les yeux légèrement plissés

— Pas un programme, monsieur Chabert ! Une renaissance…

— Une… renaissance ?

— Oui. Nous allons tenter de faire en sorte qu'il ne se fasse pas assassiner !

14

Siège de RENAISSANCE
Samedi 20 mai 2084 – 21 h 00

— Allô, Linda ! C'est moi…

— Enfin ! Je commençais sérieusement à m'inquiéter… J'ai essayé de t'appeler, mais chaque fois je suis tombée sur ta messagerie… Où es-tu ?

— Je ne peux pas te le dire au téléphone, mais rassure-toi, tout va bien !

— Il y avait une enveloppe dans la boîte aux lettres avec un mot m'informant que tu participais à une réunion politique à laquelle ta présence était indispensable et que tu m'appellerais…

— C'est ce que je fais en ce moment…

— Quand rentres-tu ?

— Je ne sais pas exactement. Au plus tard, lundi soir après ma journée de cours…

— Explique-moi au moins en quoi consiste ta réunion ? J'ai joint l'université. On m'a dit que c'était le week-end et qu'elle était fermée…

— Écoute, je peux juste te dire que c'est en relation avec le livre sur mon grand-père Et si... publié il y a deux ans, à l'époque où nous nous sommes rencontrés... J'ai obtenu des informations importantes sur... sa vie...

— Je croyais que tu avais cerné sa biographie...

— C'est vrai. Je le pensais aussi. Fais-moi confiance ! Je reviens bientôt...

— J'espère bien... Maintenant que tu m'as demandé en mariage...

— Promis. Je te retrouverai lundi au plus tard. Je t'aime, ma chérie...

— Je t'aime aussi, mon amour... Je t'embrasse...

— Moi aussi.

***

Siège de RENAISSANCE
Samedi 20 mai 2084 – 22 h 15

Au cours du léger dîner qu'ils prirent ensemble au réfectoire, la discussion tourna autour de l'historique de Renaissance au cours des cinq dernières décennies. Antonin Gaspari expliqua les difficultés du groupe à s'imposer dans le paysage politique et son extinction progressive après la disparition de certains leaders. La renaissance, d'où son nom, s'imposait avec une idéologie de retour sans passer par la case révolution.

— Pourquoi employez-vous le mot « groupe » pour désigner votre mouvement d'opposition, et non « parti », avait demandé Fabien à Antonin Gasparri.

— Parce qu'un parti, quel qu'il soit, doit déposer des statuts d'association selon la loi de 1901. Nous avons disparu du paysage politique officiel. Les dictatures successives au pouvoir nous y ont contraints. Et comme je vous l'ai expliqué, nous ne jouons plus sur ce terrain. Notre ambition, encore une fois, a toujours reposé, depuis que nous existons dans l'ombre, sur la recherche d'une stratégie nouvelle pour mettre en place nos valeurs. Une stratégie qui ne repose pas sur la démocratie actuelle, puisque c'est un leurre. Mais celle sur laquelle s'appuyait l'UPO avant l'assassinat de votre grand-père, avant « La Vague ». Aujourd'hui, monsieur Chabert, grâce aux travaux et aux découvertes de l'équipe scientifique que dirige le professeur Hoffmann, nous touchons au but.

— Vous avez donc trouvé cette nouvelle stratégie qui vous permettrait de vivre au grand jour et d'être reconnus comme un vrai parti ?

— Mieux que cela, monsieur Chabert ! Mieux que cela ! Si tout se passe comme nous l'espérons…

Antonin Gasparri regarda ses compagnons à tour de rôle. Tous savaient ce qu'il allait dire.

— Nous devrions, en principe, supprimer toutes les dictatures de ces cinquante dernières années !

— Quoi ?... ne put s'empêcher de lâcher Fabien. Mais… vous ne pouvez pas éliminer ce qui appartient à l'histoire politique du pays… Et les dictatures en font partie…

Le président de Renaissance marqua une nouvelle pause, puis il fixa Fabien qui n'aurait su dire si ses yeux pétillaient de plaisir ou d'excitation.

— Les éliminer, non ! Mais faire en sorte que l'Histoire s'écrive sans qu'elles existent, monsieur Chabert... Sans qu'elles existent...

Ils quittèrent le petit réfectoire. L'entretien préliminaire pouvait se poursuivre.

***

Siège de RENAISSANCE
Samedi 20 mai 2084 – 23 h 00

Les quatre hommes étaient à nouveau assis sur la banquette de la pièce demi-sphérique jusqu'où Fabien avait suivi Philippe Aubert lors de sa première rencontre avec Antonin Gasparri, Benjamin Lacombe et Werner Hoffmann.

— Encore une fois, excusez-moi, mais l'expérience à laquelle j'ai participé et votre dernière révélation ne parviennent pas, en toute sincérité, à me convaincre de ma présence à vos côtés.

— Je pense qu'il est l'heure de vous prouver le contraire. Ou peut-être préférez-vous que nous reportions cela à demain après une bonne nuit de repos...

— Je ne crois pas que le suspense entretenu par cette conversation favorise le sommeil.

— Soit. Alors c'est notre ami Benjamin qui va se charger de l'introduction du Projet. C'est notre historien-documentaliste-archiviste référence pour tout ce qui concerne l'évolution de Renaissance depuis son origine jusqu'à nos jours. C'est un grand moment qui s'annonce pour vous, monsieur Chabert. Benjamin… je vous en prie…

Benjamin Lacombe était appuyé contre le dossier de la banquette, les jambes et les bras croisés. Il se pencha légèrement en avant, posa les coudes sur ses cuisses et joignit les mains. Il marqua un silence de quelques secondes comme pour organiser son discours à venir. Fabien, en face de lui, portait toute son attention sur ce qu'il allait dire.

— Monsieur Chabert, permettez-moi tout d'abord de vous faire part de mon admiration, tant pour votre parcours d'historien que pour votre carrière littéraire. Votre œuvre m'a beaucoup inspiré, **nous** a beaucoup inspirés, pour préparer ce fameux Projet dont vous devez bien sûr vous demander ce qu'il recèle. Pour commencer, j'aimerais m'appuyer sur deux points très précis qu'a ébauchés le président et que vous ne devrez pas perdre de vue pendant mon exposé. Le premier, tenter de faire en sorte qu'Adrien Chabert-Lévy ne se fasse pas assassiner, et le second, essayer de réécrire l'Histoire des cinq dernières décennies sans les dictatures qui se sont succédé. Gardez bien ces deux points en mémoire. Bien. En quoi votre présence est-elle essentielle au succès du Projet ? Vos ouvrages expliquent parfaitement comment est née en 2031 l'Union Parlementaire d'Opposition, l'UPO, sous l'impulsion du Premier secrétaire de l'époque qui était votre grand-père. Certes, sa carrière à ce poste a été aussi éphémère que la lueur d'une étoile filante dans un ciel d'été. Dès le lendemain de l'annonce officielle de la création de l'UPO, de son investiture que lui avaient accordée les responsables des autres partis de gauche, et de sa volonté de se lancer dans la campagne présidentielle de 2032, il a été assassiné. Dans votre superbe ouvrage « Et si… ou le destin tragique d'Adrien Chabert-Lévy », vous expliquez très bien le processus de mise en place de son meurtre par l'exécutif de l'époque en la personne du président Amaury Guichard. Et surtout de son ministre de l'Intérieur, Lucas Serrano. Au-delà de cette enquête parfaitement aboutie, nous avons surtout retenu votre proposition d'infiltrer le lecteur dans son modèle politique avec lequel il aurait pu illustrer sa campagne. Comment avez-vous pu maîtriser autant ses idées, sa dialectique, sur l'organisation et surtout sur sa façon de projeter sur l'avenir un programme de gouvernance du pays que des millions d'électeurs auraient plébiscité ?

— Merci pour vos éloges, mais rendons à César ce qui appartient à César. Mon grand-père s'apprêtait à publier son manifeste de candidat. Le manuscrit était prêt. Un contrat était signé avec un éditeur de Troyes. Après son assassinat, c'est mon père qui a récupéré l'épave de sa voiture chez un dépanneur qui l'avait transportée jusqu'à son garage à Nogent-sur-Seine. Il n'y avait plus rien à en tirer. Bonne pour la casse. C'est en fouillant l'intérieur à la recherche d'affaires personnelles que mon père a découvert ce manuscrit dans une mallette qui avait dû tomber entre les sièges avant et arrière. Bien plus tard, il me l'a confié après la soutenance de ma thèse d'histoire. C'est le contenu de ce document qui a servi de base solide à mon ouvrage sur le destin d'Adrien Chabert-Lévy. Le programme qu'il développait était si enthousiasmant, si réaliste, que j'ai vite compris que s'il avait été élu président de la République, la vie politique française aurait suivi un autre chemin que ceux imposés par les dictatures. D'où le titre de mon livre Et si…

Antonin Gasparri prit la parole.

— Merci pour cet aveu qui vous honore, monsieur Chabert. Sachez que ce sont ces valeurs qui ont favorisé l'élaboration du Projet. C'est ce programme que nous souhaitons pour la France.

— Il était sans doute viable il y a cinquante ans. Mais je crains qu'il ne le soit plus dans le contexte politique actuel, le contra Fabien.

— Qui vous parle de l'appliquer aujourd'hui ? Non, monsieur Chabert, dans ce Projet, nous voulons le mettre en place, mais cinquante ans en arrière.

Devant les yeux effarés de Fabien, Gasparri poursuivit.

— Pardonnez-moi, j'ai brûlé les étapes. Continuez, Benjamin !…

— Oui, votre livre nous a inspirés pour développer notre stratégie politique fondée sur la justice et le respect de l'être humain. Monsieur

Chabert, voici la nature réelle du Projet : nous envisageons de transférer votre livre Et si… jusque dans les mains de votre grand-père avant qu'il soit assassiné. Et même pour qu'il ne le soit pas, qu'il se fasse élire à la présidentielle de 2032 et changer si ce n'est la face du monde, du moins celle de la France.

Fabien éclata d'un rire censé démontrer l'aberration qu'il attribuait à ce qu'il venait d'entendre, mais qui mourut dans sa gorge, preuve évidente qu'il était passablement secoué.

Antonin Gasparri comprenait parfaitement ce trouble et décida d'abréger ses interrogations.

— Vous avez bien conscience que ce que Benjamin vous a révélé repose sur une nouvelle expérience de transfert spatio-temporel identique à celle dont vous avez été le témoin privilégié. Lorsque Benjamin vous annonce que nous envisageons de transférer votre livre jusque dans les mains de votre grand-père, c'est une image. De la même façon que Werner a transféré votre ouvrage sur le bureau de l'amphithéâtre.

— Mais… mon grand-père n'enseignait pas…

— Nous savons cela, bien sûr. Je crois qu'il est temps maintenant pour Werner de vous décrire les étapes de cette nouvelle expérience. Tout s'appuie encore une fois sur les informations que vous avez-vous-même fournies. Vous allez comprendre. Je vous en prie, Werner, à vous…

Werner Hoffmann se dirigea vers un tableau-conférence qu'il déplaça et positionna en face du groupe assis.

— Monsieur Chabert, je vais essayer d'être succinct, rationnel et efficace. Le Projet se résume en dix mots-clefs.

Il sortit de la poche de sa blouse blanche un feutre noir qui ne le quittait jamais, et se tourna vers la première feuille vierge du tableau.

— Voici le plan que nous vous proposons :

Il écrivit chaque mot du processus de transfert qu'il commenta l'un après l'autre.

1. Livre

— Il s'agit de votre ouvrage « Et si… ou le destin tragique d'Adrien Chabert-Lévy »

2. Transfert

— Nous allons le faire voyager dans le passé vers votre grand-père. Son nom écrit en couverture ne manquera pas de l'interpeller.

3. Lieu

— Ce sera sur la tribune de l'Hémicycle du Palais Bourbon, avant sa destruction, bien évidemment, lorsque votre grand-père annonce sa candidature aux élections présidentielles de 2032. C'est vous qui nous avez fourni cette information dans votre livre.

4. Date/heure

— Là encore, monsieur Chabert, c'est vous qui nous fournissez cette précieuse information qu'il avait lui-même rédigée sur son propre agenda que vous citez en référence : 23 octobre 2031 à 15 h. C'est bien la date et l'heure du début de sa prise de parole ?

Fabien acquiesça simplement d'un signe de tête, subjugué par l'assurance et la rigueur de Werner Hoffmann.

— Bien, merci. Je poursuis.

5. Coordonnées

— Vous avez pu constater, dans l'expérience filmée que je vous ai projetée et dont vous avez été l'acteur involontaire, que les coordonnées exactes de l'apparition du livre en 2031 sont indispensables. Comme l'étudiant qui nous a indiqué celles du bureau de l'amphithéâtre, celles de la tribune de l'Hémicycle nous seront utiles. Vous seul pouvez nous les fournir. Je vais vous expliquer maintenant pourquoi dans le point suivant…

6. Mission

— Pardonnez-nous, monsieur Chabert, intervint Antonin Gasparri, de vous avoir caché la nature de ce que nous attendons de vous jusqu'à maintenant. Mais vous comprenez bien que si nous vous avions révélé ce plan sans préparation psychologique, vous nous auriez pris pour des fous. Excusez-moi, Werner, poursuivez !...

— Nous avons fait appel à vous parce que Mademoiselle Sybelle Veyssière, la conservatrice du musée Bourbon, est une de vos amies personnelles. Vous êtes le seul à qui elle permettra de déambuler en dehors des heures d'ouverture dans l'Hémicycle. Vous êtes historien et écrivain. Nul doute que vous trouverez un prétexte suffisamment convaincant pour qu'elle vous laisse le champ libre pour monter à la tribune et que vous puissiez relever les coordonnées spatiales nécessaires.

— La tribune est protégée par une cage verrouillée en plexiglas, rétorqua Fabien.

— Oui, nous le savons. C'est la raison pour laquelle nous vous envoyons là-bas. Vous pourrez vous faire confier la clef par votre amie pour y accéder.

7. <u>Mémorisation</u>

— Sur le bureau de la tribune se trouve un sous-main en bois massif, légèrement surélevé, d'une soixantaine de centimètres de long, qui permettait aux orateurs de poser les feuilles de leurs discours. Longitude, latitude et altitude seront relevées avec exactitude sur ce sous-main. Les coordonnées seront mémorisées dans un DSR8 dont vous avez évidemment déjà entendu parler…

— Oui, comme tout le monde, répondit Fabien, avec un incontrôlable, mais discret haussement d'épaules. Le Digital Space Recorder version huit appartient à la dernière génération des GPS. En France, dans le langage populaire, il est appelé « Choko », parce que ses dimensions sont identiques à celles d'un carré… de chocolat.

— Exact. Quel que soit l'endroit où vous le placerez, les coordonnées seront mémorisées d'une simple touche sur l'écran. En le posant à plat sur le sous-main que je vous ai indiqué, sans aucune erreur possible, c'est à cet endroit que sera transféré le livre.

8. Impact

— En tout état de cause, votre grand-père le repérera. Comme je vous l'ai dit, son nom dans le titre l'interpellera. Il s'en emparera discrètement. Nous ne savons pas s'il le lira immédiatement. Vous souvenez-vous, monsieur Chabert, dans l'expérience équivalente que vous avez vécue il y a deux ans, ce qui vous a le plus perturbé ?

— Oui, bien sûr. La phrase manuscrite en première page !

— Tout à fait.

9. Message

— Et c'est encore là que nous avons besoin de

vous. À votre avis, à quel message manuscrit en première page, relativement court, mais efficace, serait-il susceptible de réagir à coup sûr sans se plonger systématiquement dans la lecture immédiate de votre ouvrage ?

Fabien, même s'il avait l'impression qu'on l'intégrait au scénario d'un film de science-fiction, ressentait une forme de fébrilité puérile à se prendre au jeu. C'est à sa réponse que les quatre hommes comprirent qu'il progressait sur le chemin de l'adhésion au Projet. Mais ils savaient également qu'ils ne devaient pas précipiter le programme. Le dixième point du plan serait le plus compliqué à lui faire admettre.

— Je pense qu'une phrase en quelques mots sur son avenir immédiat serait d'une redoutable efficacité, suggéra Fabien.

— Vous pensez à quoi ? demanda Werner Hoffmann.

— À ces mots : « **Rentrez chez vous. Prenez connaissance de votre assassinat au chapitre 12 page 257** »

— C'est bien dans cette partie que vous développez la thèse du meurtre commandité par l'exécutif ?

— Tout à fait. Je m'appuie notamment sur le rapport de police de l'époque dans lequel est détaillé le déroulement des faits près de Bouy-sur-Orvin, dans l'Aube, le lendemain de son intervention à l'Assemblée nationale. Le 24 octobre 2031. C'était un vendredi soir. Il allait retrouver sa famille dans sa résidence principale.

Werner Hoffmann, satisfait, jeta un coup d'œil à Antonin Gasparri. Au sourire qui se dessinait sur ses lèvres, il comprit que lui aussi savait que le Projet se mettait en place. Ne manquait que le dixième point du plan, et c'est Fabien lui-même qui en précipita le développement.

— Je ne vous cacherai pas que je suis partagé à propos de la faisabilité de votre projet, entre doute et admiration. Le doute, car d'un côté subsiste la logique de l'impossibilité pure, et de l'autre, l'expérience que j'ai vécue avec mon livre que vous m'avez transféré il y a deux ans. Et aussi l'admiration parce que vous faites partie des hommes qui mettent tout en œuvre pour atteindre leur idéal. Mais admettons ! Admettons que tout cela fonctionne, qu'aucun grain de sable ne s'insère dans le rouage de ce plan incroyable. Comment saurons-nous que mon grand-père a échappé à son assassinat ?

Werner Hoffmann regarda à nouveau Gasparri. Encore une fois, le président de Renaissance donna son feu vert d'un signe de tête.

— J'allais y venir, monsieur Chabert. C'est le dixième et dernier point du Projet.

10. Preuve ?

— Imaginons que le lancement du Projet aboutisse. Que votre livre que nous envisageons de transférer atteigne sa cible et qu'il soit en possession de votre grand-père. Avec votre accroche manuscrite, s'il est sensé, et nous pensons qu'il l'est, il rentrera chez lui. Il se plongera dans la lecture de votre livre. En deux temps. Un, comme vous le lui avez suggéré, il découvrira la mise en œuvre de son assassinat. Le second, perplexe et intrigué, il prendra connaissance aussi de tout ce qui précède…

— … sa biographie, depuis son CAP de mécanicien jusqu'à son poste de secrétaire de l'UPO, compléta Fabien qui commençait à pressentir la probabilité d'un changement de destin pour son grand-père.

— Oui, poursuivit Benjamin Lacombe. Quelle ne sera pas sa surprise lorsqu'il lira son propre programme politique, le manifeste qu'il s'apprêtait à publier…

Antonin Gasparri porta le coup de grâce.

— Voyez-vous, monsieur Chabert, votre grand-père sera fasciné par le contenu de votre livre. Pensait-il, à l'époque, qu'une conspiration se tramait contre lui et qu'il allait être assassiné ? Impossible de le savoir. Par contre, par l'intermédiaire de votre livre, il pourra raisonner, anticiper. Il pourra prendre des mesures de sécurité appropriée, peut-être choisira-t-il un autre itinéraire pour rejoindre sa famille le lendemain dans sa résidence… Ou peut-être ne s'y rendra-t-il pas… La certitude, monsieur

Chabert, c'est que grâce à votre livre, son destin sera entre ses mains. Il pourra le changer. Faire en sorte que sa campagne se déroule jusqu'aux élections de mai 2032. Et là, étant donné sa popularité, il obtiendra la majorité pour accéder au poste suprême, et ouvrir pour la France une voie différente qui reposera enfin sur la liberté, l'égalité et la fraternité. Ce ne seront plus de vains mots repris dans l'article premier de la Déclaration des droits de l'homme et du citoyen de 1789, déclaration mentionnée en préambule dans les constitutions de la République. Ce sera la devise sincère qui forgera une vraie justice dans ce pays.

— Pardonnez-moi, le coupa Fabien, mais je crois qu'il est un facteur dont vous n'avez pas tenu compte dans votre projet...

— Lequel ? demanda Antonin Gasparri, étonné.

— Un mois plus tard aura lieu la catastrophe écologique annoncée avec « La Vague » qui a causé des centaines de milliers de morts. Avez-vous envisagé l'incidence qu'elle pourrait avoir sur le nouveau destin d'Adrien Chabert-Lévy que vous m'avez décrit ?

— Votre argument ne tient plus, monsieur Chabert.

— Pour quelles raisons ?

— Tout simplement parce que la manifestation colossale connue sous le nom de « Cercle 20 » qui a drainé plus de trois millions de Français sur Paris ne sera pas organisée.

— Mais si, elle le sera. Je...

— Non, monsieur Chabert. Votre grand-père ne sera pas assassiné. Martial Donnadieu, le Premier secrétaire par intérim de l'UPO et ses responsables n'auront donc aucune raison de lancer l'appel au « Cercle 20 » qui deviendra illégitime. « La Vague » causera sans doute des dégâts à Paris et entraînera des victimes, mais en tout cas, moins qu'avec trois millions de manifestants. Et vous savez quoi, monsieur Chabert ? Sans ce rassemblement, cela signifie que le Palais Bourbon ne sera pas pris d'assaut, et qu'Amaury Guichard ne donnera pas l'ordre aux avions de chasse de le bombarder. Avez-vous d'autres questions ?

Non, Fabien n'avait plus de demandes particulières. Emporté dans le maelström du Projet par la démonstration sans failles des membres de Renaissance, il commençait à entrevoir la possibilité de générer un avenir totalement différent pour la France à partir de 2032. Son esprit jugeait cela complètement paradoxal, pourtant, c'est à ce moment qu'il réalisa qu'une ultime question, d'une importance capitale, n'avait pas été posée.

— Oui, il m'en reste une, si vous me permettez…
— Je vous en prie…
— Adrien Chabert-Lévy devient président de la République, met en place une politique de gauche. Fatalement, il y aura des incidences sur l'Histoire, avec sans doute des répercussions sur notre société

actuelle. Comment pourrons-nous le savoir ?

— Werner, pouvez-vous faire part à monsieur Chabert de votre conclusion dans la préparation du Projet ?

— Bien sûr, Président. Les politiques mises en place seront différentes et auront des conséquences pour notre société que nous percevrons en toute logique. Vous avez raison de le souligner. Mais vous devez comprendre que nous serons, nous cinq ainsi que les membres de mon équipe scientifique, les seuls à avoir conscience de ce changement. Parce que nous seuls aurons le souvenir du transfert spatio-temporel de votre livre qui en aura été à l'origine.

— Mais qu'est-ce qui sera visible pour nous à l'extérieur ?

Werner Hoffmann réfléchit quelques secondes avant de répondre.

— Je ne sais pas. Tout dépendra de l'évolution de la France depuis 2032. Nous aurons la surprise. Par contre, nous aurons deux preuves flagrantes de la réussite du Projet… La première, le Palais Bourbon sera toujours le siège du Parlement. La seconde, vous vous serez intéressé au nouveau destin de votre grand-père dans votre livre auquel vous aurez donné un autre titre. Le **Et si…** initial n'aura plus lieu d'être.

— Mais je n'aurai pas conscience de l'avoir écrit différemment…

— Non, et c'est là tout le paradoxe !

— Mais alors, quel en sera le contenu ?

C'est Antonin Gasparri qui apporta la réponse sans appel :

— Ce sera la surprise, monsieur Chabert !

15

Musée Bourbon
Dimanche 21 mai 2084 – 10 h 00

Il avait passé la nuit au siège de Renaissance dans une chambre d'invité qui lui avait été attribuée, à cogiter, à trouver une faille au Projet. Il avait cherché l'argument qui aurait pu lui permettre d'étayer un plaidoyer contre toute cette absurdité dont Gasparri et ses hommes s'étaient évertués à démontrer la réalité.

En vain.

Au petit matin, sa logique était mise à mal.

Il savait qu'il irait au bout de ce qu'on attendait de lui.

La Polestar X noire le déposa devant le musée Bourbon. Cette fois-ci, pas de drogue. Les vitres intérieures avaient simplement été occultées afin qu'il ne puisse situer géographiquement le siège de Renaissance ou repérer le parcours jusqu'au musée.

Comme il en avait convenu au téléphone avec Sybelle, son amie et conservatrice, il la retrouva à l'entrée. Elle l'introduisit dans le hall dévolu habituellement aux visiteurs, puis referma la porte derrière eux.

— Je suis ravie de te voir. Comment vas-tu ? Et Linda ?

— Bien, merci. Je suis assez pressé. Peux-tu me conduire à l'Hémicycle ?

— Oui, bien sûr ! Tu pourrais t'y rendre seul, tu connais le chemin. Mais on est dimanche et les différentes salles du musée sont fermées.

— C'est logique…

— Dis-moi, c'est quoi cette voiture qui t'a déposé et qui t'attend sur le quai d'Orsay ?

— C'est un véhicule universitaire à disposition d'un cercle dont j'ai l'honneur de faire partie…

— En tant que quoi ?

— À ton avis ?

— Historien ? Écrivain ?

Fabien sourit tout en déclamant cette ancestrale réplique :

— Les deux, mon général !

Sybelle Veyssière secoua la tête, amusée.

— Bon, mais puis-je avoir le privilège de connaître le sujet de ton prochain opus…

— Oui, avec plaisir. Ce sera un nouveau livre sur mon… Adrien Chabert-Lévy…

— Pourquoi dis-tu « mon » ?

— Je suis tellement plongé dans la vie de cet homme extraordinaire, que j'allais dire mon… député préféré…

— Oh, mais il n'y a pas de mal à ça…

— Je sais, mais bon.

En réalité, il avait failli dire « **MON** grand-père », tant sa filiation avec lui était présente dans le Projet.

— Alors, ce projet ?

Fabien sursauta et pâlit.

— Comment ?

— Ben oui, sur Chabert-Lévy. Quel est le sujet ?

Fabien respira. Décidément, avec ce qu'il avait vécu la veille, il perdait sa maîtrise habituelle.

— Ah, pardon ! Eh bien, je reviens une fois de plus sur son fameux discours du 21 octobre 2031, juste avant qu'il ne se fasse assassiner. Mais cette fois-ci, j'ai besoin de m'installer à la tribune des orateurs, sous le bureau présidentiel. À l'endroit où il a pris la parole. Là où il a vibré. M'imprégner de l'atmosphère, de l'ambiance historique que l'on perçoit encore aujourd'hui. Je veux ainsi approcher ses convictions intimes au cœur de ce qu'il reste de cet espace parlementaire, ressentir son état d'esprit, sa fougue dans le climat particulier des débats du passé.

— L'Hémicycle n'était pas un lieu de débats. Juste des discours, des présentations de lois ou des rapports de travaux de commissions, à la rigueur des interpellations, notamment dans les questions aux gouvernements. Les échanges âpres et pointus avaient lieu à côté dans l'hôtel de Lassay.

— Tu as raison. C'est un lapsus.

— Mais c'est une belle idée d'historien-écrivain ! Viens, je t'y conduis…

***

Hémicycle du musée Bourbon
Dimanche 21 mai 2084 – 10 h 25

Fabien était seul. Au-dessus de lui, à travers la verrière qui remplaçait le dôme et une partie du toit détruits à la suite du bombardement du 24 novembre 2031, le ciel était dégagé. La lumière du jour irradiait le velours rouge de la soixantaine de fauteuils qui avaient survécu.

Ce n'était pas la première fois qu'il se trouvait dans le temple de la démocratie, tout du moins, dans le bâtiment construit quasiment trois siècles auparavant. C'était juste après la Révolution française.

Il se dirigea vers la tribune protégée dès l'origine du musée dans une cage close en plexiglas. Elle faisait partie des quelques endroits les mieux préservés de ce qu'il restait de l'Assemblée nationale après le bombardement. Sybelle lui avait donné la clef qu'il utilisa pour déverrouiller la porte.

Il pénétra dans le lieu sacré : la tribune des orateurs. Il s'approcha du centre du plateau. Voilà. Il y était. Il repéra le sous-main dont lui avait parlé Werner Hoffmann, et sur lequel il devait relever les coordonnées avec le Digital Space Recorder qu'il lui avait confié. Le fameux « Choko » ! Il sortit le petit appareil de sa poche et suivit les directives. Il le connecta. L'écran minuscule s'alluma. Il le déposa délicatement sur le bois massif et comme le scientifique le lui avait indiqué, il appliqua son index sur le point rouge apparent qui vira au vert en une fraction de seconde. C'était sa seule mission. On lui avait expliqué que le point vert signifiait que la longitude, la latitude et l'altitude avaient été mémorisées. Pour Fabien, tout cela était transparent. Il coupa le contact du DSR et le rangea dans sa poche. Il pouvait repartir.

Au moment de refermer la porte, il repéra ce qui pour lui avait une importance historique : les micros de la tribune au bout de leur flexible.

Comment avait-il pu ne pas les voir ?

Le cœur chargé d'émotion, il revint sur ses pas sans les quitter des yeux. Quand il leur fit face, il posa ses mains à plat sur le bureau. Un sentiment d'exaltation le submergea. En cet instant précis, il entrait dans la posture de son grand-père… Adrien Chabert-Lévy… Il connaissait par cœur le début de son discours… D'un regard circulaire, il vérifia qu'il était bien seul dans l'Hémicycle… Bien sûr, on était dimanche… La sonorisation ne fonctionnait plus depuis bien longtemps. Elle n'avait pas été réparée ou changée après le bombardement. À quoi bon ? Plus personne ne prenait la parole ici depuis belle lurette, sauf pour les hommages le 24 novembre de chaque année. Mais pour l'occasion, une sonorisation portable était installée.

Fabien inspira profondément, tapota d'un doigt le micro comme pour se faire croire qu'il était branché, et déclama :

— J'ai mal à mon pays !... J'ai mal à mon pays parce qu'il souffre. Il agonise. Il meurt à petit feu. J'ai mal à mon pays parce que depuis plus d'un demi-siècle, la Finance a manœuvré nos gouvernants afin qu'ils imposent la rentabilité et la richesse comme principes fondamentaux de notre civilisation. J'ai mal à mon pays…

Des claquements de mains l'interrompirent. Il se retourna sur sa droite. Sybelle était assise dans un des fauteuils de député et l'applaudissait, tout sourire. Confus, Fabien quitta immédiatement la cage dont il referma la porte à clef. Il descendit les escaliers et se dirigea vers Sybelle, toujours hilare.

— Tu aurais dû continuer… Tu étais parfait… N'était-ce pas l'introduction du discours de Chabert-Lévy ?

— Je vois que… que tu ne l'as pas oublié, bafouilla Fabien, les joues légèrement colorées.

— Tu n'as pas à avoir honte. Ce lieu est tellement chargé d'histoire politique… Pour être tout à fait honnête avec toi, je ne m'en serai pas souvenu si tu ne l'avais pas sorti du passé en l'intégrant à ton livre « Et si… ou le destin tragique d'Adrien Chabert-Lévy ». Je l'ai relu récemment avec beaucoup d'enthousiasme.

— Je suis ravi qu'il t'ait plu. Excuse-moi, maintenant, Sybelle, mais on m'attend, je dois y aller.

— Pas de soucis, je te raccompagne. Cela m'a fait plaisir de te revoir…

— Moi également, et merci pour le coup de main !

— Tu sais bien que tu peux me demander n'importe quoi. Tu es toujours le bienvenu.

— Tu es trop gentille. Il faudra que tu viennes manger à l'appartement avec Marco. Linda et moi serons ravis de vous avoir pour dîner un soir...

Sybelle Veyssière parut ennuyée.

— Un problème ? s'inquiéta Fabien.

— Non, pas vraiment. Marco et moi sommes séparés. Mais tout va bien. C'était d'un commun accord. Nous n'avions plus la même vision de notre avenir commun. J'avoue qu'au début, ce fut un peu compliqué pour moi, mais maintenant je me sens mieux.

— Ça fait longtemps ?

— Qu'on n'est plus ensemble ? Huit mois...

— Mince, alors ça fait au moins huit mois qu'on ne s'était pas revus ?

— Tu es passé au musée il y a deux mois avec tes étudiants, mais bien sûr, nous n'avons pas pu aborder le sujet.

— Bon, eh bien, raison de plus pour que tu viennes manger à la maison un soir.

— OK ! Avec plaisir...

— J'en parle avec Linda et en fonction de son emploi du temps, je t'appelle pour te proposer une date... Excuse-moi encore de t'avoir dérangée un dimanche !

— Tu sais bien que tu peux me demander ce que tu veux.

Ils s'embrassèrent amicalement sur les joues et

avant de refermer la porte du musée, Sybelle le regarda disparaître dans la voiture noire qui n'avait pas bougé d'un centimètre.

La Polestar X démarra aussitôt.

***

Siège de Renaissance — Laboratoire
Dimanche 21 mai 2084 – 13 h 15

— Voici votre livre, Monsieur Chabert, c'est le moment de rédiger le message à l'attention de votre grand-père.

Il le lui tendit ainsi qu'un stylo-feutre à pointe fine. Fabien le posa sur la paillasse et tourna la couverture.

La feuille blanche lui sauta au visage. Pas la feuille, juste la blancheur immaculée, vierge de toute inscription. Sa mission allait se terminer là, avec l'écriture des mots qu'ils connaissaient par cœur. Des mots énigmatiques pour son grand-père, mais qui lui sauveraient la vie et le conduiraient à un avenir politique dont la France et les Français bénéficieraient après l'avoir plébiscité aux élections présidentielles.

Adrien Chabert-Lévy… Président de la République !

Un frisson dû à une émotion intense lui traversa le corps. Ce qui lui arrivait était à peine croyable. Si un an, voire même un mois plus tôt, quelqu'un lui avait dit que sous peu il serait chargé d'une mission qui modifierait le passé, c'est évident, il l'aurait pris pour un cinglé. Enfin quoi, il avait les pieds sur terre, non ?

Et là, depuis vingt-quatre heures, il planait.

Certes, il était embrigadé dans une intrigue fictionnelle futuriste, mais le pire pour quelqu'un censé avoir les pieds sur terre, il y croyait.

Il en eut la certitude quand il écrivit sur la page blanche :

« Rentrez chez vous. Prenez connaissance de votre assassinat commandité par Guichard — Chapitre 12 — Page 257 »

Conscient de l'enjeu, il referma la couverture. Au moment de tendre le livre à Werner Hoffmann, l'enseignant historien-géopolitique et auteur qu'il était, avec ses qualités intellectuelles, sa logique, son esprit rationnel, eut envie de quitter le laboratoire. Un dernier sursaut de lucidité le poussait à fuir le carcan de ce qui de toute évidence était une aberration dans laquelle il se sentait piégé.

Dilemme !

Mais en contrepartie, il se souvenait de sa réaction, deux ans plus tôt, alors que seul dans l'amphithéâtre il s'était trouvé avec son propre livre entre les mains. Il avait omis volontairement de parler aux responsables de Renaissance d'un indice perturbant et révélateur d'une réalité troublante. Dans les mentions obligatoires de la dernière page figurait le mois et l'année de réédition : octobre 2083.

Et ce jour-là était le **JEUDI 21 MAI 2082** !

Erreur d'impression ?

Impossible ! La Bibliothèque Nationale de France aurait refusé l'exemplaire !

Quoi qu'il en soit, par réflexe, il retourna le livre, ouvrit la quatrième de couverture et arracha la dernière page. Satisfait, il s'étonna de sa faculté à rentrer autant dans le scénario spatio-temporel rocambolesque qu'il vivait. Comme une simple formalité à accomplir.

Les quatre hommes stupéfaits en restèrent bouche bée, comme si dégrader l'objet sacré du transfert était un crime. Fabien devait justifier son acte.

— La date !... Il est inutile que mon grand-père tombe sur les mentions légales avec l'année d'édition. 2082... Déjà que le contenu va le bouleverser, pas la peine de le perturber davantage. Imaginez sa réaction s'il réalisait qu'il a entre les mains un livre publié cinquante ans plus tard !... C'est le point qui m'a le plus contrarié dans l'expérience personnelle que j'ai vécue.

— Excellent, monsieur Chabert ! conclut Werner Hoffmann en reprenant ses esprits à l'attention des autres membres d'un hochement de tête. Nous sommes sur la même longueur d'onde. Je vous invite même à conserver cette page déchirée sur vous...

— Pourquoi ?

— Conservez-la comme un souvenir de cette expérience ! Je me demande pourquoi nous n'avons pas eu l'idée de supprimer cet indice nous-mêmes. Il aurait pu être fatal au Projet.

Satisfait, Fabien plia sa feuille qu'il glissa dans la poche intérieure de son blouson de cuir et tendit le livre au scientifique qui le déposa sur un cube en verre identique à celui du film.

— Messieurs, dans quelques instants, je lancerai le transfert. Le livre est en place sur la base spatio-temporelle.

Il avança de quelques pas et s'immobilisa devant un écran plat mural sur lequel la partie supérieure extérieure du musée Bourbon était reconnaissable.

— J'attire également votre attention sur cette image que, bien sûr, vous identifiez. En ce moment même, une caméra numérique dissimulée dans une mansarde sous un toit de Paris la capte en plan fixe. Ce sont donc les vestiges de l'ancien Palais Bourbon qui abritait le Parlement, voici cinquante-trois ans. Nous sommes d'accord ?

Les quatre hommes acquiescèrent sans un mot.

— Bien. C'est ce direct qui témoignera de la réussite du transfert. Ce sera surtout la preuve que le président dictateur en 2031, Amaury Guichard, ne donnera pas l'ordre de bombardement, puisque la manifestation du « Cercle 20 » et ses conséquences dramatiques n'auront pas lieu. En d'autres termes, au moment où le livre disparaîtra, écoutez-moi bien : le Palais Bourbon renaîtra de ses cendres. Sur cet écran, le dôme ancestral qui dominait l'Hémicycle de l'Assemblée nationale remplacera instantanément cette image. Comme par magie. Le Projet aura abouti.

Il laissa passer volontairement quelques secondes, le temps que ses derniers mots s'incrustent bien dans les esprits. Il devait anticiper l'évènement extraordinaire qui se préparait dans l'imaginaire de chacun, puis il poursuivit.

— À partir de cette seconde, la vie politique aura changé. L'Histoire aura changé. La société aura changé. Nous n'aurons qu'à sortir de notre siège secret pour le constater. Mais nous seuls, qui en sommes à l'origine, aurons le souvenir du transfert que nous nous apprêtons à effectuer.

— Je peux me permettre une question ? demanda Fabien.

— Je vous en prie…

— Le Palais Bourbon ne doit-il pas être détruit à partir du moment où mon grand-père atteindra l'heure de son assassinat… en vie ?

— Bonne question, monsieur Chabert. Eh bien, non ! Le changement se produira aussitôt qu'Adrien Chabert-Lévy touchera le livre. C'est à partir de cet instant, appelons-le l'instant T, que commencera la nouvelle frise historique. À moins qu'il n'échappe pas à son assassinat, mais c'est fort peu probable. Tout va dépendre de sa réaction et surtout de l'orientation qu'il va donner à son destin à partir de là.

— Vous sous-entendez donc que si rien ne change à l'écran, cela signifiera qu'il a été quand même assassiné ?

— Il n'y a qu'une chance sur dix mille que cela se

produise. Mais nous le saurons bientôt. Bien, messieurs, je vais maintenant vous demander de passer derrière la vitre qui vous protégera des émissions radioactives. Je vous y rejoindrai dès que la procédure sera enclenchée.

Les quatre hommes s'exécutèrent et suivirent avec attention le moindre geste du scientifique. L'atmosphère était étrange. Le Projet entrait dans sa dernière phase. Chacun ressentait le suspense ambiant suscité par l'enjeu de taille : changer le cours de l'Histoire.

Werner Hoffman activa le générateur qui commença à ronronner doucement. De petits éclairs sautillants grésillèrent à l'extrémité des deux électrodes en position autour du socle en verre et du livre. Il sortit de sa poche le DSR8 que lui avait remis Fabien, le connecta et attendit que s'allume le minuscule écran avant d'y faire glisser un doigt. Une série de chiffres s'afficha. Il en prit connaissance rapidement.

— Voilà, merci à vous, monsieur Chabert pour l'accomplissement positif de votre tâche.

Tout en tapant les coordonnées sur un clavier qu'il tira de sous la paillasse, il poursuivit son commentaire.

— Longitude… latitude… altitude… Parfait ! Maintenant, selon les renseignements forcément fiables de votre livre, je saisis l'année… 2031… le mois… 10… le jour… 23… l'heure… Vous connaissez l'heure du début de son discours ?

— D'après le compte-rendu de séance que j'ai pu me procurer aux archives du musée, l'ouverture de l'Hémicycle était prévue à 15 h. Ce jour-là, après l'installation des membres du gouvernement et des députés, Jocelyn Guillaumet, le président de l'Assemblée nationale à l'époque, a rendu un hommage aux quarante-deux militaires tués dans un attentat-suicide en Irak. Une minute de silence a été observée. Je pense que mon grand-père a été invité à prendre la parole entre 15 h 15 et 15 h 30.

— Bien. Pour avoir la certitude que le livre apparaisse quand il sera à la tribune, je vais programmer cette heure limite... 15 h 30... voilà, c'est fait...

Il valida le tout d'un doigt sur une touche puis rejoignit les spectateurs derrière la vitre de protection. Il avait en main la télécommande que Fabien reconnut aussitôt comme celle utilisée dans le film de sa propre expérience deux ans plus tôt.

Werner Hoffmann inspira profondément comme pour amplifier la gravité de l'instant.

— Messieurs... nous y sommes !

Tous respectèrent son mutisme et son immobilisme volontaires. Dans quelques instants, le passé prendrait une direction différente, mais salutaire pour la Nation. Tous en avaient conscience et l'espéraient. Mieux. Tous y croyaient.

— Prêts, messieurs ?

La gorge nouée, chacun savait que le silence engendré par l'émotion, en ce moment crucial et historique, correspondait à une réponse significative.

— Bien. C'est parti !

Il fixa la télécommande qu'il avait en main et sans aucune hésitation — à quoi bon, les dés n'étaient-ils pas jetés — il appuya sur la touche de désintégration, action irréversible du transfert.

Le ronronnement monta en puissance. Fabien se souvint qu'il correspondait à la réduction atomique perçue dans le film.

Les éclairs générés par les électrodes latérales s'amplifièrent.

Un halo blanchâtre commença à naître et envelopper le socle.

Tout s'amplifia.

Le son.

Chuintement strident.

La lumière.

Fusion des éclairs sur le livre.

Violence du halo blanc. Aveuglant.

Le visuel.

Vibration sourde.

Tremblement du livre…

Puis… disparition instantanée…

Plus rien…

Le vide…

L'absence…

Lumière et sons chutèrent aussitôt. Ne subsistait qu'un léger grésillement qui s'atténua petit à petit.

— Transfert réussi, se réjouit Werner Hoffmann. Maintenant, suivez-moi !

Ils quittèrent le sas de protection, se dirigèrent vers l'écran mural et regardèrent ensemble avec la même angoisse retenue l'image fixe du musée Bourbon…

Trente secondes passèrent sans que rien ne se produise.

— Je croyais que nous devions assister à la résurrection instantanée du dôme, lança Antonin Gasparri pour rompre l'attente interminable du miracle spatio-temporel.

— Je… je ne comprends pas, bredouilla Werner Hoffmann sans quitter l'écran des yeux.

— Moi, je pense que l'opération a échoué, avança timidement Benjamin Lacombe.

— Ou comme je l'avais suggéré, ajouta Fabien, malgré le transfert, mon grand-père a été assassiné…

— Mais non, c'est impossible s'insurgea Werner Hoffmann. Tout était réglé avec minutie. Je suis persuadé que le livre de monsieur Chabert a bien été transféré au bon endroit, à la bonne date et à la bonne heure. Le timing était parfait.

— Alors, comment expliquez-vous que le Palais Bourbon de 2031 ne soit pas réapparu à l'écran ? Nous auriez-vous menés en bateau, Werner ?

— Comment osez-vous ? explosa le scientifique. Ce qui a réussi avec monsieur Chabert ne peut que réussir avec son grand-père. Le Projet était fiable à deux cents pour cent. Et le…

— **MEEEERDE** !

Tous se tournèrent vers Fabien.

Il était pâle.
Debout, mais il vacillait comme s'il allait perdre l'équilibre.
Il tenait un exemplaire de son livre d'une main dont un doigt faisait office de marque-page.

Philippe Aubert et Benjamin Lacombe se précipitèrent ensemble sur lui et l'aidèrent à s'asseoir sur une chaise du laboratoire.
Antonin Gasparri et Werner Hoffmann les avaient rejoints.
— Que se passe-t-il, monsieur Chabert ? lui demanda sincèrement anxieux le président de Renaissance.

Fabien avait la gorge sèche et des difficultés à déglutir. Philippe Aubert lui apporta un verre d'eau qu'il avala d'un trait. Werner Hoffman ne cessait de jeter des regards vers l'écran. Rien. Aucun changement. C'était juste aberrant.

— Alors, monsieur Chabert ? répéta Antonin Gasparri.
— Je... je crois que le transfert a réussi...
— Comment pouvez-vous en être sûr ? Regardez !... Le toit du musée Bourbon n'est pas

revenu à sa structure d'origine.

— C'est écrit…
— Quoi ? Qu'est-ce qui est écrit ?

Pause.
Angoissante.

— Monsieur Chabert ? insista Antonin Gasparri.

Fabien leva la tête vers lui.

Dans ses yeux se lisait la peur.

Et l'incompréhension.

— Le contenu de mon livre a changé !...

2031

16

Assemblée nationale
Jeudi 23 octobre 2031 – 15 h 00

Les députés de droite regroupés dans le salon Pujol se perdaient en conjectures sur la séance à venir, marquée surtout par le drame qui avait touché l'armée française la veille. Jocelyn Guillaumet, le président de l'Assemblée, l'évoquerait en début de session. C'était une évidence. Hormis ce drame, personne n'ignorait l'imminence de l'intervention de Chabert-Lévy. Il devait annoncer officiellement les résultats du vote à propos d'une probable union de leurs partis. Pendant ce temps, dans le salon Delacroix, ceux de gauche, touchés aussi par le drame national, savouraient à l'avance la prise de parole de leur camarade. Son argumentaire à charge contre la gouvernance de la France servirait de préambule à leur victoire.

Adrien Chabert-Lévy entra avec deux confrères à au Palais Bourbon par la grande Rotonde et gagna directement le salon Delacroix où il salua plusieurs députés d'opposition.

L'homme impressionnait par sa taille. Il dépassait le mètre quatre-vingt-dix. Son port altier, conjugué avec sa rigidité corporelle, inspirait, au premier regard, un profond respect mêlé d'une crainte inexplicable.

Olivier Verneuil, Premier ministre, suivi de son ministre de l'Intérieur, Lucas Serrano, et de trois autres ministres de son gouvernement, traversa la salle des pas perdus. Il passa devant le salon Delacroix, adressa un bref signe de la tête aux députés de gauche, s'engouffra dans le salon Casimir-Perier sans s'y arrêter et pénétra dans l'Hémicycle.

À l'instar des membres du gouvernement, tous les députés de quelque bord qu'ils soient gagnèrent le siège à leur nom.

Pendant ce temps, dans la salle des pas perdus, le Président de l'Assemblée, Jocelyn Guillaumet, franchissait la double haie d'honneur des Gardes républicains au son des tambours. Il se dirigea vers la porte de la salle des séances, jeta par habitude un coup d'œil à la statue de Minerve qui la jouxte sur la gauche, et entra dans l'arène.

Tous les députés se levèrent. Le Président resta lui-même debout et prit la parole :

— Mesdames, Messieurs les Députés, vous n'êtes pas sans savoir le drame qui a affecté notre pays hier soir. Quarante-deux militaires de notre armée déployée en Irak pour lutter contre le terrorisme islamique sont morts dans un attentat-suicide de grande ampleur. On dénombre également plus de deux cents victimes parmi la population. Les corps seront rapatriés en France et le Président de la République leur rendra un hommage national dans la cour d'Honneur des Invalides lundi prochain. En mémoire de ces quarante-deux soldats morts pour la patrie, nous allons observer une minute de silence.

Tous les membres et personnels de l'Assemblée se figèrent dans une longue communion dont l'émotion collective était palpable. Le temps semblait arrêté.

Jocelyn Guillaumet reprit finalement la parole et invita tout le monde à s'asseoir. Après quelques échanges sur l'ordre du jour avec deux de ses secrétaires, il annonça avec solennité :

— La séance est ouverte. Mesdames, Messieurs les Députés, sur proposition des quatre présidents des groupes parlementaires de gauche avec qui je me suis entretenu, je suis autorisé à vous informer que chacun abandonne exceptionnellement ce jour son temps de parole au premier secrétaire du Parti socialiste, Monsieur Adrien Chabert-Lévy. Monsieur le Député, le temps de parole de votre intervention sera donc de vingt minutes.

Et pour conclure, il désigna de la main l'endroit destiné aux orateurs sous le perchoir.

Adrien Chabert-Lévy quitta son siège et se dirigea vers la tribune. Une fois en place et après avoir remercié le Président, il prit la parole.

— Monsieur le Président, Mesdames et Messieurs les Députés, mes chers collègues… Au nom des partis d'opposition pour qui je m'adresse aujourd'hui, je tiens à exprimer mes condoléances aux familles des victimes et à leur faire part de notre tristesse et de notre profonde émotion…

Il marqua ensuite une légère pause et balaya du regard l'ensemble des députés quelques secondes avec une lenteur calculée et, comme son intervention était plus qu'attendue, le silence s'imposa. Tel qu'il l'avait pressenti, le public garnissait allègrement les galeries et tribunes qui cernaient le haut de l'Hémicycle. Les cent quatre-vingt-dix-huit places dévolues aux journalistes étaient toutes occupées et les caméras tournaient.

Il prit une profonde inspiration, conscient de la solennité de l'instant privilégié qu'il vivait.

Les premiers mots qu'il avait choisi de prononcer en introduction, il les connaissait par cœur pour avoir planché des heures pour que leur impact soit percutant. D'où le choix de l'anaphore qui claqua comme un coup de fouet.

— J'ai mal à mon pays !... J'ai mal à mon pays parce qu'il souffre. Il agonise. Il meurt à petit feu. J'ai mal à mon pays parce que depuis plus d'un demi-siècle, la Finance a manœuvré nos gouvernants afin qu'ils imposent la rentabilité et la richesse comme principes fondamentaux de notre civilisation. J'ai mal à mon pays parce que l'égoïsme et l'individualisme ont tué les principes élémentaires de la société. J'ai mal à mon pays parce que ses plaies saignent. Le service public a disparu. Les hôpitaux sont devenus des entreprises en recherche de profits au détriment de la santé. L'école s'est transformée en valeur marchande avec la privatisation du système éducatif. J'ai mal à mon pays parce que l'espérance de vie a chuté. L'âge de la retraite, année après année, est passé insidieusement de soixante à soixante-dix ans. Pour ceux qui y parviennent. J'ai mal à mon pays parce que la seule philosophie et la seule politique qui vaillent depuis trente ans au détriment du peuple, sont celles de l'économie de marché.

Il jeta un coup d'œil rapide à son plan sur la feuille posée entre ses mains à plat sur le sous-main. Surpris, il découvrit un livre en plein milieu. Il releva aussitôt la tête.

Qu'est-ce que c'est que ça ?…

Il le poussa légèrement d'une main sur le côté de sa feuille sans le regarder. Le livre pivota d'un quart de tour. Il poursuivit son discours.

— En 1776, Adam Smith, pourtant partisan du libéralisme…

Un de mes prédécesseurs l'aura oublié… Mais pourquoi ne l'ai-je pas vu en arrivant ?…

— … soutenait que l'État devait se soucier du

bien public, que l'économie ne saurait fonctionner sans vertu et que le marché produisait des effets pervers qu'il fallait corriger. Aujourd'hui, nous sommes bien loin de cet idéal moral et politique. Et c'est bien la raison pour laquelle, on parle depuis les années soixante-dix de néolibéralisme qui prône une réduction du rôle de l'État et le développement du marché dans tous les domaines. Sur le plan socioculturel...

Bon sang ! Mais comment est-il venu se placer sur ma feuille ?... Merde ! Reste concentré sur ce que tu dis...

— ... c'est une idéologie hédoniste qui vise l'augmentation des droits individuels. Elle valorise l'intérêt égoïste au détriment du devoir collectif et des vertus communes. Et l'État n'est pas neutre. Il pousse vers la dérégulation, accentue la compétition...

Le titre... Même pas lu le titre...

Tout en poursuivant son discours avec ce regard puissant qu'on lui connaissait, il fit pivoter discrètement le livre d'une main pour l'orienter de manière à pouvoir visualiser la couverture d'un coup d'œil.

— ... ce qui a provoqué et provoque encore aujourd'hui de graves tensions sociales. J'ai mal à mon pays, parce que les théories avancées depuis le début de ce vingt-et-unième siècle par les partisans de la collapsologie, à savoir l'effondrement de notre civilisation, se vérifient de jour en jour…

Il baissa imperceptiblement la tête. Le titre lui sauta aux yeux.

Et si…
ou le destin tragique
d'Adrien Chabert-Lévy

— … L'effondrement de… de… la civilisation a déjà commencé. Les… les… bases de…

Il se tourna vers le Président de l'Assemblée nationale, Jocelyn Guillaumet, légèrement surpris.

— Pardonnez-moi, Monsieur le Président, je… je ne me sens pas très bien… Pourrait-on me… m'apporter un verre d'eau, s'il vous plaît ?

Le Président adressa un signe à l'une de ses collaboratrices. Quelques secondes après, elle gravit l'escalier de la tribune et lui procura le verre demandé. Adrien Chabert-Lévy la remercia et but le contenu d'un trait. Tous les parlementaires et fonctionnaires présents étaient intrigués. Chabert-Lévy, physiquement avec son mètre quatre-vingt-dix, ne donnait pas, habituellement, l'impression d'une quelconque fragilité. Quand il reposa le verre sur le plateau, il en profita pour tourner du pouce la couverture du livre. D'un coup d'œil éclair, il déchiffra une phrase manuscrite :

Rentrez chez vous. Prenez connaissance de votre assassinat commandité par Guichard — Chapitre 12 — Page 257

— Je… Excusez-moi, Monsieur le Président… je ne me sens vraiment pas bien… Puis-je solliciter une suspension de séance ?

Jocelyn Guillaumet, surpris, mais attentif, une main sur son micro, se pencha vers lui.

— Je ne peux pas suspendre la séance. Plusieurs interventions sont planifiées dans l'après-midi. Je vous suggère d'aller vous reposer un peu, vous poursuivrez votre discours ultérieurement entre la prise de parole de deux députés.
— Merci de votre compréhension, Monsieur le Président.

Adrien Chabert-Lévy ramassa ses feuilles et surtout **LE** livre. Pendant qu'il descendait de la tribune, le président annonça dans le micro :
— Pendant que monsieur Chabert-Lévy va se reposer un peu, je vous invite à passer à la suite du programme prévu. Monsieur Chabert-Lévy nous rejoindra dès qu'il se sentira mieux. Je propose donc,

si elle est d'accord, à madame Grémillon de prendre la parole. Madame la députée…

Une femme élégante d'une cinquantaine d'années du groupe majoritaire se leva et monta à la tribune.

Dans un des fauteuils des deux premiers rangs dévolus aux membres du gouvernement, Lucas Serrano, ministre de l'Intérieur, consultait discrètement l'écran de son smartphone. Il venait de recevoir un texto de son chef de sécurité…

> Chabert pas clair. Parti avec livre à la main qu'il n'avait pas en montant à la tribune. Cause probable de son départ.

Lucas Serrano tapa sa réponse…

> Suivez-le. Je veux ce livre. Tenez-moi informé.

*

Jeudi 23 octobre 2031 – 15 h 50

Il devait s'isoler. En quittant l'Hémicycle, Adrien Chabert-Lévy se retrouva dans le salon Delacroix et gagna à grandes enjambées la salle des Pas Perdus. Il avait conscience de vivre quelque chose d'anormal. Il s'installa à une table à droite du piédestal où ne cessait de mourir le bronze de Laocoon et ses fils étouffés par les serpents, symbole de la lutte inégale de l'agonie injuste et de la souffrance. Une pensée fugitive lui traversa l'esprit : et si son agonie à lui commençait là, maintenant, avec ce livre ? Il s'assit, le posa sur la table. Il n'avait jamais vu l'auteur — la photo de quatrième de couverture en attestait —, et son nom, Fabien Brissot, lui était totalement inconnu. Il ouvrit le livre et commença à le feuilleter fébrilement.

Au bout de dix minutes, après avoir lu en diagonale le chapitre 12 page 257 comme le message manuscrit le mentionnait, il était sidéré.

L'auteur s'appuyait sur un rapport de police d'un accident que lui, Adrien Chabert-Lévy, aurait eu le vendredi 24 octobre en retournant chez lui, dans l'Aube. Selon l'enquête, ce n'était qu'un assassinat déguisé. L'auteur affirmait de plus que le commanditaire aurait été Amaury Guichard, le président de la République actuel en personne.

Mais qu'est-ce que c'est que ce bordel ?

C'était de la folie.
Son assassinat était une chose.
Mais le vendredi 24 octobre n'était... que le lendemain.
En tournant les pages, il découvrit que l'ouvrage parlait d'une manifestation qui aurait lieu un mois plus tard, le « Cercle 20 », en hommage à lui-même et

lancée par Donnadieu et l'UPO…

Merde !…

Il devait en discuter avec Donnadieu en face à face. Ou il était au courant de cet ouvrage, ou il en était l'auteur sous couvert d'un pseudonyme. Il n'osa pas imaginer qu'il pouvait peut-être même être mêlé à cette histoire d'assassinat. Ça, c'était impensable ! Il allait refermer le livre, mais en jetant un coup d'œil sur les premiers chapitres par curiosité, il tomba sur quelques lignes perturbantes, voire angoissantes. Elles l'incitèrent à lire les pages qui concernaient un sujet qu'il connaissait parfaitement : **le discours qu'il venait d'interrompre était imprimé noir sur blanc dans son intégralité**. C'était incompréhensible. Il avait bien planché sur les thèmes qu'il devait aborder avec les secrétaires des autres partis d'opposition rassemblés sous l'étendard de l'UPO. Mais personne, pas même Donnadieu, n'aurait été capable de savoir ce qu'il allait dire exactement !

Or le début de son discours remontait à peine à quinze minutes. Et il était imprimé, là, sous ses yeux, noir sur blanc, mot pour mot, y compris la suite avec les parties qu'il avait envisagé d'improviser, mais qu'il n'avait pas encore exprimées.

Il eut un vertige incontrôlable.

Bien qu'il ne soit pas enclin à croire au surnaturel, il se demanda si l'auteur avait consulté un médium… Ou peut-être était-il médium lui-même ?…

Il pensa qu'il disait vraiment n'importe quoi et mit cela sur le compte de l'émotion.

Pourtant...

Si ce Fabien Brissot a été en capacité de retranscrire mon discours mot à mot avec une telle clairvoyance, une telle justesse, qu'il ait un don ou pas, consulté un médium ou pas, il est dans la réalité... Dans **MA** réalité... Et ma réalité, c'est mon assassinat demain... En parler à la police ?... Je passerais pour un cinglé avec mon livre prémonitoire... Non, je dois m'enfuir... Aller chercher Isabelle, Annabelle et Arthur... nous devons disparaître... Quitter le pays... C'est complètement fou, mais je me sens en danger... Je dois partir... Là... Maintenant...

Il se leva pour rejoindre la sortie réservée aux fonctionnaires et parlementaires. En traversant la salle Casimir-Perier, il aperçut deux agents qu'il identifia comme des hommes de main du ministre de l'Intérieur. Sans savoir pourquoi, sa réaction fut de faire demi-tour.

— Excusez-moi, monsieur Chabert-Lévy, lui lança l'un d'eux, nous aimerions vous poser quelques questions sur votre livre ?

Surpris, le député raisonna à la vitesse de l'éclair.

Ils sont au courant pour le livre... C'est bizarre... Ont-ils connaissance de son contenu ? Si oui, craignent-ils que je le dévoile ? Dans ce cas, tout serait vrai...

J'avais vu juste… Je dois disparaître…

Alors qu'il traversait à nouveau la salle des Pas Perdus, il entendit l'un des deux hommes parler. Sans doute dans un talkiewalkie. Ou un téléphone…

— Il se barre !

Silence, puis…

— OK. On vous tient au courant…

Loin derrière lui. Ils courent…

D'instinct, il gravit l'escalier de la Grande Rotonde, pour se dissimuler. Il aperçut ses poursuivants qui hésitèrent dans le vaste hall. Il se précipita alors dans la Rotonde d'Alechinsky pour s'engouffrer dans la galerie des tapisseries. C'était certain, ils allaient revenir. L'accès à la salle des Fêtes était condamné pour travaux.

Il devait agir.

Maintenant.

Avant qu'ils ne réalisent.

Il dévala les marches, traversa le hall vers la sortie sous les regards impassibles des présidents historiques de l'Assemblée nationale exposés sur les murs. Il présenta son badge de parlementaire aux agents de sécurité qui ne comprirent pas pourquoi un député sortait par cette issue réservée aux visiteurs. Il franchit le sas à contresens et se retrouva à l'accueil. Sans un mot, il se précipita à l'extérieur jusque sur le trottoir du Quai d'Orsay.

Il jeta un regard inquiet derrière lui. Les hommes de Serrano ne l'avaient apparemment pas suivi.

Que faire ?

Sa voiture de fonction était garée au parking sur l'arrière du Palais. Impossible de la rejoindre.

Le métro ?

Trop dangereux, même si se noyer dans la foule pouvait paraître une bonne échappatoire.

La solution s'imposa d'elle-même : l'hôtel de Crillon ! Même si elle n'était pas entièrement satisfaisante pour des raisons de discrétion, c'était la seule alternative pour s'en sortir.

Il suivit le trottoir à grands pas sous l'œil amusé de Colbert, traversa la chaussée et s'engagea sur le pont de la Concorde en direction de la place éponyme.

Parvenu à mi-chemin, il repéra l'hôtel de Crillon tout au bout, derrière la colonne Vendôme.

Mais aussi, une, puis deux voitures de police qui se positionnèrent à l'entrée du pont, gyrophares en action.

Il n'eut aucun doute que c'était pour lui. Comme si de rien n'était, il fit demi-tour.

C'est alors qu'il les aperçut.

Les deux hommes de main de Serrano marchaient vers lui sur le même trottoir d'un pas bien éloigné d'un rythme de promenade.

De l'autre côté, il espéra finalement que les voitures étaient là par hasard. Après tout, il n'était pas un criminel…

Il fit volte-face. Faux ! Quatre policiers avançaient aussi vers lui.

Il pensa au livre. Il échafauda une nouvelle hypothèse : ils connaissaient son existence ! Pourquoi ? Comment ? Aucune idée, mais ils savaient ce qu'il contenait. Un frisson lui parcourut le dos lorsqu'il déduisit que, probablement, ils estimaient qu'il avait entre les mains la preuve de **son assassinat** ! Ridicule ! Personne ne pouvait croire ces faits, certes décrits d'après un rapport d'enquête, mais qui ne s'étaient pas encore produits...

Coup d'œil rapide sur les hommes de Serrano... ils étaient à cinquante mètres de lui... Sur les policiers... même distance...

Il était cerné...

Une seule possibilité, traverser et tenter de fuir... Folie... Arrêter une voiture ?... Pardon ! Je suis Chabert-Lévy et je suis en danger... Pouvez-vous m'emmener ?... Peine perdue...

Il regarda derrière lui, au-dessus du parapet. La Seine...

Ses poursuivants ?

Quinze mètres de chaque côté...

Il comprit qu'ils avaient anticipé son intention, car ils venaient tous de dégainer une arme...

Sans hésiter, il s'assit sur le parapet, passa ses jambes au-dessus du vide...

Tous les hommes coururent vers lui...

Trop tard… Il avait sauté…
Ils regardèrent en contrebas…

Médusés…

Le corps d'Adrien Chabert-Lévy gisait sur le pont avant d'un bateau-mouche qui poursuivait sa lente progression sur le fleuve.

2084

17

Siège de Renaissance — Laboratoire
Dimanche 21 mai 2084 - 14 h 45

Après la lecture par Fabien du rapport d'enquête de l'IGPN sur la mort d'Adrien Chabert-Lévy, les cinq hommes étaient dépités. En silence, ils regardaient l'écran plat comme si le dôme du Palais Bourbon pouvait encore apparaître.

Antonin Gasparri quitta le laboratoire d'une démarche marquée par une profonde lassitude. Au moment d'ouvrir la porte, il se retourna. Il avait l'air soucieux, inquiet.

— Retrouvez-moi en salle de réunion !

***

Siège de Renaissance — Salle de réunion
Dimanche 21 mai 2084 - 16 h 25

Sur la banquette circulaire de la pièce demi-sphérique, les cinq hommes échangeaient sur l'échec du Projet.

— Pas une seconde je n'avais envisagé une telle conséquence. Je suis vraiment désolé…

Antonin Gasparri secoua la tête.

— Ne le soyez pas ! Certes, pour nous tous la déception est immense. Nos années de réflexion à partir de vos expériences réussies, les grandes idées de changement, la fin des dictatures, tout est tombé à l'eau…

— Enfin… sur le bateau-mouche ! osa Benjamin Lacombe.

— Très drôle ! Mais franchement, ça ne me fait pas rire, grinça Antonin Gasparri. Bon, eh bien, nous n'avons plus qu'à nous remettre au travail…

— Comment ? s'interrogea Philippe Aubert. Dans quelle direction aller maintenant ?

Tous savaient que se retrousser les manches était nécessaire, tous en avaient envie, mais pour faire quoi ?

— Werner, vous avez une idée ? demanda Antonin Gasparri.

Werner Hoffmann réfléchissait. Il se tourna vers Fabien qui, depuis le début de la réunion, était plongé dans la lecture du livre.

— Monsieur Chabert ?

Fabien releva la tête.

— Est-ce que l'Histoire a pris un virage malgré tout, à partir du moment où votre grand-père est mort sur le bateau-mouche ?

— Je possède quelques informations, oui. Mais je trouve fascinant de tenir mon livre entre les mains sans avoir conscience de l'avoir écrit ni de mes recherches en amont.

— Ça, je peux vous l'expliquer. C'est le paradoxe du transfert. Je vous en avais parlé au départ. Souvenez-vous… Au moment où votre grand-père a pris possession de votre livre, la trame temporelle a changé. Bon, le dôme du Palais Bourbon n'est pas apparu instantanément comme je l'avais envisagé, mais le contenu de votre livre, si, puisqu'il a été modifié. En ce sens, c'est la preuve de la réussite du transfert. Mais dites-moi, est-ce que vous avez pu tirer des conclusions sur ce passage ?

— Des conclusions ?

— Oui, qu'est devenu le livre transféré ? On peut supposer que votre grand-père l'avait avec lui quand il a sauté…

— En réalité, je n'en parle pas. Enfin, aucune mention n'y fait référence. En tout cas, je n'ai rien lu à ce sujet. Le rapport d'enquête sur lequel je me suis sans doute appuyé et que je vous ai lu ne le mentionne pas.

— Pouvez-vous nous le relire une fois, s'il vous plaît, lui demanda Antonin Gasparri.

Fabien rechercha la page adéquate qu'il retrouva rapidement.

— Voilà…

« La mort "accidentelle" du député Adrien Chabert-Lévy est liée à un état dépressif et une grande fatigue. Sa récente élection au poste de secrétaire général de l'UPO faisait peser sur ses épaules une énorme responsabilité. Son malaise à l'Hémicycle pendant son discours en est une conséquence dramatique. Sa course désespérée jusqu'au pont de la Concorde s'est soldée par le saut suite auquel, en chutant sur le pont d'un bateau-mouche, il a été tué sur le coup. »

— Mais je peux vous dire, d'après ce que je viens de survoler, que rien n'a changé par la suite. Les membres de l'UPO qui attendaient qu'il annonce officiellement son entrée en campagne comme candidat pour les prochaines présidentielles n'ont pas été dupes. Surtout à cause de témoignages d'usagers aux actualités télévisées qui franchissaient le pont de la Concorde en voiture au même moment. Ses partisans ont crié à l'imposture. Après la manifestation pour lui rendre hommage qui a dégénéré après l'intervention des forces de police, Donnadieu et les responsables de l'UPO ont bien lancé l'opération « Cercle 20 » le 24 novembre. L'ordre de bombarder l'Assemblée nationale a bien été donné, et « La Vague » a bien mis un point final avec ses milliers de morts et le décès d'Amaury Guichard dans l'hélicoptère qui s'est crashé.

— Alors si rien n'a changé, la raison est évidente, affirma Werner Hoffmann. Malgré le transfert réussi de votre livre, c'est parce que votre grand-père est décédé. Dans des circonstances différentes, mais décédé malgré tout. Nous avons pu éviter son assassinat, mais pas sa mort.

— Et le livre ? demanda Fabien.

— Soit il est tombé à l'eau, soit…

Werner Hoffmann hésita.

— Soit ? répéta Fabien pour l'inciter à poursuivre.

— Soit la police l'a récupéré et transmis à l'exécutif via le ministre de l'Intérieur. S'ils ont lu le rapport du commissaire Houdin chargé de l'enquête sur l'assassinat identique à leur plan, ils ont dû se poser des questions. Le livre devenait un danger pour eux. Qu'ils l'aient fait disparaître est plus que probable. De toute façon, Chabert-Lévy était mort. Excusez-moi, ce que je vais dire est paradoxal, mais ils préféraient ne pas laisser de traces de leur projet qui n'a pas eu lieu. Je reconnais que vérifier cette hypothèse est impossible…

— Il n'empêche, soupira Antonin Gasparri, que nous venons de subir notre second échec, Werner. Je me demande si nous parviendrons un jour à modifier l'Histoire avec ce qui reste malgré tout votre plus belle découverte : les transferts spatio-temporels.

Fabien revint à la charge. Pour lui, la conclusion dont les membres de Renaissance paraissaient se satisfaire ne lui semblait pourtant pas si claire. Ils comprenaient bien leur déception que quelque part il partageait également, mais il subsistait des points flous qu'il se devait de remettre dans la discussion.

— La mort de mon grand-père, bien que différente, a cependant créé une nouvelle trame, n'est-ce pas ?

— C'est juste, confirma Werner Hoffmann.

Disons que ce n'était qu'un embryon de trame, mais qui s'est éteint comme un pétard mouillé à son décès.

— C'est alors pour cette raison que la suite s'est déroulée dans la continuité logique de la trame initiale : le « Cercle 20 », « La Vague », les centaines de milliers de morts, le bombardement du Palais Bourbon et le crash de l'hélicoptère d'Amaury Guichard…

— C'est exactement cela !

— Quand je pense que si les États avaient tenu compte des alertes scientifiques sur le réchauffement climatique et signé des mesures en conséquence, les icebergs de l'Arctique n'auraient pas fondu. « La Vague » n'aurait pas remonté le cours de la Seine. Honfleur, Rouen, les villes jusque Paris n'auraient pas subi les effets destructeurs de cette épouvantable catastrophe.

Antonin Gasparri avait écouté avec attention les propos de Fabien. Il paraissait touché par son argumentaire sur le climat. Plus aucun des membres de Renaissance ne prit la parole, mais Fabien nota un changement dans leur comportement.

Comme si chacun d'eux recherchait dans le regard des autres une sorte de consensus.

Comme s'ils tentaient de se connecter sur une même longueur d'onde.

Comme si un non-dit était sur le point d'exploser.

Finalement, c'est Werner Hoffmann qui passa outre les codes silencieux que Fabien avait pressentis.

— Monsieur Chabert, vous allez bien écouter ce

que je vais vous révéler maintenant. Inutile de vous affirmer que ce que vous allez entendre a toujours été un secret qu'aucun d'entre nous n'a trahi. Nous pensons qu'après les deux expériences avec vos livres, la première dont vous avez été l'acteur récepteur, et la seconde avec votre grand-père, vous n'avez plus de doute sur la réalité du transfert spatio-temporel. Aussi, le moment est venu, étant donné vos qualités intellectuelles et vos connaissances historiques et géopolitiques, d'aborder avec vous la seconde étape fondamentale, pour que Renaissance puisse atteindre les objectifs du Projet. C'est également cette étape qui va vous permettre de comprendre le vrai rôle primordial que nous avons envisagé pour vous. La partie qui consistait à vous demander de relever les coordonnées de la tribune au musée Bourbon était une mise en bouche pour vous immerger sans vous heurter dans le Projet. Ce qui nous a convaincus d'aller de l'avant, au-delà de ce que je viens de vous dire, ce sont les réflexions sur le réchauffement climatique que vous avez énoncées. Mais surtout la nature des ouvrages que vous avez écrits sur des sujets aussi documentés, sinon mieux, que ceux sur l'incroyable destin d'Adrien Chabert-Lévy, votre grand-père.

— Au fait, comment avez-vous su que j'étais son petit-fils ? S'il vous plaît, ne m'avouez pas que vous êtes allés rechercher ma véritable identité à la Bibliothèque Nationale de France...

Il pensait évidemment à l'enquête de Linda qui,

deux ans plus tôt, avait pu s'immiscer dans les archives administratives de la BNF grâce à un ami qui y travaillait. C'est Antonin Gasparri qui lui livra une réponse inattendue.

— Voici une dizaine d'années, un certain docteur Arthur Chabert-Lévy, chirurgien-cardiologue de renommée internationale, m'a opéré. Vous le connaissez, je présume ?

— Bien sûr, répliqua Fabien qui entrevoyait la source de leur renseignement à son sujet. C'est lui qui vous a dit que j'étais son fils ?

— Ah, mais pas du tout ! À l'époque, j'ai juste retenu son nom. Son père Adrien était un symbole politique tellement puissant pour moi, que me faire opérer par lui était un privilège. Figurez-vous qu'il y a deux ans, le magazine « Histoire & Politique » a relaté la soirée de lancement de « Et si... ou le destin tragique d'Adrien Chabert-Lévy ». Vous y apparaissiez en photo d'ailleurs en tant que l'auteur Fabien Brissot...

Et dire que c'est Linda qui l'a prise...

— ... et en arrière-plan, j'ai reconnu le célèbre chirurgien Arthur Chabert-Lévy. Étonnant, non ? Qui donc pouvait être l'auteur d'un livre sur Chabert-Lévy à cette soirée où se trouvait également un Chabert-Lévy ? Un de nos agents de renseignements a pu consulter les registres d'État civil à la mairie de Troyes. Il a découvert sans surprise qu'Arthur était effectivement le fils d'Adrien, l'homme politique assassiné. Enfin, disons maintenant mort en chutant du pont. Il a appris aussi que cet Arthur en question était marié à Francesca Salvatori avec qui il a eu deux enfants : une fille, Héloïse née en 2044, et un garçon, Gabriel, né en 2041. Ils sont tous les deux nés à Troyes. Suivre le parcours de ce Gabriel, depuis ses études à la faculté de Reims jusqu'à son premier roman autoédité, fut une formalité. Voilà comment nous avons appris que l'auteur Fabien Brissot, enseignant et maître de conférences à l'université Martial Donnadieu n'était autre que Gabriel Chabert-Lévy, fils du chirurgien-cardiologue du même nom.

— Je vois, dit Fabien, abasourdi.

— Poursuivez, Werner…

— Monsieur Chabert, en plus des deux premiers points, votre intelligence et vos réflexions sur le climat, il en est un troisième, véritable détonateur de notre présence ici aujourd'hui : votre engagement et votre admiration pour l'UPO dont vous avez toujours vanté et partagé dans vos ouvrages les idées et la philosophie. Et elles ont forgé notre détermination à mettre en place notre stratégie temporelle pour modifier l'Histoire.

— Stratégie qui a échoué, le coupa Fabien.

— Pas vraiment, si l'on considère qu'il s'agissait juste d'un préliminaire indispensable pour y parvenir…

— Que voulez-vous dire ? demanda Fabien, intrigué.

Werner Hoffmann regarda successivement Antonin Gasparri, Benjamin Lacombe et Philippe Aubert. C'était l'heure de la révélation. Ensuite, ce serait irréversible. Tous en étaient persuadés.

— Vous souvenez-vous de Régis Le Goff ?

Comment Fabien pouvait-il ne pas se rappeler ce fervent écologiste, défenseur de la planète et pourfendeur de l'ordre politique établi. Cela faisait six mois qu'il avait disparu du jour au lendemain sans que plus jamais il ne réapparaisse. Cette volatilisation consternante avait suscité bien des thèses. La plus probable, en tout cas celle qui était bien ancrée dans les esprits, était que le pouvoir en place l'avait assassiné.

— Oui, bien sûr, comme tout un chacun !

— Et nous supposons que, comme tout le monde, vous pensez que les hommes de Nicolas Belami sont les responsables ?

— C'est de toute façon le plus plausible, même si personne n'a de preuves formelles. Et c'est la raison pour laquelle ni Belami ni le gouvernement n'ont été inquiétés.

— Nous avons rencontré monsieur Le Goff, il y a six mois. Il se tenait exactement à l'endroit où vous êtes assis. Son orientation à gauche et ses livres contre la gestion de l'environnement planétaire ont interpellé toute la classe politique, y compris nous-mêmes. Notamment son « J'accuse ! ». Ce titre percutant, volontairement emprunté à celui de la lettre ouverte d'Émile Zola, à la veille du XXe siècle dans le journal « L'Aurore » et adressée au président de la République, Félix Faure. À propos de l'affaire Dreyfus, ce verbe exprimait à lui seul l'amertume, la colère et l'accusation qu'il portait contre les politiciens du passé. Ceux qui ont conduit le monde au désastre écologique dont « La Vague » n'est qu'un triste exemple. Pour lui, l'un des principaux responsables était un président américain des années 20, Donald Trump, en l'occurrence par sa décision de se retirer des accords climatiques signés par plus de deux cents pays. Pouvoir le rencontrer et lui présenter toutes les catastrophes écologiques liées à son choix de se soustraire à l'initiative collective était le rêve fou et utopique de Le Goff.

— Oui, en effet, ce... c'était complètement... loufoque, bredouilla Fabien avec un sourire qui reflétait une sorte d'inquiétude.

Il se demandait où voulait en venir le scientifique, tout en rejetant une idée saugrenue qui commençait à s'imposer dans son esprit malgré lui.

— Tout comme pour vous, poursuivit Werner Hoffmann, nous lui avons fait vivre l'expérience filmée du transfert de son livre « J'accuse » deux ans avant qu'il l'écrive. Pour lui, ça a été une révélation. **LA** solution. Savez-vous ce qu'il nous a proposé, monsieur Chabert ?

Fabien refusait d'adhérer à l'incroyable suggestion qu'avait pu émettre Régis Le Goff. C'était de la folie. Non, il devait se tromper. C'était impossible. Comme s'il lisait dans ses pensées,

Werner Hoffmann s'engouffra dans l'ouverture improbable que l'imaginaire de Fabien avait entrevue.

— Eh bien, je vais vous le dire, monsieur Chabert. Monsieur Le Goff nous a demandé si nous pouvions, comme son livre, le transférer, lui, en 2017 pour qu'il rencontre Donald Trump avant les accords de Paris…

Fabien avait pâli.

— Et vous… vous avez répondu que c'é… c'était impossible, parvint-il à murmurer.

Werner Hoffmann échangea un nouveau regard avec les trois autres membres de Renaissance, puis lâcha :

— Non seulement c'est réalisable, mais nous avons réussi à transférer monsieur Le Goff comme il le souhaitait.

Sous le choc, Fabien ne pouvait prononcer le moindre mot, la moindre exclamation qui aurait pu exprimer la confusion mentale dans laquelle il pataugeait.

— J'imagine que vous ne me croyez pas… Pourtant, pour vous en donner la preuve, je pourrais vous montrer le film de son transfert spatio-temporel comme pour votre livre. Voulez-vous le visualiser ?

Fabien refusa d'un mouvement de tête significatif. Il commençait sérieusement à entrevoir l'invraisemblable vérité au sujet de la disparition de Le Goff. Il avait voyagé dans le temps.

Fabien n'eut plus de doute : on lui faisait vivre un scénario de science-fiction de fous. Mais un scénario réel.

Et d'un seul coup, de cet imbroglio jaillit la lumière.

Il comprit le rôle que Renaissance envisageait de lui faire jouer. Il entrevoyait ce qu'il allait peut-être pouvoir vivre. Et il l'énonça clairement.

— Finalement, si vous m'avez amené ici, au siège de Renaissance, c'est pour cela. M'envoyer dans le passé pour sauver mon grand-père ? L'empêcher de mourir… Qu'il ne soit pas assassiné… Qu'il ne saute pas du pont… Qu'il puisse mener sa campagne électorale à la tête de l'UPO qui le conduira à la présidentielle, et orienter ainsi l'Histoire sur le chemin envisagé par Renaissance… C'est bien cela ?

Werner Hoffmann parut épuisé. Il s'effondra sur la banquette. Les quatre hommes souriaient, soulagés.

Antonin Gasparri ferma les yeux quelques secondes. Quand il les rouvrit, ils brillaient. Fabien y décela de l'enthousiasme mêlé à du soulagement. Il sembla même ému lorsqu'il dit simplement à Fabien :

— Oui, monsieur Chabert. C'est cela !

18

Paris
Dimanche 21 mai 2084 – 21 h 30

Fabien était attablé au Franc-Tireur, un bar de la place Tristan Bernard, à deux pas de son appartement où il était monté en hâte dès que la Polestar X noire l'avait déposé devant chez lui. Évidemment, les vitres teintées lui avaient interdit de repérer quoi que ce soit. Ni le lieu du siège ni le trajet du retour jusque Paris. Ce dont il avait pu juste se rendre compte, c'était le temps passé dans la voiture : une heure cinquante. Ce qui confirmait bien que la base de Renaissance se situait en Île-de-France dans un rayon approximatif de cent à cent-vingt kilomètres.

Le mot qu'il avait trouvé posé sur la table de la cuisine l'avait à la fois déçu et soulagé. Déçu parce que Linda lui annonçait que, lasse de l'attendre en vain, elle avait décidé d'aller au cinéma. Son retour était prévu vers 23 h 30. Et soulagé, car cela lui laissait un peu de temps pour préparer l'argumentaire de la révélation de son incroyable destin qui se profilait.

Tourner en rond dans l'appartement ne lui

convenait pas, aussi était-il descendu dans ce bar.

Devant un demi, il ressassait les derniers événements qu'il venait de vivre. Tout commençait à devenir confus. Il sortit un carnet, un stylo. Il décida d'aligner des mots-clefs. Ils lui permettraient d'organiser ses pensées sur l'enchaînement invraisemblable des faits. Même si son grand-père n'avait pas été assassiné, il était mort malgré tout en se jetant depuis le pont de la Concorde. Que s'était-il passé ensuite ? Une sorte de synthèse de Werner Hoffmann, dans laquelle le sujet a glissé sur…

Régis Le Goff

Cet éminent écologiste politique, après sa propre expérience de son livre « J'accuse » transféré et sa compréhension de la réalité spatio-temporelle, avait suggéré de se faire lui-même déplacer physiquement dans les années vingt. Son ambition se résumait en un seul objectif : rencontrer Donald Trump et le convaincre de changer d'avis sur l'accord climatique et prendre de vraies responsabilités à l'échelle planétaire pour résoudre les problèmes du réchauffement. Fabien en avait déduit deux hypothèses confirmées par Werner Hoffmann.

Son transfert

A échoué puisque « La Vague » a eu lieu en 2031. Personne ne l'avait contredit sur ce fait.

Sa disparition

Régis Le Goff n'est pas revenu à son époque, puisqu'il n'est pas réapparu devant les médias où il avait coutume de s'exprimer.

L'explication

Elle était tombée de la bouche même de Werner Hoffmann. Brutale. Effrayante. Le processus était irréversible. N'importe quelle matière, y compris un corps humain, pouvait être transférée, mais le retour était impossible. Ce qui signifiait que Régis Le Goff, dans le meilleur des cas, était encore en vie quelque part, plus de soixante ans dans le passé.

Le paradoxe

Il reposait sur un autre impératif et pas des moindres : ne jamais croiser son double dans le même espace-temps. Régis Le Goff, âgé de cinquante-trois ans, n'était pas encore né en 2015, année effective de son transfert. Il le serait en 2030. Il ne devait absolument pas se déplacer dans l'environnement de son lieu de naissance. Des anomalies cellulaires et neurologiques pouvaient perturber les deux corps, entraîner l'asphyxie, puis le décès. Dans le cas présent, personne ne pouvait supposer la nature du destin de Régis Le Goff, et tous l'ignoreraient sans doute jusqu'à sa propre mort.

Fabien termina son demi et en commanda un second. Il poursuivit sa réflexion et écrivit le mot-clef suivant.

La mission

Après avoir exprimé clairement ce qu'il avait perçu du transfert de Le Goff et supposé ce qu'on attendait de lui, il avait eu confirmation de son choix pour toutes ses qualités et ses idées politiques de gauche. S'il acceptait, il deviendrait le vecteur principal de la mise en place et surtout de la réussite de la stratégie de Renaissance pour réécrire l'Histoire. Le succès du Projet reposait sur cette dernière cartouche.

Le plan

1. S'il était transféré le vendredi 24 octobre 2031 en province à l'endroit de l'assassinat de son grand-père, il était peu probable qu'il puisse l'empêcher sans risquer sa propre vie.

2. L'objectif : faire en sorte que l'assassinat n'ait pas lieu. Pour cela, il devait modifier la trame temporelle originelle de manière à ce que son grand-père en soit inconsciemment l'acteur. D'où le transfert du livre Et si... à lui mettre entre les mains.

Un garçon du Franc-Tireur déposa son second

demi devant lui et emporta le verre vide. Fabien le remercia, but une gorgée de bière fraîche et reprit le fil de ses pensées.

3. Le plan avait fonctionné, puisque son grand-père s'était enfui du Palais Bourbon avec le livre. Cerné par la police et les hommes de Serrano, il avait sauté du pont de la concorde et s'était écrasé malencontreusement sur un bateau-mouche qui passait à ce moment-là.

4. C'est dans ce laps de temps qu'il devrait intervenir.

5. Il avait pris conscience que tout reposait sur sa décision. Sauver son grand-père et, aussi absurde que cela pût paraître, le rencontrer en réalité, physiquement et en vie, avait une saveur particulière. Un mélange confus de non-maîtrise de l'inconnu et de certitude jubilatoire de vivre un destin exceptionnel. Lui qui avait consacré son existence à l'Histoire, pressentait la fierté d'en devenir peut-être un des acteurs clefs. Avec un bémol de taille : personne ne le ferait entrer dans les livres, puisqu'il serait le seul à connaître le transfert. Sauf peut-être l'équipe de Renaissance, mais… cinquante ans plus tard. Cette pensée l'attrista, car elle le renvoyait au dernier point qu'il avait dû peser, la mort dans l'âme…

Les conséquences

Pour mettre de l'ordre dans ses idées, il but une gorgée de bière. Cette partie de la réflexion fut la plus complexe sur le plan technique, et surtout la plus difficile à digérer. Il avait soumis point par point ses interrogations à Werner Hoffmann dont les explications avaient généré en lui une telle angoisse, qu'il avait été à deux doigts de refuser.

1. Annoncer ou ne pas annoncer le transfert à Linda ? Cela n'aurait servi à rien. Même s'il avait tenté de lui prouver la réalité du voyage dans le passé, elle l'aurait pris pour un fou. Et surtout, après le transfert, elle n'aurait jamais eu conscience qu'il avait existé, qu'ils s'étaient aimés pendant deux ans. S'il réussissait sa mission, la trame temporelle aurait changé, et elle aurait vécu une autre vie. En tout cas différente.

Cette conséquence avait ouvert une plaie béante dans son cœur. Et même en cet instant, devant son demi et son carnet, il saignait.

2. Si le transfert était irréversible, donc le retour en 2084 impossible, n'y avait-il pas un moment où il risquerait de croiser son double ? Même avec une trame temporelle différente, sa naissance serait effective en 2041, et à partir de cet instant, deux Gabriel Chabert-Lévy existeraient en même temps. La

réponse de Werner Hoffmann était tombée comme un couperet. S'il réussissait sa mission, pour sa sécurité et celle de son double, il devrait alors s'exiler selon les opportunités que lui offrirait le contexte.

Il avait demandé à se retrouver seul pour réfléchir. Peser le pour et le contre. Choisir entre poursuivre sa vie d'écrivain reconnu, de maître de conférences à Martial Donnadieu, se marier avec Linda et avoir peut-être des enfants. Ou accepter la responsabilité de la stratégie mise en place par Renaissance, et surtout par Werner Hoffmann. Dans ce cas, il deviendrait le petit grain de sable dans le rouage du temps qui permettrait à son grand-père de ne pas mourir. D'être élu président de la République de gauche avec un gouvernement issu de l'UPO. La dictature en France n'aurait pas existé. Le monde entier ignorerait que lui, Fabien Brissot, serait à l'origine d'une société avec plus d'égalité et de justice sociale. Oui, cela correspondait à ses valeurs. À ses rêves pour la France.

Il était retourné dans la salle demi-sphérique pour rejoindre les quatre hommes de Renaissance. Et là, après une ultime hésitation, il avait accepté. Tous, heureux et ravis de sa décision, l'avaient applaudi et s'étaient levés pour le congratuler.

Pendant qu'ils arrosaient l'événement au champagne, ils décidèrent que le transfert aurait lieu le lendemain, **lundi 22 mai 2084**, destination **jeudi 23 octobre 2031**. C'était le jour de l'envoi du livre à la tribune entre les mains d'Adrien Chabert-Lévy. Sa lecture l'avait conduit à sauter du pont de la Concorde.

Fabien avait émis une requête. Une seule. Revoir Linda avant son départ irréversible.

Ils avaient convenu d'un commun accord que lui révéler la nature de ce qui allait se produire serait vain. Fabien l'avait admis, même si, pour la première fois, il sentit une boule lui retourner l'estomac.

***

— Pardon, monsieur, mais nous allons fermer…

Fabien regarda le garçon et réalisa où il se trouvait. Il s'excusa, consulta l'écran de son smartphone… 23 h 15 ! Ça tombait bien ! Linda allait bientôt rentrer du cinéma.

Il rangea son carnet et son stylo, acheva son demi, régla ses consommations puis quitta le bar. Il traversa la place Tristan Bernard et s'engagea sur l'avenue des Ternes. À son approche, la lourde porte de verre et d'acier de l'immeuble s'ouvrit automatiquement. Tout comme celle de son appartement au quatrième étage. Il ne put s'empêcher de songer que c'était la dernière fois. Il réprima un frisson.

L'atmosphère de ce qui était devenu leur petit nid d'amour lui parut étrange, comme une sensation paradoxale d'abandon et d'inconnu.

Il mit cela sur le compte de la décision qu'il avait prise. Sans doute une réaction inconsciente à son départ imminent. Il ôta sa veste et alla se servir un whisky. C'est à cet instant que son estomac se vrilla à nouveau. Il venait d'entendre le bip de l'ascenseur dont il identifia l'arrivée à l'étage. Les pas jusqu'à l'appartement. L'ouverture automatique de la porte…

Linda apparut et entra dans le hall qui faisait office de bureau.

— Enfin, tu es là… Tu sais que je me suis inquiétée…

Elle alla jusqu'à lui et posa sur ses lèvres un baiser que Fabien préféra oublier. C'était peut-être l'un des derniers et il se sentit submergé d'une vague de tristesse incroyable. Il prit sur lui pour n'en rien laisser paraître.

— Alors en fin de compte où étais-tu ? Le message que j'ai reçu était on ne peut plus mystérieux. Et puis cette voiture noire aux vitres teintées dans laquelle tu es parti… Tu sais que j'ai failli alerter la police…

— Non… tu n'aurais pas fait ça ?…

— Je plaisante. Tu m'imagines appeler les guerriers de Belami ? Jamais. Mais bon, je me suis tout de même inquiétée… Mon amoureux et futur mari qui me quitte tout un week-end le jour de l'anniversaire de notre rencontre… Avoue que ce n'est pas banal…

— Tu l'as encore ?

— Quoi ?

— Le message que tu as reçu…

— Oui, regarde, j'ai dû le poser sur ton bureau…

Pendant qu'elle se déshabillait, Fabien repéra la feuille pliée et s'en empara pour lire les quelques lignes qui y étaient imprimées. Pas d'entête. Une lettre en guise de signature.

Madame,
Monsieur Brissot participe ce week-end à une réflexion sur l'avenir politique de la France. Ses connaissances sur l'Histoire sont un atout considérable pour l'analyse commune. Il vous le confirmera bientôt par téléphone.
Bien cordialement,
R.

— Qui est « R » ? demanda Linda.

Pourquoi lui raconter n'importe quoi ? Autant être franc sans aller trop loin dans les explications.

— As-tu déjà entendu parler de « Renaissance » ?
— La période historique ou le mouvement artistique ? Oui, comme tout le monde…
— Non, c'est autre chose. Je veux te parler d'un groupe politique de gauche créé après le drame du « Cercle 20 » et de « La Vague » en 2031. Les hommes et femmes qui l'ont fondé ont toujours refusé les dictatures qui se sont succédé depuis. Ses membres espèrent mettre en place des forces populaires suffisantes pour renverser le pouvoir.
— Pourquoi n'en parle-t-on jamais dans les médias ? Même nous, au magazine, n'en avons jamais

eu vent…

— C'est évident, ma chérie. C'est un groupe secret. La démocratie et la liberté d'expression n'ont jamais été l'apanage des gouvernements ou des présidents. Encore moins celui de Belami. Il est certain que s'il était découvert, le réseau serait démantelé.

Et combien cette affirmation est vraie ! Je ne lui mens pas, là…

— OK. Tu m'expliqueras ça demain. Je suis crevée. Enfin… j'ai envie de me coucher… Pas toi ?

L'appel était évident.

***

Malgré toute la charge émotionnelle qu'avaient pu susciter leurs ébats amoureux, Fabien n'avait pas pu s'endormir. Il avait passé une grande partie de la nuit à la regarder apaisée, comblée, souriante pendant son sommeil profond, en lui caressant les cheveux.

Lui savait.

Elle ne saurait jamais.

C'était leur dernière nuit ensemble.

À un moment, il eut envie de se rétracter…

Aussitôt un sentiment de culpabilité l'assaillit…

Alors adieu grain de sable dans les rouages du temps ?

Adieu à l'UPO au sommet de l'état ?

Adieu à une société avec plus d'égalité et de justice sociale ?

Et aussi adieu à son grand-père Adrien qu'il ne sauvera pas ?

Ce dernier argument eut raison de son moment de faiblesse.

Il serait prêt.

Il posa sa tête sur l'oreiller, tout près de celle de Linda.

Emporté par les effluves de son parfum, il ferma les yeux.

Les LED luminescentes du radioréveil affichaient 6 h...

***

— Debout, gros fainéant ! Tu crois que tes étudiants vont rester à t'attendre s'ils ne te voient pas arriver ?

Fabien souleva ses paupières qui lui parurent peser une tonne.

— Quelle... quelle heure est-il ?

— Comme tous les lundis, dit-elle en souriant. 6 h 45 !

Ah ! bien sûr, la nuit avait été courte.

Ils prirent ensemble le petit-déjeuner préparé avec amour par Linda.

Elle avala son thé et partit se brosser les dents.

Fabien savait.

Dernière fois.

Dernière scène matinale.

Elle alla dans le hall-bureau, enfila une combinaison qui s'adapta à sa morphologie et décrocha du portemanteau une sacoche en fibre de lotus qu'elle passa en bandoulière.

Il la rejoignit. Elle se tourna vers lui et, comme tous les jours, elle s'approcha pour un baiser furtif.

Ce jour-là était différent.

Il n'y en aurait pas d'autres.

Elle l'ignorait et surtout n'en aurait jamais conscience.

Il posa ses mains sur ses épaules et la regarda droit dans les yeux avec une force que Linda ne lui avait jamais connue.

Sans un mot, il l'attira vers lui et l'embrassa avec fougue. Quand le baiser prit fin, il la fixa avec intensité.

— Je t'aime, Linda. Vraiment.

— Je t'aime aussi. Waouh, qu'est-ce qui t'arrive ce matin ?

Il afficha un sourire qu'il n'aurait pas voulu triste, mais ça n'échappa pas à Linda.

— Qu'est-ce qui se passe, mon cœur ? Quelque chose ne va pas ?

— Non, non, ne t'inquiète pas, parvint-il à répondre en se ressaisissant, mais souvent, te quitter est une vraie déchirure…

Linda fut touchée par cette révélation et lui caressa la joue.

— On se revoit ce soir… J'y vais, je vais être en retard…

Non, Linda… Pas ce soir… Plus jamais…

Dernier baiser du bout des lèvres.
Les corps qui se séparent.
Qui s'abandonnent.
La porte de l'appartement qui s'ouvre.
Puis se referme.
Fabien ne bougeait pas.
Il entendit les pas de Linda s'éloigner.
Pour la dernière fois.
Bip d'arrivée de la cage d'ascenseur à l'étage.
Glissement feutré.
Silence.

Machinalement, il se dirigea vers la salle de bain. Deux minutes plus tard, l'eau de la douche ruisselait sur son visage et se mélangeait à ses larmes.

**

Paris — Avenue des Ternes
Lundi 22 mai 2084 – 8 h 15

— Monsieur Chabert ?
— C'est moi.
— Philippe Aubert. Je vous attends dans la voiture en bas de votre immeuble…

— Je descends.

Fabien coupa la conversation et jeta son smartphone à la poubelle. Il respectait les consignes. Aucun réseau de 2084 n'existait en 2031.

Une dernière idée lui traversa l'esprit.

Il s'empara du bloc à post-it sur le bureau, prit un stylo et écrivit simplement :

Je t'aime

Il décolla la première feuille, hésita une seconde.

Où la poser pour que Linda la voie en rentr...

Quel imbécile !

Linda ne rentrerait plus.

Jamais.

N'existerait plus.

Tout du moins dans cette trame.

Elle ne se souviendrait plus de lui.

Il eut un pincement au cœur, froissa le post-it et le jeta dans la corbeille.

Il passa un blouson en cuir noir.

Au moins, je serai assorti à la voiture...

Il récupéra son portefeuille dans la poche intérieure de sa veste pour le glisser dans le blouson. Une feuille pliée en quatre tomba sur le sol. Il la ramassa. Il savait de quoi il s'agissait : la feuille arrachée à la fin du livre transféré à son grand-père. Il la ramassa et la glissa avec le portefeuille. Bien que non superstitieux, il décida d'en faire son porte-bonheur. Si le transfert avait réussi pour le livre, alors il réussirait pour lui.

Il avança vers la porte. Elle s'ouvrit.

Il se retourna et lança un dernier regard circulaire sur l'appartement.

Au revoir 2084 !

Bonjour 2031 !

19

Siège de Renaissance — Salle de réunion
Lundi 22 mai 2084 - 10 h 45

Fabien se sentait fébrile. Tout comme Antonin Gasparri, Benjamin Lacombe et Philippe Aubert. L'atmosphère était chargée d'électricité. Pas de cette énergie physique caractérisée par ses propriétés attractives et répulsives, mais celle que véhicule le corps humain sous tension nerveuse. Et là, de la nervosité, il y en avait. Surtout chez Fabien. Seul Werner Hoffmann semblait calme et serein.

Il vaut mieux qu'il le soit... Pas envie que ce soit un échec ! Ou pire que je sois désintégré définitivement...

Une jeune femme entra. Elle apportait des vêtements et une paire de chaussures qu'elle posa devant Fabien.
— C'est pour vous, monsieur Chabert, annonça Werner Hoffmann. C'est le genre de vêtements qui étaient portés en 2031. Vous attireriez l'attention avec

votre combinaison en textile intelligent bourré de capteurs. Ce pantalon en toile s'appelait *blue jean*. On parlait plus communément de *jean*. Ce haut noir se nommait "pull en V en coton". Eh oui, monsieur Chabert, avant d'être notre fameux aliment au goût de « houmous », le coton était une matière utilisée entre autres pour les vêtements. Une autre époque, je vous le concède. Quant à ces chaussures montantes sans lacets, elles s'appelaient des boots. Par contre vous pouvez garder votre blouson de cuir, c'est un modèle que l'on portait déjà dans les années trente. Clara, veuillez montrer à monsieur Chabert où il pourra se changer, merci…

Fabien suivit la jeune femme et sortit de la salle de réunion.

— Le sentez-vous prêt, Werner ? demanda Antonin Gasparri.

— Les capteurs encéphalographiques ont révélé une activité sanguine élevée au niveau du cortex, mais tout à fait logique, car liée au stress. Le Goff avait réagi de la même manière.

— Vous pensez qu'il en aura parlé à sa compagne ?

— Non. Il est intelligent. J'en ai discuté avec lui. Comme pour Le Goff, c'est sur le plan affectif qu'il a été le plus marqué. Tourner la page sur sa vie, quitter ceux qui en font partie, c'est un choc psychologique certain. Même s'il sait qu'elle se poursuivra ailleurs. Enfin non, pas ailleurs, dans une autre trame temporelle dont il sera lui-même le créateur s'il parvient à éviter la mort de son grand-père. Mais il est là. Sans entrer dans l'Histoire avec un grand H, il a accepté de jouer le rôle de la clef dans la serrure d'une ère nouvelle. Au-delà du fait qu'il peut rencontrer son aïeul, le sauver, le lancer sur la trajectoire politique à laquelle il était promis, ce qui a motivé son choix, c'est la conscience qu'il va vivre un destin hors du commun en tant qu'historien.

— À condition qu'il réussisse... Nous savons tous le caractère exceptionnel de votre découverte. Mais nous ne pouvons écarter nos deux échecs avec deux objectifs ambitieux non atteints. Le premier avec Le Goff. Son intervention auprès de Donald Trump n'a pas empêché la planète de se rebeller, puisque « La Vague » a déferlé sur Paris, et le second avec le livre de Chabert. Il n'a pu éviter la mort de son grand-père.

— C'est vrai, Président, mais ce sont les échecs qui ont permis à la science d'avancer et au monde de se construire...

— L'enquête sur la disparition de Le Goff a failli conduire la police jusqu'à nous. Si Chabert échoue, nous aurons une seconde disparition inexpliquée sur le dos. Et s'il a, par hasard, parlé de Renaissance à sa compagne, je vous rappelle qu'elle est journaliste à « Histoire & Politique ». Et elle ne lâcherait pas le morceau...

Werner Hoffmann marqua une pause. Il semblait perplexe.

— C'est notre dernière chance, Président...

— Alors, croisons les doigts...

Fabien entra dans la salle de réunion avec sa nouvelle tenue vestimentaire.

— Parfait, le félicita Werner Hoffmann, vous êtes paré. Prenez ce portefeuille ! Vous y trouverez une carte d'identité à votre nom telle qu'elles existaient encore à l'époque. Elle est établie au nom de Fabien Brissot, à votre adresse actuelle.

— En 2031, d'autres personnes habitaient sans doute dans mon appartement.

— Oui, bien sûr. Ce n'est qu'un alibi. Je vous ai mis également une carte professionnelle d'enseignant d'histoire à la Sorbonne...

— La Sorbonne ?

— C'est l'ancien nom de l'université Martial Donnadieu...

— Oui, merci. Je le sais. Mais votre anticipation de mon transfert m'impressionne.

— Ça, c'est notre travail, monsieur Chabert. Et enfin vous trouverez aussi mille euros en différentes coupures d'époque.

Fabien glissa le portefeuille dans la poche intérieure de son blouson, avec la dernière page arrachée de son livre. Il tendit à Werner son propre portefeuille.

— Tenez ! Je n'en aurai plus besoin...

— Vous avez raison, répliqua Werner, nous le détruirons.

— Je me sens déguisé...

— C'est une sensation tout à fait légitime, mais croyez-moi, lorsque vous serez en 2031, cela vous évitera de passer pour un oiseau rare.... Bon, monsieur Chabert, si vous êtes prêt, nous pouvons commencer…

— Je ne sais pas si l'on peut vraiment dire qu'on est prêt à ce genre d'aventure… Je suppose que c'est ce qu'a ressenti Neil Armstrong, le premier homme à avoir posé le pied sur la lune en 1969…

— Mais il l'a fait.

— Eh oui ! Alors moi aussi, je suis paré…

— Président, si vous souhaitez dire un mot à monsieur Chabert…

— Pourquoi ? Vous n'assistez pas à l'expérience ? demanda Fabien.

— Si, répondit Antonin Gasparri. Mais nous sommes obligés de respecter le protocole de sécurité mis en place…

— Oui, expliqua Werner Hoffmann, la puissante dose de radiations de lumière émise pendant le transfert d'un corps humain l'exige. Le président Gasparri et ses deux collaborateurs pourront suivre tout le processus, mais par écran interposé et à l'abri.

— Monsieur Chabert, je tiens sincèrement à vous remercier pour votre engagement dans cette entreprise. Je sais combien il vous en a coûté de prendre cette décision, ce qu'elle a impliqué sur le plan personnel. Mais sachez que nous vous serons redevables pour l'éternité. Si votre mission réussit, et elle réussira, j'en suis persuadé, nous en ressentirons les effets. Nous seuls aurons le souvenir de votre transfert. Nous ferons élever une stèle en votre honneur, je vous le promets.

Antonin Gasparri s'approcha et lui donna une accolade.

Benjamin Lacombe lui tendit ensuite la main.

— Merci, monsieur Chabert. Je vous souhaite le succès. Vous êtes vraiment la cheville ouvrière de notre stratégie. Du changement de l'Histoire. Nous comptons sur vous. Merci.

À son tour, Philippe Aubert lui serra la main.

— Sérieusement, en venant vous chercher samedi chez vous en voiture, je ne pensais pas que nous en serions là deux jours plus tard. Du fond du cœur, merci d'avoir accepté. Bon courage !

Après ces remerciements chargés d'émotion, Werner Hoffmann les conduisit dans leur salle sécurisée où les attendait un technicien. Dès qu'ils furent entrés et la porte refermée, le scientifique mit une main sur les épaules de Fabien pour l'entraîner vers son destin.

— Allez, maintenant, c'est à nous !

***

Siège de Renaissance — Salle de transfert
Lundi 22 mai 2084 – 11 h 30

Ce nouvel espace dans lequel ils étaient entrés, bien plus vaste, ne ressemblait pas au laboratoire où avait eu lieu le transfert du livre. Une quinzaine de scientifiques en blouses blanches de l'équipe à

Werner Hoffmann étaient assis devant des écrans. Des protections en verre les séparaient tous d'une sphère transparente qui leur faisait face. Elle était percée d'un sas qui permettait d'accéder à l'intérieur. Deux hommes s'y affairaient autour d'un fauteuil gris métallique. Deux cordons en spirale reliaient le haut du siège à deux capteurs circulaires latéraux apposés sur la paroi interne. De chaque côté de la sphère et à l'extérieur, Fabien repéra deux énormes électrodes horizontales orientées vers le centre. Elles-mêmes étaient connectées à de larges tableaux muraux bourrés de diodes, de câbles divers, de cadrans à LED et d'autres avec des aiguilles dont l'oscillation témoignait d'un fonctionnement au ralenti. C'est d'ailleurs à cet instant que Fabien réalisa que le vague bourdonnement qu'il avait perçu en entrant dans la salle y était lié.

Antonin Gasparri, Philippe Aubert et Benjamin Lacombe, protégés de l'incontournable intensité lumineuse radioactive, étaient assis devant un écran plat sur lequel ils pouvaient suivre en direct les préparatifs.

— Allons-y, monsieur Chabert !

Ils traversèrent l'espace dans lequel tous les scientifiques étaient absorbés. Fabien et Werner Hoffmann s'arrêtèrent devant la sphère.

— Voilà, c'est ici que va avoir lieu votre transfert. Vous serez installé dans ce fauteuil. C'est le même principe que pour le livre, mais en plus grand…

— Oui, j'avais remarqué, ne put s'empêcher de

rétorquer Fabien.

Werner ne releva pas et poursuivit.

— Le corps humain ne peut être soumis directement aux radiations issues des électrodes. C'est la raison pour laquelle nous vous plaçons dans cette sphère de protection. Sans entrer trop dans les détails, elles seront diffusées dans l'ensemble de la paroi. Au maximum du pic, nous dynamiserons les deux capteurs latéraux qui, à leur tour, répercuteront la charge dans le siège en titane sur lequel vous serez assis. Seulement lorsque votre corps sera saturé en énergie, nous aurons atteint quatre-vingt-dix pour cent du processus. Je vous rassure, c'est complètement indolore. Les vibrations que vous percevrez vous informeront de l'imminence du transfert. Ça va ? Comment vous sentez-vous ?

— Assez détendu avec le relaxant que vous m'avez donné. Toutefois, je vous avouerai que mon stress est refoulé, mais prêt à surgir.

— Ne vous inquiétez pas ! C'est tout à fait logique. Régis Le Goff m'avait fait part de cette même sensation. Bon, maintenant, je dois vous expliquer le cheminement de notre réflexion qui nous a permis de programmer le transfert. Là encore, votre livre nous a été d'une grande utilité. La date, pour commencer. Ce sera le jeudi 23 octobre 2031. Le jour du discours.

— Intégral ?

— Non, monsieur Chabert. N'oubliez pas que vous serez projeté dans la trame créée à partir du moment où Adrien Chabert-Lévy a eu votre livre entre les mains. Rappelez-vous ce que nous avons dit. Intervenir sur le lieu du meurtre du 24 octobre serait trop compliqué. De toute manière, avec le transfert du livre, nous savons que votre grand-père n'a pas été assassiné, mais qu'il est décédé en sautant du pont. C'est donc ce scénario que vous allez vivre. Il commence son discours le 23 octobre entre 15 h 15 et 15 h 30. C'est à cette heure-là que le livre l'a perturbé au point de quitter l'Hémicycle. Où est-il allé à ce moment-là ? Nous l'ignorons. Nous supposons qu'il s'est retiré quelque part dans le Palais pour découvrir plus en détail le contenu. Le seul point de repère spatio-temporel en notre possession, c'est le lieu et l'heure de sa mort : le pont de la Concorde à 16 h 15 ce 23 octobre 2031.

— C'est donc ce que vous avez programmé ? demanda Fabien.

— Non. Réfléchissez ! Vous ne pouvez pas apparaître instantanément sur ce pont. Le risque d'attirer l'attention sur vous serait trop élevé. Vous imaginez la réaction des personnes qui passeraient par là au même moment ? Non, voici ce que nous avons prévu. Pas simple de trouver un endroit isolé à proximité de l'Assemblée nationale. Mais nous pensons l'avoir repéré. C'est le square Samuel Rousseau situé à peu près à trois cents mètres au sud du Palais.

— Oui, je le connais…

— Bon, tant mieux. Un de nos agents est allé relever les coordonnées du lieu de votre transfert. Il a choisi un endroit caché par des haies qui entourent des arbres. Ce sera parfait si…

— Attendez ! l'interrompit Fabien. Qui vous dit que le square était identique à la configuration actuelle ?

— Il l'était, monsieur Chabert, et même avec plus de végétaux. Nous avons pu consulter des photographies d'archives. Nous aurions pu décider de vous transférer dans l'église Sainte-Clotilde qui donne sur ce square, mais nous avons craint qu'elle soit fermée et que vous soyez coincé à l'intérieur.

— Et ensuite ? Une fois dans le square ?

— Alors là, vous devrez faire appel à votre sens de l'improvisation pour atteindre votre objectif…

— Quel objectif ?

Werner Hoffmann soupira.

— Empêcher votre grand-père de sauter du pont, évidemment !

— Et comment dois-je m'y prendre ?

— C'est bien la raison pour laquelle je vous ai dit que vous devriez improviser. Nous n'avons rien pu envisager sans vivre le contexte. Vous seul le pourrez. Votre arrivée dans le square est programmée pour 14 h. Cela vous laissera deux bonnes heures pour trouver le moyen d'empêcher votre grand-père de sauter. Rappelez-vous ! Il se jette du pont de la Concorde à 16 h 15…

— Oui, je sais. C'est écrit dans le livre et c'est moi qui suis censé avoir indiqué cette heure-là, même si je n'en ai aucun souvenir…

— Exact. C'est la preuve qu'il est bien arrivé à destination.

— Bon, en tout cas, c'est clair. Ah ! Vous venez de me faire penser à une dernière question…

— Je vous écoute…

— Si je réussis… vous, en 2084, aurez-vous en mémoire mon transfert ?

— Oui. Tout comme pour le livre.

— Mais alors, quelle preuve aurez-vous du succès de ma mission ?

— C'est simple, sourit Werner Hoffmann, dans l'histoire de la France, nous saurons si Adrien Chabert-Lévy est devenu président de la République. Si c'est le cas, cela aura des incidences sur la société et l'orientation politique en 2084. Et nous, nous en ressentirons les effets instantanément…

— Comme l'apparition du dôme du Palais Bourbon ? ironisa Fabien.

— Oui. Si vous réussissez votre mission.

Fabien réfléchissait à la portée des derniers mots du scientifique. Et cette fois, il éprouva une rare impatience à vivre ce fabuleux destin qui l'attendait.

— OK. Je suis prêt.

— Encore une chose avant que vous preniez place dans la sphère. Depuis le siège à l'intérieur, vous pourrez suivre le compte à rebours du moment exact du transfert.

Il lui indiqua une horloge murale à quartz dont les LED affichaient 0 h 3 min

— L'opération durera en tout trois minutes.

Allez, maintenant, c'est l'heure.

***

Fabien était assis dans la sphère. Les scientifiques du laboratoire l'avaient aidé à se mettre en place puis avaient vérifié les moindres contacts, les plus petites connexions.

Tout fonctionnait.

Une fois qu'ils eurent regagné les écrans de contrôle derrière les parois de protection en verre, Werner Hoffmann s'approcha du sas et s'apprêta à en refermer la trappe.

— Bonne chance, monsieur Chabert. Si vous réussissez, votre vie changera aussi. Je vous souhaite une belle richesse intellectuelle et beaucoup de bonheur. Vous le méritez.

À cet instant, l'image de Linda s'imposa à l'esprit de Fabien. Il en ressentit une brève amertume vite chassée par les dernières explications de Werner Hoffmann.

— Comme vous l'avez compris, les responsables de Renaissance ne peuvent entrer ici pour des raisons de sécurité. Mais ils vous observent…

Il lui montra du doigt une caméra fixée au plafond et braquée sur eux.

Sans savoir pourquoi, machinalement, Fabien leur adressa un signe d'au revoir qu'il regretta presque aussitôt.

Un au revoir ? Pour un aller sans retour ? C'est plutôt un adieu...

Werner Hoffmann lui tendit la main que Fabien serra naturellement. Leurs regards se croisèrent. Fabien ressentit son émotion dans ce contact prolongé.

— Dieu vous garde !

Pendant qu'il refermait la trappe de la sphère, Fabien ne put s'empêcher d'ironiser intérieurement.

Pour qu'un scientifique s'en remette à Dieu, c'est qu'un échec est toujours possible, mais ça, je le sais. Est-ce que ça ne veut pas plutôt dire qu'un danger existe pour moi ?

***

Devant l'écran de contrôle, les trois responsables de Renaissance surveillaient les préliminaires du transfert de Fabien avec attention et anxiété. Cette fois, l'expérience devait réussir. Tout reposait maintenant sur les épaules de Gabriel Chabert.

Le sas avait été refermé.

— Il a l'air inquiet, fit remarquer Benjamin Lacombe.

— N'importe qui à sa place le serait, répliqua Philippe Aubert.

— Ça y est ! Werner est opérationnel.

Le scientifique leva un bras et lança un regard

circulaire sur ses collaborateurs. Tout comme lui, chacun positionna des lunettes spéciales de protection. Werner Hoffmann leva à nouveau le bras, s'assura que tout le monde était prêt, puis il le baissa.

Aussitôt, le ronronnement ambiant monta en intensité. Des diodes s'allumèrent sur les tableaux muraux latéraux pendant que d'autres clignotaient. De brefs éclairs apparurent aux extrémités des électrodes. Le compte à rebours avait commencé… 0 h 2 min 55 s… 0 h 2 min 54 s… 0 h 2 min 53 s…

Les éclairs s'étirèrent jusqu'à toucher les deux capteurs. Le ronronnement se transforma alors en un puissant vrombissement qui emplit l'espace du laboratoire.

***

En voyant les deux éclairs qui enflaient et se rapprochaient de chaque côté de la sphère, Fabien se souvint des petites électrodes qui avaient provoqué la disparition du livre. Soudain, il eut peur. Très peur.

Qu'est-ce qu'un prof d'histoire-géopolitique comme moi est venu faire dans cette galère ? Je n'étais pas bien, là, à mon bureau, chez moi, à écrire mes essais documentaires ? À assurer mes cours devant mes étudiants ? Quel imbécile d'avoir accepté cette mission ? Linda, pourquoi t'ai-je abandonnée ?

Il fixa l'horloge en face de lui.

Encore deux minutes trente et tout sera fini... Peut-être fini pour de bon... Peut-être que mon corps ne résistera pas... Oh non, pas ça... Tous ces scientifiques ne m'auraient quand même pas fait courir ce risque si ma mort était une probabilité...

Les éclairs touchèrent en même temps les deux capteurs latéraux et une lueur pâle commença à se propager sur la paroi de la sphère.

Fabien n'était pas du tout rassuré.

Coup d'œil à l'horloge...

Plus que deux minutes !

Il leva la tête et imagina les trois responsables de Renaissance devant leur écran. Comme s'ils regardaient un film dont il serait l'unique acteur. Regardez bien, Messieurs, Dames ! Le numéro va commencer... Vous allez en prendre plein les yeux...

Et moi donc avec cette lumière de plus en plus éblouissante !...

***

Alors qu'ils suivaient la progression de la lumière blanche sur la paroi de la sphère, le smartphone sonna dans la poche intérieure d'Antonin Gasparri. Au nom affiché sur l'écran, il sut qu'il s'agissait de Nolan Chabaline, le responsable de la sécurité au siège de Renaissance.

— Oui, Nolan ?

Au timbre, au ton et à la puissance de sa voix, il comprit immédiatement que quelque chose de grave se passait.

— PRÉSIDENT, UNE MILICE ARMÉE DE BELAMI A RÉUSSI À S'INTRODUIRE DANS LES LOCAUX... ILS TIRENT SUR TOUT CE QUI BOUGE... C'EST UN VRAI CARN...

Antonin Gasparri reconnut le bruit caractéristique d'une rafale de mitraillette.

— Nolan ? **NOLAN** ?

Pas de réponse. Chabaline devait être mort.

— Que se passe-t-il ? demanda Benjamin Lacombe.

Le président de Renaissance était décomposé.

— Des hommes armés de Belami ont trouvé le siège. Ils sont entrés dans les locaux et tirent sur tout le monde.

— Mais pourquoi ? Ils vont se mettre la France à dos...

— Non, Benjamin. Parce que nous n'existons pour personne. Vite, on doit prévenir Werner. Venez, suivez-moi !

***

Une lumière entièrement blanche parait maintenant la sphère. Fabien commençait à percevoir dans tout son corps les vibrations dont Hoffmann lui avait expliqué la signification : les prémisses physiques du transfert.

À travers le halo qui l'entourait, il distinguait les LED rouges de l'horloge murale... 0 h 1 min... Plus qu'une minute, et il saurait. À travers le brouillard violent, il discernait les silhouettes floues des scientifiques. Au milieu, Werner Hoffmann était concentré à la fois sur l'évolution de la lumière et sur l'écran face à lui. Soudain, il se leva brutalement et se retourna...

***

La porte du laboratoire venait de s'ouvrir violemment. Il n'eut même pas le temps d'avertir Gasparri de ne pas pénétrer...

— Werner, cria Antonin Gasparri, il faut tout arrêter... Belami nous a découverts... Ses hommes armés sont en train de tirer sur tout le monde... Chabaline a été tué... Et sans doute des dizaines d'autres... Il faut arrêter le transfert...

— C'est trop tard, Président ! Le processus est irréversible. Dans...

Il jeta un coup d'œil à l'horloge.

— ... vingt-quatre secondes, ce sera terminé. Chabert aura disparu...

Tous les scientifiques s'étaient levés et assistaient à l'échange entre les deux hommes. Ils se tournèrent vers la porte quand ils entendirent des tirs d'armes à feu automatiques.

La porte ouverte par laquelle les trois responsables de Renaissance étaient entrés restait la seule issue pour fuir.

Les tirs se rapprochaient.

La panique s'empara de tout le monde et une vague blanche déferla vers la sortie qui donnait sur un couloir. À l'instant même où tous les scientifiques, hommes et femmes, s'y précipitaient, une rafale arrosa le groupe qui s'affaissa en projetant des éclaboussures de sang sur les murs.

— On est foutus, hurla Philippe Aubert terrorisé.

— Partez, courez, leur lança Werner Hoffmann. J'attends le transfert… plus que dix secondes…

— Non, venez, Werner ! Laissez tomber ! Sauvez votre peau !

— Notre vie, Président, elle est là ! Avec le transfert de Chabert. Nous devons lui permettre de changer l'Histoire. C'est le point final de cinquante ans de recherche d'une stratégie. Nous y sommes, Président.

— Écoutez ! Vous entendez les pas dans le couloir ? Ils seront ici dans quelques secondes…

— Dans quelques secondes, Chabert disparaîtra !

— Et nous, Werner ? Et nous ?

— Nous, Président ? Nous allons mourir. C'est probable… Mais nous renaîtrons… Dans l'autre trame ! Celle que Chabert va créer…

Trois policiers casqués et harnachés comme en temps de guerre apparurent dans l'embrasure de la porte.

***

L'éclat l'aveuglait. L'ensemble du corps de Fabien tremblait sous l'effet des vibrations intenses de son siège.

Parmi les éclairs qui entouraient la sphère, il avait perçu une forte agitation. Les blouses blanches se confondaient dans la violence fulgurante de la lumière. Il lui sembla qu'elles avaient disparu du laboratoire... Il distinguait mal les chiffres rouges flous de l'horloge murale devenue comme mouvante... Il crut voir le 4 qui passait au 3 puis... un bruit sec... répété... comme celui d'une arme à feu qui s'éloignait dans l'infini de l'espace... Des ombres... Des corps qui s'affaissent...

Un éclair d'une violence exceptionnelle effaça tout autour de lui... Une idée lui traversa l'esprit...

ILS SONT MORTS... JE SUIS MORT...

***

Les trois policiers tirèrent ensemble sur la sphère qui explosa et abandonnèrent le laboratoire.

Après le fracas épouvantable du verre subsistaient quelques crépitements générés par de brefs éclairs qui se succédaient à l'extrémité des deux énormes électrodes.

À l'intérieur de la sphère explosée, juste un siège.
En titane.
Vide.

Autour, hormis les quelques grésillements, le silence…

Sur le carrelage blanc du sol, des flaques de sang s'étalaient et se mélangeaient…

À la source, quatre corps.

Criblés de balles.

Enchevêtrés dans des positions ridicules.

Gasparri, Hoffmann, Lacombe et Aubert.

Non seulement ils étaient morts.

Mais avec eux s'éteignait Renaissance.

2031

20

Paris
Jeudi 23 octobre 2031 – 13 h 25

Anne Anderson quitta la clinique Arago après avoir travaillé une bonne partie de la nuit et la matinée aux urgences de chirurgie orthopédique et traumatologique. Comme chaque jour, elle remonta la rue Raymond Losserand jusqu'à la station de métro Plaisance, distante de quatre cents mètres, pour pénétrer dans une rame de la ligne 13 en direction de Saint-Denis.

Machinalement, comme chaque jour, elle descendit au bout de trois arrêts, se faufila dans les couloirs jusqu'à la 12 pour embarquer en direction de la Porte de la Chapelle.

Trente minutes plus tard, comme chaque jour, elle posait le pied sur le quai de Solferino.

Une fois à l'air libre, elle remonta à pied sur soixante mètres la rue Bellechasse, puis la rue Saint-Dominique sur deux cent cinquante mètres. Elle avait hâte de rentrer. Elle ne voulait pas manquer le début du discours d'Adrien Chabert-Lévy retransmis en direct sur la chaîne parlementaire.

Comme chaque jour, elle traversa le square Samuel Rousseau quand elle entendit une sorte de plainte sur sa gauche. Intriguée, elle contourna une haie et découvrit, stupéfaite, un homme d'une quarantaine d'années, jeans et blouson de cuir, allongé sur la pelouse derrière un banc. Il paraissait étourdi. Son instinct professionnel l'incita à lui porter secours.

— Vous allez bien, monsieur ? lui demanda-t-elle en l'aidant à se relever.

Fabien était perdu, décontenancé, désorienté. Il chercha des points de repère, mais c'était bien trop compliqué.

— Monsieur ? Ça va ? répéta Anne.

C'est seulement à cet instant qu'il repéra la jeune femme blonde aux lunettes de soleil noires. Elle lui avait parlé. Qu'avait-elle dit ? Ses mots avaient percuté son cerveau, mais s'étaient fracassés contre le mur de son incompréhension. Il ferma les yeux et se frotta les tempes.

— Voulez-vous que j'appelle la police ? Les pompiers ?

Le terme « police » résonna dans sa tête comme une alarme et il ouvrit dans son esprit une brèche vers la réalité.

— Je... où... où suis-je ?

— Oh là, vous êtes sonné, vous...

Fabien reprenait pied dans un monde concret. Il regarda autour de lui et éprouva le besoin de s'asseoir sur le banc.

— Écoutez, je suis infirmière, j'habite à deux pas... Venez chez moi, je vais vous donner quelque chose !... Vous vous souvenez de ce qu'il vous est arrivé ?

Il leva la tête vers elle et fut ébloui par le soleil derrière elle. Ce fut le premier déclic... Une sphère de lumière blanche et violente...

Cette impression visuelle provoqua des tremblements dans tout son corps qu'il eut du mal à réprimer.

— Bon, allez, vous avez froid... Venez avec moi, déclara-t-elle en le prenant par le bras pour qu'il se lève. Je vais m'occuper de vous...

La position debout lui donna le vertige qui disparut après quelques pas.

— Là, c'est mieux... Appuyez-vous sur mon épaule... Juste pour retrouver le sens de l'équilibre...

Pendant qu'ils progressaient lentement sur la rue Las Cases, Anne réfléchissait...

Appeler les pompiers aurait été plus simple ! Mais non, comme à ton habitude, tu t'es crue investie d'une mission... Porter secours, pour toi, c'est plus qu'un réflexe professionnel... C'est un besoin... un sacerdoce... Bon, t'arrêtes, là, tu crois pas que t'en fais un peu trop... Tu vois bien que ce type apparemment n'a rien bu... Il ne sent pas l'alcool... Il est plutôt comme en état de choc... Je me demande ce qui lui est arrivé...

— Voilà, nous y sommes…

Elle composa le code digital. La porte s'entrouvrit avec le même cliquetis habituel. Elle la poussa et ils entrèrent dans le couloir de l'immeuble.

Pendant qu'ils gravissaient les marches, Fabien sut qu'il recouvrait progressivement la mémoire. La lumière solaire et ses tremblements avaient déclenché le processus. D'abord, une sphère s'était imposée… Puis des éclairs… Et là, en suivant cette femme dans les escaliers, une image avait percuté son cerveau et tout balayé : Linda !... 2084… **2084** ???

— Euh… Excusez-moi ! En… en quelle année sommes-nous ?

Aïe ! Amnésie, songea Anne. Finalement, je devrais peut-être appeler les pompiers…

— En 2031…
— 2031 ! Et… quelle… date ?

Ah oui, quand même ! Là, il est bien sonné…

— Le 23 octobre… on est jeudi…

Nom de Dieu ! Je me souviens… Le laboratoire… Le transfert spatio-temporel… Hoffmann !... Werner Hoffmann m'a envoyé au jeudi 23 octobre 2031…

Ils parvinrent devant l'appartement. Fabien s'étonna de la voir introduire une clef dans une serrure pour ouvrir la porte. En 2031, les capteurs vestimentaires individualisés n'existaient pas encore...

Anne le fit entrer et l'invita à s'asseoir dans un des fauteuils du salon, pendant qu'elle ôtait son manteau. Elle alla lui chercher un verre d'eau dans lequel elle plongea un comprimé soluble de vitamine B1.

— Tenez, buvez ça ! Vous vous sentirez mieux. Je vous abandonne cinq minutes. Je vais récupérer ma fille. C'est ma voisine de palier qui la garde lorsque je vais travailler.

Elle ne lui laissa pas le temps de réagir et quitta aussitôt l'appartement.

Fabien mit cette solitude à profit pour faire le point. Et plus il réfléchissait, plus il prenait conscience de l'incroyable réalité dans laquelle il était plongé...
Le transfert aurait donc réussi ? Je serais effectivement en 2031... C'est complètement dingue... C'est fou... Jeudi 23 octobre 2031... Mais pourquoi ? Pourquoi ce transfert ? Ce saut dans le temps n'a rien de touristique... Alors pourquoi Hoffmann m'a-t-il envoyé ici ? Impossible de m'en souvenir...

Malgré les difficultés à retrouver une cohérence dans ses idées, il ne put s'empêcher de rire. Il était partagé entre farce et réalité abracadabrantesque. Entre gag et absurdité fictionnelle.

Le nom de Neil Armstrong, le premier homme à avoir marché sur la lune s'immisça dans ses pensées.

Aucun rapport, l'astronaute américain a marqué au moins l'histoire de la conquête de l'espace, mais moi…

Sa réflexion fut interrompue brutalement. Un terme venait d'ouvrir une porte… « Espace » qui le liait à son transfert spatio-temporel ? Non. C'était autre chose. Il répéta mentalement sa pensée à propos de Neil Armstrong…

… l'astronaute américain a marqué l'histoire de… Bon sang !…

Il avait trouvé. Le mot « histoire » le renvoyait à ce qu'il était vraiment : professeur et maître de conférences en histoire-géopolitique ! Et même écrivain en tant qu'historien…

Cette réminiscence lui laissait entrevoir une lumière. Il savait que bientôt il se souviendrait de l'objectif de son transfert.

Les rires d'un enfant le tirèrent de sa quête intérieure. Anne entra dans le salon avec Louise.

— Comment vous sentez-vous, lui demanda-t-elle ?

— Mieux. Merci. Bonjour, lança-t-il d'un sourire qu'il espéra amical à la petite fille dont la joie s'était arrêtée net dès qu'elle l'avait aperçu.

— C'est ma fille, Louise.

— Bonjour, Louise…

— Elle a trois ans. Louise, dis bonjour à… Au fait,

nous ne nous sommes même pas présentés… C'est vrai que votre état a balayé toutes les convenances…

— Je vous l'accorde, et je vous prie de m'en excuser. Merci aussi pour votre soutien et votre accueil…

— Ne vous inquiétez pas ! C'est normal…

— Je m'appelle Fabien Brissot.

— Enchantée, Fabien. Moi, c'est Anne… Anne Anderson, précisa-t-elle en ôtant ses lunettes de soleil noires.

Ce fut un choc pour Fabien. Le prénom, le nom, confirmé par le cache-œil couleur chair, et même son visage encadré par ses cheveux blonds, lui avaient fait prendre conscience en une fraction de seconde qu'un des symboles du « Cercle 20 » lui faisait face. Anne était entrée dans l'histoire. D'une part en tant que millième éborgnée du groupe des « Mille yeux », et d'autre part pour être tombée sous les premiers tirs de l'armée sur les Champs Élysées au cours de la manifestation initiée par l'UPO après la mort de…

— … **Adrien Chabert-Lévy** !

— Pardon ? lâcha Anne, étonnée.

— Je… euh… excusez-moi, bafouilla Fabien, qui venait de se rendre compte qu'il avait prononcé le nom de son grand-père à haute voix. Je… je ne sais pas pourquoi, mais votre identité m'a fait penser à mon… au député Chabert-Lévy… Peut-être est-il lié à sa mort et à la manifestation où…

Devant la stupéfaction et la réaction d'Anne, Fabien réalisa toute l'incongruité de ses propos.

— Co… comment Adrien Chabert-Lévy est mort ?

— Heu, non, rassurez-vous ! Je dis n'importe quoi. C'est sans doute le choc que j'ai subi…

— Ah, vous m'avez fait peur ! Enfin… pour Chabert-Lévy. Mais il doit justement faire son discours au Parlement dans quelques minutes. D'ailleurs, je vais allumer la télé, parce qu'il est retransmis… C'est un évènement… Vous savez qu'il a été élu premier secrétaire de l'UPO ?

— Oui, oui, je suis au courant…

— Je suis militante et une fan absolue de cet homme. En principe, il va annoncer sa candidature à la présidentielle…

— Je sais cela aussi…

— Il a une super cote de popularité. Je suis certaine qu'il sera élu…

Le son précéda l'image qui apparut sur l'écran plat mural. Sur le plateau de la chaîne parlementaire, plusieurs journalistes commentaient l'actualité politique, alors que des plans muets montraient l'intérieur de l'Assemblée nationale.

Anne réduisit le volume avec la télécommande qu'elle avait en main.

— Je le remettrai quand commencera le début de la séance. En attendant, parlons de vous ! Vous souvenez-vous de ce qu'il vous est arrivé ?
Oh oui, Anne ! Je viens de 2084…

— Je… en traversant le parc j'ai eu envie de me

reposer... Je... Au lieu de m'installer sur le banc normalement, je... j'ai voulu jouer au jeune. Je suis monté dessus pour m'asseoir sur le dossier... et je... j'ai perdu l'équilibre, je suis tombé en arrière et c'est... euh... c'est là que vous avez dû me trouver...

— En tout cas, vous aviez l'air d'être bien sonné...

— Maman, tu m'donnes mon bibi ? l'interrompit Louise.

— Oui, ma puce... Viens, on va le faire chauffer... Vous m'excusez deux secondes, Fabien ?

— Je vous en prie...

Pendant qu'elles s'éloignaient toutes les deux vers la cuisine, Fabien regarda l'écran. Une certaine agitation régnait au Palais Bourbon dont il identifia certaines pièces restées intactes dans le musée de 2084.

Des députés discutaient dans le salon Pujol, d'autres, dans le salon Delacroix.

Soudain, il eut la sensation que son cœur cessait de battre. Pour avoir depuis si longtemps mémorisé sa photo, il le reconnut.

Adrien Chabert-Lévy entrait avec deux confrères par la grande Rotonde. Il gagna directement le salon Delacroix où il salua plusieurs députés sans doute de son parti.

Pour la première fois, il voyait son grand-père vivant. C'était un homme impressionnant de par sa stature. Alors qu'il s'imprégnait de son image mouvante, sur les plans suivants, il retrouva le cœur de ses archives historiques qu'il connaissait par cœur.

Il reconnut Olivier Verneuil, Premier ministre, suivi de son ministre de l'Intérieur, Lucas Serrano. Ils traversèrent la salle des pas perdus, passèrent devant le salon Delacroix et s'engouffrèrent dans le salon Casimir-Perier sans s'y arrêter pour pénétrer dans l'Hémicycle.

À l'instar des membres du gouvernement, tous les députés gagnèrent leur siège à leur nom.

Changement de plan. Dans la salle des Pas Perdus, Fabien identifia aisément le Président de l'Assemblée, Jocelyn Guillaumet. Il franchit la double haie d'honneur des Gardes républicains, se dirigea vers la salle des séances, et entra dans l'arène.

Tous les députés se levèrent. Le Président resta lui-même debout et commença à prendre la parole...

— Vous auriez pu mettre le son, dit Anne au retour de la cuisine avec dans les bras Louise qui suçait la tétine du biberon qu'elle tenait d'une main, tout en tournicotant de l'autre une de ses mèches de cheveux.

Elle prit place dans le fauteuil disponible, saisit la télécommande posée sur la petite table en verre et monta le volume. La voix grave de Jocelyn Guillaumet s'imposa aussitôt dans le salon.

« ... *sont morts dans un attentat-suicide de grande ampleur. On dénombre également plus de deux cents victimes parmi la population. Les corps seront rapatriés en France et le Président de la République leur rendra un hommage national dans la cour d'Honneur des Invalides lundi prochain. En mémoire de ces quarante-deux soldats morts pour la patrie, nous allons observer une minute de silence… »*

Tous les membres et personnels de l'Assemblée se figèrent dans une longue communion dont l'émotion collective était palpable. Le temps semblait arrêté.

Jocelyn Guillaumet reprit finalement la parole et invita tout le monde à s'asseoir. Après quelques échanges sur l'ordre du jour avec deux de ses secrétaires, il annonça solennellement :

« La séance est ouverte. Mesdames, Messieurs les Députés, sur proposition des quatre présidents des groupes parlementaires de gauche avec qui je me suis entretenu, je suis autorisé à vous informer que chacun abandonne exceptionnellement ce jour son temps de parole au premier secrétaire du Parti socialiste, Monsieur Adrien Chabert-Lévy. Monsieur le Député, le temps de parole de votre intervention sera donc de vingt minutes. »

Pour conclure, il désigna de la main l'endroit destiné aux orateurs sous le perchoir.

Adrien Chabert-Lévy quitta son siège et se dirigea vers la tribune.

Fabien était tendu. Il savait. Pour l'avoir si souvent épluché, lu, relu, découpé, analysé, il connaissait le discours de son grand-père par cœur. Il était fasciné.

Une fois en place et après avoir remercié le Président, Adrien Chabert-Lévy prit la parole.

« Monsieur le Président, Mesdames et Messieurs les Députés, mes chers collègues… Au nom des partis d'opposition pour qui je m'adresse aujourd'hui, je tiens à exprimer mes condoléances aux familles des victimes et à leur faire part de notre tristesse et de notre profonde émotion… »

Il marqua ensuite une légère pause et balaya du regard l'ensemble des députés quelques secondes avec une lenteur calculée et, comme son intervention était plus qu'attendue, le silence s'imposa.

Un plan large permit de constater que le public garnissait allègrement les galeries et tribunes qui cernaient le haut de l'Hémicycle. Les journalistes étaient nombreux.

Adrien Chabert-Lévy prit une profonde inspiration, conscient de la solennité de l'instant privilégié qu'il vivait.

Fabien l'attendait. Il la connaissait. L'anaphore historique du discours allait s'inscrire dans le temps.

« J'ai mal à mon pays !… J'ai mal à mon pays parce qu'il souffre. Il agonise… »

De mémoire, Fabien récita la suite du discours en

même temps que son grand-père, et Anne en resta bouche bée.

— … Il meurt à petit feu. J'ai mal à mon pays parce que depuis plus d'un demi-siècle, la Finance a manœuvré nos gouvernants afin qu'ils imposent la rentabilité et la richesse comme principes fondamentaux de notre civilisation…

— Vous… vous connaissez son discours ?

— Oui… je… je l'ai eu entre les mains… je… je vous expliquerai… Attendez ! Écoutons la suite…

« … élémentaires de la société. J'ai mal à mon pays parce que ses plaies saignent. Le service public a disparu. Les hôpitaux sont devenus des entreprises en recherche de profits au détriment de la santé. L'école s'est transformée en valeur marchande avec la privatisation du système éducatif. J'ai mal à mon pays parce que l'espérance de vie a chuté. L'âge de la retraite, année après année, est passé insidieusement de soixante à soixante-dix ans. Pour ceux qui y parviennent. J'ai mal à mon pays parce que la seule philosophie et la seule politique qui vaillent depuis trente ans au détriment du peuple, sont celles de l'économie de marché. »

Le député jeta un coup d'œil rapide à son plan sur la feuille posée sur le sous-main.

Mon Dieu ! s'exclama intérieurement Fabien, *c'est là qu'il découvre le livre transféré…*

En même temps qu'il prit conscience de l'origine du livre, tout lui revint en mémoire... Le groupe Renaissance... Antonin Gasparri... Benjamin Lacombe... Philippe Aubert... Tous derrière Hoffmann pour assister à son transfert après...

Bonté divine ! Après m'avoir expliqué l'objectif de ma mission... Éviter que mon grand-père saute du pont de la Concorde ! Et c'est pour bientôt !...

Adrien Chabert-Lévy poussa légèrement le livre d'une main sur le côté de sa feuille sans le regarder. Le livre pivota d'un quart de tour. Il poursuivit son discours.

« *En 1776, Adam Smith, pourtant partisan du libéralisme...* »

Fabien était à l'affût du moindre changement dans son comportement...

Là, il se pose des questions...

« *... soutenait que l'État devait se soucier du bien public, que l'économie ne saurait fonctionner sans vertu et que le marché produisait des effets pervers qu'il fallait corriger. Aujourd'hui, nous sommes bien loin de cet idéal moral et politique. Et c'est bien la raison pour laquelle, on parle depuis les années soixante-dix de néolibéralisme qui prône une réduction du rôle de l'État et le développement du marché dans tous les domaines. Sur le plan* *socioculturel…* »

Ça commence vraiment à l'intriguer…

« *… c'est une idéologie hédoniste qui vise l'augmentation des droits individuels. Elle valorise l'intérêt égoïste au détriment du devoir collectif et des vertus communes. Et l'État n'est pas neutre. Il pousse vers la dérégulation, accentue la compétition…* »

Il n'a pas dû encore lire le titre… il aurait réagi…

Fabien le vit pousser discrètement le livre vers le centre du sous-main tout en le faisant pivoter pour l'orienter de manière à ce qu'il puisse appréhender la couverture d'un coup d'œil.

« *… ce qui a provoqué et provoque encore aujourd'hui de graves tensions sociales. J'ai mal à mon pays, parce que les théories avancées depuis le début de ce vingt-et-unième siècle par les partisans de la collapsologie, à savoir l'effondrement de notre civilisation, se vérifient de jour en jour…* »

Baissant imperceptiblement la tête, le titre lui sauta aux yeux.

Ça y est ! Là, il l'a lu…

« *… L'effondrement de… de… la civilisation a déjà commencé. Les… les… bases de…* »

Adrien Chabert-Lévy se tourna vers le Président, légèrement surpris.

« Pardonnez-moi, Monsieur le Président, je… je ne me sens pas très bien… Pourrait-on me… m'apporter un verre d'eau, s'il vous plaît ? »

Le Président fit un signe à l'une de ses collaboratrices. Quelques secondes après, elle gravit l'escalier de la tribune et lui procura le verre demandé. Adrien Chabert-Lévy la remercia et but le contenu d'un trait. Tous les parlementaires et fonctionnaires présents étaient intrigués. Chabert-Lévy, avec son mètre quatre-vingt-dix, ne donnait pas, habituellement, l'impression d'une quelconque fragilité. Quand il reposa le verre sur le plateau, il en profita pour tourner du pouce la couverture du livre. D'un coup d'œil éclair, il déchiffra une phrase manuscrite…

Punaise ! Ça y est ! Il a lu ma phrase en première page !

« Je… Excusez-moi, Monsieur le Président… je ne me sens vraiment pas bien… Puis-je solliciter une suspension de séance ? »

Jocelyn Guillaumet, surpris, mais attentif, une main sur son micro se pencha pour lui dire quelques mots.

Adrien Chabert-Lévy ramassa ses feuilles et

surtout **LE** livre. Pendant qu'il descendait de la tribune, le président annonça dans le micro :

« *Pendant que monsieur Chabert-Lévy va se reposer un peu, je vous propose de passer à la suite du programme prévu. Monsieur Chabert-Lévy nous rejoindra dès qu'il se sentira mieux. Je propose donc, si elle est d'accord, à madame Grémillon de prendre la parole. Madame la députée…* »

Fabien regarda l'heure… 15 h 50 ! Vingt-cinq minutes pour agir.

— Il a eu un malaise, supposa Anne, en éteignant le téléviseur. Alors, dites-moi… comment avez-vous eu connaissance de son discours ?

Fabien prit conscience de l'urgence. Il ne pouvait pas tout raconter à Anne maintenant… Elle le prendrait pour un cinglé… Pour la convaincre de l'aider, il ne pouvait jouer que sur un seul tableau…

— Écoutez, Anne ! Je ne peux pas tout vous expliquer, mais je vous demande de me faire confiance. Adrien Chabert-Lévy va s'enfuir de l'Assemblée…

— S'enfuir ? Mais pourquoi ?

— Vous avez vu qu'il est parti avec un livre ?

— Oui, mais…

— Ce livre lui est consacré. L'auteur le lui a dédicacé. Il lui a écrit qu'il allait être assassiné…

— Comment ? Mais qui est l'auteur ?

— Anne, s'il vous plaît, faites-moi confiance ! Il

sera poursuivi bientôt par des hommes de Serrano sur le pont de la Concorde. Pour leur échapper, sa seule alternative sera de se jeter dans la Seine. Par manque de chance, il va s'écraser sur un bateau-mouche. Je vous en supplie... Vous êtes une fan... Vous me l'avez dit... Nous devons le sauver...

— Je n'y comprends rien, mais que voulez-vous que je fasse ?

— Possédez-vous vous une voiture ?

— Oui, au parking !... Mince, ma carte bleue !

— Comment ?

— Non, rien. Je devais récupérer ma carte bleue dans ma voiture, mais j'ai oublié. Et Louise ?

— Il est préférable qu'elle reste en sécurité. Pouvez-vous la laisser chez votre voisine ?

— Oui, je...

— Alors, allez-y ! Vous viendrez la chercher plus tard. Dépêchez-vous ! Le temps presse...

Anne prit sa fille dans ses bras et sortit au pas de course. Une minute après, elle était de retour.

— Et on va où avec la voiture ?

— On va au pont de la Concorde récupérer Chabert-Lévy avant qu'il saute, et surtout avant que les hommes de Serrano lui tombent dessus.

Anne passa son manteau et décrocha les clefs du support où elles étaient suspendues. Elle vérifia qu'elle avait les papiers dans son sac à main, chaussa ses lunettes de soleil noires et, suivie par Fabien, quitta l'appartement dont elle claqua la porte. Ils se précipitèrent dans les escaliers, direction le parking.

Essoufflés, ils parvinrent devant sa Toyota Corolla rouge.

— Vous voulez conduire ? demanda-t-elle à Fabien.

— Euh… Non, allez-y ! Vous la connaissez mieux que moi…

Inutile de lui avouer qu'il ignorait tout ou presque de ce genre de véhicule. En 2084, il ne possédait pas de moyen de transport personnel. Et le permis de conduire n'existait plus depuis belle lurette…

Elle déverrouilla les portières et ils s'installèrent. Anne, soulagée, récupéra sa carte bleue dans la console centrale entre les deux sièges et lança le démarreur.

— Alors ? Direction le pont de la Concorde ?

— Oui, s'il vous plaît ?

— Je n'y comprends toujours rien, mais… c'est parti !

Première.

Seconde.

Rampe de sortie.

Ouverture automatique de la porte métallique du parking.

La Toyota s'engagea dans la rue de Bourgogne.

21

Paris
Jeudi 23 octobre 2031 – 15 h 59

Anne suivit la rue de Bourgogne et s'arrêta aux feux de la rue de Grenelle.

— Qu'attendez-vous ? demanda Fabien. Allez-y !

— Pardon ? Mais le feu est au rouge…

— La vie de Chabert-Lévy est en jeu…

— Désolée, mais on n'est pas dans un film… Je n'ai pas envie de risquer la mienne, s'insurgea-t-elle en démarrant alors que le feu venait de passer au vert.

Fabien décida de ne plus intervenir en espérant simplement qu'ils arriveraient à temps.

Ils s'engagèrent sur la rue de Grenelle, longèrent l'Hôtel de Noirmoutier sur la droite, résidence particulière du Préfet de Paris, l'Hôtel du Châtelet sur la gauche, siège du ministère du Travail. Et juste en face l'ambassade de Suisse. Anne accéléra pour franchir le carrefour de la rue de Talleyrand et du boulevard des Invalides dont le feu était au vert tout comme, par chance, celui de la rue de Constantine qu'elle enfila en tournant à droite.

— C'est encore loin ? demanda Fabien.

— Non, le Quai d'Orsay se trouve au bout de cette rue...

Anne fut contrainte de s'arrêter à nouveau à un feu rouge. Celui de la rue de l'Université.

Fabien jeta un œil sur l'heure affichée sur l'écran central de l'ordinateur de bord... 16 h 5 !

— Plus que dix minutes ! lâcha-t-il malgré lui.

— Je fais ce que je peux, répliqua Anne en enclenchant la première dès que le feu fut vert. Dans deux cents mètres, c'est le Quai d'Orsay...

Vingt secondes plus tard, elle tourna à droite et accéléra jusque...

Fabien en resta muet d'émerveillement.

Le musée Bourbon était apparu devant lui, avec l'intégralité des colonnes et du toit... Ce n'était plus le musée... C'était le Palais Bourbon intact... c'était...

— L'Assemblée nationale ! annonça Anne. Regardez si vous l'apercevez !

— Qui ?

— Ben... Chabert-Lévy ! C'est pour lui que nous sommes là, non ?

— Ah oui, excusez-moi ! C'est la première fois que...

— La première fois que quoi ?

— Non, rien... **LÀ**... **LÀ**... **C'EST LUI** !... cria Fabien en montrant du doigt l'homme qui traversait le passage protégé à grandes enjambées...

Anne regarda dans la direction indiquée et reconnut la stature impressionnante d'Adrien

Chabert-Lévy.

— On fait quoi ? demanda-t-elle, alors qu'elle attendait dans la file de voitures un nouveau feu vert.

— Il va vers le pont... Tournez à gauche !

— Vous me faites rigoler, vous ! Quand ça avancera...

Fabien bouillait intérieurement d'impatience. Il savait que tout allait se jouer là, dans les secondes à venir... Ou il sauvait son grand-père maintenant... ou l'avenir politique de la France ne changerait pas et serait soumis pour des décennies à la dictature...

Au feu vert, la file de voitures commença à se déplacer. Fabien aperçut sur sa droite, deux hommes qui venaient d'arriver en courant devant le passage protégé. L'un des deux parlait dans un boîtier noir muni d'une antenne. Sans doute un ancien talkiewalkie.

— Les hommes de Serrano, informa-t-il Anne alors qu'elle s'engageait sur le pont de la Concorde.

Anne les avait identifiés également à leur allure avant de tourner à gauche. Elle observa Chabert-Lévy sur le trottoir opposé qui marchait à grands pas en se retournant souvent, ce qui témoignait de son inquiétude.

— Le voilà ! s'écria-t-elle sans le quitter des yeux.

Tandis qu'ils parvenaient à son niveau, ils le virent se figer. Qu'avait-il vu en face de lui ? Quand Fabien repéra quatre policiers qui avançaient vers son grand-père, il prit la mesure de la situation. Avec les hommes de Serrano qui approchaient derrière lui, il se savait cerné. Fabien comprenait pourquoi il avait alors choisi de sauter.

— Arrêtez-vous ! hurla-t-il.

— Hein ? Ici ? Maintenant ?

— Oui ! Garez-vous… **VITE** !

— Mais je…

— **ARRÊTEZ-VOUS** !

Anne mit son clignotant et se rangea le long du trottoir.

Fabien sauta de la Toyota et sut que son grand-père, sur le trottoir opposé tentait de trouver une solution pour échapper à ses poursuivants.

— **ADRIEN** ! cria-t-il, les mains en porte-voix.

Chabert-Lévy l'aperçut, eut une hésitation, et lorsqu'il vit Fabien lui faire signe du bras pour l'inviter à le rejoindre, il se lança dans sa direction. Il progressait entre les voitures qui freinaient pour ne pas le renverser, provoquant un concert de klaxons rageurs.

De chaque côté du pont, ses poursuivants avaient dû comprendre ce qui se passait, car eux aussi se mirent à courir. Les policiers parvinrent même à stopper la circulation pour traverser à leur tour.

Tout se déroula ensuite très vite.

Chabert-Lévy atteignit le trottoir.
Fabien ouvrit la portière arrière.
Chabert-Lévy s'engouffra dans la Toyota.
Fabien claqua la portière.
Sauta à côté d'Anne.

Claqua la sienne.

— Foncez !

— Les... les flics vont... vont m'arrêter...

— **Foncez, je vous dis** !

Anne démarra sur les chapeaux de roue et frôla un policier qui s'apprêtait à les rejoindre.

Du coin de l'œil, elle le vit même dégainer une arme.

— **Il va nous tirer dessus** ! hurla-t-elle.

Chabert-Lévy regarda par la lunette arrière, tout comme Fabien. Le policier braqua son revolver dans leur direction, mais baissa le bras aussitôt.

— Non, il ne tirera pas, affirma Fabien. Il y a trop de voitures autour de nous. Foncez !...

— Je vais où ?

Fabien était médusé. Il avait croisé le regard de son grand-père qui venait de se retourner.

Il ne l'avait toujours vu qu'en photo.

Là, il était en vie.

En chair et en os.

C'était incroyable. Pour la première fois, il comprit qu'il avait vraiment été transféré en 2031.

Sans le quitter des yeux, Adrien Chabert-Lévy semblait aussi étonné que lui.

On dirait qu'il me reconnaît, songea Fabien.

Il trouva ridicule cette hypothèse. Comment Adrien Chabert-Lévy pouvait-il l'identifier, lui, comme son petit-fils qui ne naîtrait que dix ans plus tard ? En une fraction de seconde, il réalisa que son grand-père, lui, était né en 1988, l'année de l'élection de Mitterrand pour son deuxième mandat. Et ils avaient, là, aujourd'hui, tous les deux le même âge... Quarante-trois ans !

— **Je vais où** ? répéta Anne, cette fois à la limite de l'hystérie.

Fabien regarda autour de lui pour tenter de se repérer. Ils venaient de s'engager sans doute sur la place de la Concorde... accessible aux voitures !... Pas de pelouse grillée... Et surtout... le Mémorial ?... Le Mémorial n'était plus là ! Il réalisa qu'en fait, il n'existait pas encore puisqu'à cet instant, la manifestation du « Cercle 20 » ne s'était pas déroulée. Et « La Vague » n'avait pas encore déferlé.

Adrien Chabert-Lévy songea à l'hôtel de Crillon où il passait parfois la nuit, mais abandonna l'idée. Il lui apporta la réponse.

— Allez rue de Lappe ! C'est là que se situe mon appartement...

— Je ne sais pas où c'est, s'affola Anne sous le coup d'un double choc. Le pétrin dans lequel ils se trouvaient et la prise de conscience qu'elle transportait le député Adrien Chabert-Lévy, secrétaire général de l'UPO, dans sa voiture.

— Je vais vous guider. On ne va pas revenir en arrière pour suivre le quai des Tuileries. Trop risqué. Continuez tout droit par la rue Saint-Florentin, puis descendez la rue Saint-Honoré. Vous connaissez Paris ?

— Je me débrouille...

— Bon, alors, allez-y ! Rue Saint-Honoré jusqu'à la rue du Pont-Neuf, puis nous rejoindrons le quai de la Mégisserie, puis le quai de Gesvres. Ensuite je vous indiquerai...

— Excusez-moi ! Vous ne croyez pas que nous rendre chez vous peut être dangereux ? demanda Fabien.

— Ils auront relevé la plaque minéralogique de votre voiture, c'est certain. C'est donc chez vous qu'ils iront en premier.

— **QUOI** ? s'écria Anne. Mais ce n'est pas possible... Ma fille...

— Du calme, Anne, la rassura Fabien, elle est chez sa nourrice, non ?

Anne respira, soulagée.

— Pardon, oui, vous avez raison...

— Là, tournez à droite !...

— Excusez-moi, répéta Fabien, je ne crois pas qu'aller chez vous soit une bonne idée.

— En avez-vous une meilleure, monsieur Brissot ? asséna Adrien Chabert-Lévy en appuyant sur les deux derniers mots.

La réplique foudroya Fabien qui se retourna d'un seul coup vers lui.

Son grand-père tenait **SON** livre dans une main. Il le reconnut à la couverture et au titre... « Et si... ou le destin tragique d'Adrien Chabert-Lévy ». C'est là qu'il comprit, atterré.

Il se trouvait face au livre du transfert...

Adrien Chabert-Lévy, son grand-père, fixait la

quatrième de couverture qu'il présenta à Fabien.

La sienne.

Celle où il était en photo !

Fabien se retourna et fixa les rues de Paris qui défilaient sans les voir. Il se sentait piégé.

— Au feu, continuez tout droit, madame !... Madame Brissot, je présume ?

— Non, non, pas du tout. Je m'appelle Anne Anderson, je suis infirmière à la clinique Arago, débita Anne qui commençait à regretter d'avoir porté secours à cet homme finalement mystérieux dans le square.

— Bien, remontez le boulevard Henri IV jusqu'à la place de la Bastille... Nous serons bientôt arrivés et en sécurité dans mon appartement. Je crois que vous me devez quelques explications...

***

— Alors, monsieur Brissot... Comment avez-vous pu écrire l'intégralité de mon discours que je n'ai pas encore prononcé ? Ou vous avez un don médiumnique certain, ou bien, et là je me demande comment vous avez pu faire, vous avez réussi à fourrer votre nez dans mes notes préparatoires... Mais ce qui m'interpelle le plus, c'est votre texte même qui correspond à peu de chose près à ce que je m'apprêtais à improviser, comme si vous aviez pu vous introduire dans mon esprit... Seriez-vous télépathe, monsieur Brissot ? Et comment avez-vous pu faire état d'un rapport de police sur mon « assassinat » qui, selon vous, se déroulera demain ? Avouez que j'ai de quoi m'interroger…

Ils étaient tous les trois assis dans le salon de l'appartement. Fabien et Anne côte à côte, sur une banquette en velours blanc, Adrien Chabert-Lévy face à eux dans un fauteuil de la même matière.

Fabien se répétait inlassablement qu'il était piégé. Son grand-père n'était pas un idiot. Anne non plus. Ils ne pouvaient pas leur raconter n'importe quoi. Oui, oui, je suis médium. Oui, oui, j'ai un don de télépathie. Balivernes ! Il devait jouer cartes sur table. Être crédible. Mais pouvait-il l'être vraiment ? Voilà. Je viens du futur. Non, ce qu'il devait faire, c'était apporter des preuves. Des gages de sa bonne foi. Démontrer, grâce à sa connaissance des faits, qu'il pouvait inverser le cours de l'Histoire. Oui, c'était la solution. Ses propres compétences en histoire-géopolitique de la France, et ce qu'il savait de leurs destins à tous les deux lui permettraient de constituer un argumentaire infaillible. Bien évidemment, il ne devait pas commencer par une révélation qu'ils percevraient, à coup sûr, comme le scénario d'un de ces auteurs de science-fiction à l'imagination débordante. Toutes les questions que son grand-père venait de débiter lui avaient bien fait comprendre que son intelligence ne souffrirait pas la moindre défaillance dans ses réponses.

— Alors, monsieur Brissot ?

Fabien les regarda l'un après l'autre. Tous les

deux l'observaient. Cherchaient à lire sur son visage ce que cet homme étrange pouvait cacher.

Il inspira profondément.

C'était le moment.

C'était le tournant.

Sa mission en dépendait.

***

— Je n'ai pas de dons. Je ne suis ni médium ni télépathe. Je suis enseignant d'histoire-géopolitique et maître de conférences à l'université. Je suis également auteur d'ouvrages qui s'appuient sur de longues recherches documentaires dans les archives historiques ou médiatiques. Voilà pourquoi j'ai pu suivre vos parcours à tous deux, dans des domaines différents, mais motivés chacun par vos convictions politiques. Ainsi vous Anne, je sais que vous faites partie de l'association des « Mille yeux ». Vous la symbolisez pour avoir justement été la millième victime de la répression policière au cours de manifestations qui revendiquaient plus de postes, l'augmentation d'effectifs et l'ajustement des salaires des personnels soignants sur la moyenne euro-péenne. Malgré votre handicap, vous avez continué d'exercer votre profession d'infirmière dévouée aux autres et vous êtes reconnue et appréciée pour cela. Quant à vous, monsieur Chabert-Lévy…

Et dire que je ne l'appellerai jamais Papy…

… votre carrière est exemplaire. Parti de la noble profession de mécanicien, vous avez gravi tous les échelons. D'abord syndicaliste, puis militant socialiste, vous êtes entré dans ce parti en tant que membre de la fédération départementale de l'Aube. Puis vous avez accédé à des fonctions au bureau de la fédération nationale où vous êtes devenu le premier secrétaire. Face aux échecs successifs de la gauche, avec les responsables des autres formations, vous avez récemment fondé l'Union Parlementaire d'Opposition, l'UPO, et vous vous apprêtiez à annoncer votre candidature aux prochaines élections présidentielles. Vous l'auriez fait si vous n'aviez pas vu mon livre à la tribune avec ma phrase manuscrite en première page…

— Comment d'ailleurs ce livre est-il venu jusque-là ? Inexistant à mon arrivée et présent sur mes notes quelques instants plus tard…

— Je vous expliquerai cela. Mais laissez-moi poursuivre ! Votre discours éloquent et votre annonce d'entrée en campagne vont être plébiscités par des millions de Français et ce ne sera pas du goût d'Amaury Guichard. Demain soir, il projette d'effectuer une allocution télévisée au cours de laquelle, selon son hypocrisie habituelle, il va vous encenser, se réjouir de vous avoir face à lui dans la lutte pour le pouvoir. C'est pendant cette allocution, comme je l'ai écrit dans mon livre, que vous serez en route pour rejoindre votre famille dans l'Aube dans votre résidence de Bouy-sur-Orvin. C'est sur ce parcours que vous serez assassiné…

— Mais enfin, c'est ce que j'ai lu. Pourquoi avoir écrit cela ? s'énerva Adrien Chabert-Lévy, c'est de la pure invention…

— Vous croyez ? Je vais vous prouver que non. Demain, vous ne retrouverez pas votre épouse, Isabelle, professeur de lettres modernes au lycée Camille Claudel à Troyes. Ni votre fils Arthur, étudiant en médecine ni votre fille Annabelle, en terminale littéraire. Parce que le pouvoir en place vous fera assassiner sur la route entre Paris et Bouy par des agents à la solde de Serrano…

— C'est ce que dit le rapport…

— Avez-vous vu qui a rédigé ce rapport ?

— Non.

— Regardez ! C'est écrit page 224…

Adrien Chabert-Lévy s'empara du livre et alla directement à la page indiquée. Il releva la tête. Il avait légèrement pâli.

— Stéphane Houdin…

— Vous le connaissez ?

— Oui. Il est commissaire à Troyes. C'est un ami personnel…

— Je n'ai pas inventé ce rapport, ajouta Fabien pour enfoncer le clou. C'est une copie officielle. Inutile de l'appeler pour avoir une confirmation. Il n'a pas encore rédigé ce rapport, puisque vous ne serez assassiné que demain.

— Alors ? Comment pouvez-vous posséder une copie d'un rapport qui n'a pas encore été rédigé ?

— J'y viens. Permettez-moi d'enchaîner avec l'avenir de votre famille.

— Mais qu'est-ce que ma famille a à voir avec tout cela ?

— Partons du principe que vous serez assassiné demain. Votre fille Annabelle sera profondément marquée par votre décès et se suicidera dans quatre ans. Votre épouse Isabelle, bien touchée également par votre assassinat, sombrera dans une sorte de folie après le suicide de votre fille et terminera sa vie dans un asile psychiatrique.

— Arrêtez ! Vous dites n'importe quoi... Ce sont des affabulations...

— J'aimerais bien, soupira Fabien, ce serait plus simple pour moi.

— Alors, si vous n'avez aucun don de médiumnité ou de télépathie, comment pouvez-vous connaître mon avenir et celui de ma famille ?

Voilà. Il y était. C'était maintenant qu'il allait savoir si ça passait ou si ça cassait.

— J'y arrive. Laissez-moi vous parler de votre fils, Arthur. Après ses études de médecine brillamment réussies, il complétera son cursus universitaire en chirurgie et deviendra un cardiologue mondialement reconnu. Arthur se mariera avec Francesca Salvatori avec qui il aura deux enfants : Héloïse, née en 2044, et Gabriel, né en 2041.

— Encore une fois, monsieur Brissot, pour en terminer une fois pour toutes, comment pourriez-vous connaître l'avenir ? Je vous demande une

371

réponse claire…

Allez, c'est le moment…

Fabien regarda avec intensité son grand-père et Anne. Son cœur cognait à tout rompre dans sa poitrine.

— Parce que je m'appelle Gabriel Chabert-Lévy et que je suis votre petit-fils.

— QUOI ? Bon, allez, j'ai assez entendu de stupidités comme ça. Basta ! On arrête là…

— Vous savez quoi ? Eh bien, je m'attendais à cette réaction. Elle est logique. Pourtant, si nous avions eu le temps, je vous aurais proposé de comparer nos ADN par analyse. Les résultats auraient confirmé notre filiation. Maintenant, je vous demande encore un peu d'attention, car je vais vous expliquer d'où et surtout de quand je viens.

— Qu'est-ce que c'est encore que ces conneries ?

— Il suffit de comprendre le fil de l'Histoire à partir de votre assassinat. Voici en trois actes la frise telle qu'elle s'inscrira dans le temps. **Premier acte. Un**. Votre mort dans un accident de voiture sera communiquée demain, vendredi 24 octobre 2031, pendant l'allocution télévisée d'Amaury Guichard. **Deux**. Une marche blanche en votre hommage se déroulera le dimanche 26 octobre. Cette marche silencieuse se soldera par une répression policière. **Trois**. C'est ce même jour que le commissaire Stéphane Houdin annoncera devant les caméras que l'accident de voiture qui vous a coûté la vie était un assassinat maquillé. **Quatre**. Le lundi 27 octobre, Donnadieu, secrétaire de l'UPO par intérim…

— Donnadieu… Martial Donnadieu ? Secrétaire… par intérim ? répéta Adrien Chabert-Lévy déstabilisé.

— Eh oui, il vous faudra bien un remplaçant. Donc Martial Donnadieu lancera un appel à tous les Français dans un discours qui fera date et qui sera lu et repris dans toutes les fédérations de l'UPO de France. Il sera explicitement demandé aux militants de se prononcer sur le principe d'une manifestation d'envergure en organisant une marche qui démarrera dans un rayon de vingt kilomètres autour de Paris. Cette marche sera prévue pour le 24 novembre, date d'anniversaire symbolique un mois après votre mort. Cette opération se nommera le « Cercle 20 ». **Cinq**. Parallèlement, au cours du mois qui précèdera cette manifestation, la communauté scientifique annoncera un désastre écologique d'une ampleur jamais atteinte avec une fonte et rupture brutale des icebergs de la calotte glaciaire arctique. S'ensuivra un tsunami gigantesque qu'on appellera « La Vague », et qui va dévaster une grande partie de l'Europe du Nord, obligeant les populations à fuir. En France, « La Vague » va s'infiltrer dans le lit des fleuves qui se jettent dans la Manche et notamment dans celui de la Seine pour remonter jusque Paris, causant des milliers de morts sur son passage. **Six**. Le 24 novembre, plus de trois millions de personnes envahiront les rues de

Paris, les avenues, les boulevards en direction des Champs-Élysées. Guichard enverra l'armée. Ce sera une hécatombe. C'est là, Anne, que vous trouverez la mort sous les balles des militaires. Au même moment, « La Vague » approchera de Paris par le lit de la Seine. **Sept**. Des centaines de manifestants s'introduiront dans l'Assemblée nationale. Pour sa sécurité, Amaury Guichard sera évacué dans un Super Puma de l'armée avec Olivier Verneuil et Arnaud Laffon de Joux. Guichard donnera l'ordre de bombarder le Palais Bourbon dont, entre autres, de nombreux députés et Jocelyn Guillaumet seront victimes. **Huit**. Au même moment, « La Vague » balaiera des dizaines de milliers de Français entassés sur les bords de Seine. **Neuf**. Une violente bourrasque emportera l'hélicoptère présidentiel qui sera déstabilisé et s'écrasera au sol. Aucun des trois hommes politiques n'y survivra. **Fin du premier acte**…

— Continuez ! murmura Adrien Chabert-Lévy, qui commençait passablement à se décomposer.

Deuxième acte. **Un**. Suite à ce drame qui traumatisera la France et le monde entier, la reconstruction politique prendra une tournure inattendue. Pour remplacer Amaury Guichard au pied levé, l'armée prendra le pouvoir avec à sa tête le général Pierre Bazin de la Villardière. À partir de là, la dictature va s'installer durablement en France sur au moins cinq décennies. **Deux.** Le dernier en date se nommera Nicolas Belami qui, sous couvert d'une démocratie déguisée, imposera un régime autoritaire auquel les Français seront soumis. **Trois**. Sauf que, à compter de la dictature de Pierre Bazin de la Villardière, des hommes politiques de l'ombre vont créer un mouvement secret subversif né de votre propre parti, l'UPO, dont vous êtes aujourd'hui le premier secrétaire : Renaissance. L'objectif premier de ceux qui composent ce mouvement sera de mettre en place une stratégie nouvelle, différente, pour renverser, non seulement la dictature engendrée par les épisodes dramatiques du « Cercle 20 » et de « La Vague », mais toutes celles qui lui succéderont. Les deux valeurs constantes de Renaissance seront : pas de sang, pas d'armes.

— Difficile, voire utopique, réagit Adrien Chabert-Lévy de plus en plus perturbé, de renverser une dictature sans cela, non ? Mais qu'est-ce que je raconte, moi ? N'importe quoi ! Vous avez de l'imagination, monsieur Brissot...

— Non, monsieur, je ne suis pas un écrivain de science-fiction. Ce que je suis en train de vous expliquer est le fruit de mes recherches et études historiques aux archives nationales.

— Comment peut-on trouver dans les archives nationales des faits historiques qui n'ont pas encore eu lieu, demanda Anne, elle aussi bouleversée par ce qu'elle entendait.

— C'est ce que je compte vous préciser maintenant, répondit Fabien. Un groupe de scientifiques, en 2084, va découvrir la stratégie recherchée par les membres de Renaissance. Vous allez comprendre pourquoi nous sommes là, aujourd'hui, à en parler chez vous, monsieur Chabert-Lévy.

— Seriez-vous en train de nous refaire le coup de « 1984 » ce roman d'anticipation de George Orwell écrit au siècle dernier ?

— Non, pourquoi ?

— Parce que comme lui, vous évoquez un état autoritaire et un groupe de personnes qui luttent pour retrouver la liberté. La liberté de penser, d'agir, même de s'aimer…

— Non. La publication de « 1984 » remonte à 1949. L'année 2084 est une coïncidence, je vous assure. Permettez-moi de poursuivre le deuxième acte. J'en étais à… **Quatre**. Les scientifiques dirigés par Werner Hoffmann découvrent la possibilité de déplacer la matière dans l'espace et dans le temps. C'est ce qu'il a appelé le transfert spatio-temporel…

— Voilà, nous y sommes ! Bon, j'ai assez perdu mon temps…

— Encore deux secondes, Monsieur Chabert-Lévy. Faites-moi confiance ! Je vous promets que vous allez adhérer à tout ce que je vous révèle. Et croyez-moi, j'avais bien conscience de votre réaction avant de débuter. Mais l'Histoire, avec un grand « H », en dépend.

Adrien Chabert-Lévy esquissa une moue dubitative avec un regard pour Anne qui commençait également à douter de la raison de Fabien. Il lui adressa un signe de tête pour l'inciter à poursuivre.

— Merci, dit Fabien. Donc… **Cinq**. Pour que vous échappiez à votre assassinat dont ils ont aussi eu connaissance des faits grâce au rapport du commissaire Houdin, ils ont eu l'idée de transférer dans le temps mon livre « Et si… ou le destin tragique d'Adrien Chabert-Lévy ». C'est celui que vous tenez entre les mains. Et pas n'importe où ! Pas n'importe quand ! Aujourd'hui à 15 h 30, date et heure où ils étaient certains qu'il ne pourrait se soustraire à votre regard. D'où son apparition à la tribune pendant que vous parliez. Afin d'attirer votre attention, ils m'ont demandé d'écrire une phrase en première page, une sorte de dédicace censée vous alerter rapidement…

— Vous allez me faire avaler que cette phrase est de vous ?

— Tout à fait…

— Je ne vous crois pas…

— Et si je vous en donnais une preuve formelle ?

— Quelle preuve ?

— Celle-ci !

Fabien sortit la feuille de la poche intérieure de son blouson et la déplia. Il remercia mentalement Werner Hoffmann de l'avoir incité à la conserver en souvenir de l'expérience.

— Tenez ! Regardez !

Adrien Chabert-Lévy lut à haute voix les informations imprimées :

Dépôt légal : septembre 2082
N° d'édition : 78455 — N° d'impression : 31298

Il réfléchit quelques secondes, puis riposta.

— Cela ne prouve rien. N'importe qui peut taper ces informations sur une feuille blanche et l'imprimer…

— Ouvrez le livre à la fin ! Regardez la dernière page !

Il s'exécuta et découvrit les restes de déchirure dans la pliure.

— Positionnez la feuille que vous avez dans la main…

Adrien Chabert-Lévy regarda la page arrachée et l'intérieur du livre.

— Allez-y ! insista Fabien, sûr de son fait.

Le député présenta la feuille dans le livre et en fut perturbé : toutes les déchirures s'emboîtaient parfaitement. Plus de doute, cette page avait été arrachée à ce livre.

Anne, qui avait suivi avec attention l'opération, réalisait aussi, pour la première fois, que Fabien disait vrai.

— C'est complètement fou, lâcha Adrien, c'est impossible. Personne ne peut… réaliser ce que vous venez de nous raconter…

— Je sais. Ça paraît dingue, mais je vous jure que tout cela est la vérité. Les membres de Renaissance ont imaginé cette stratégie pour empêcher votre assassinat.

— Eh bien, si cette histoire est réelle, je dis bien si, je ne suis pas allé au bout de mon discours. J'ai fui l'Assemblée, donc je ne serai pas assassiné…

Il devait enfoncer le clou. Maintenant.

— **Six**. Non. Mais ce transfert n'a servi à rien, puisque vous êtes mort malgré tout.

— Qu'est-ce que c'est encore que ce délire ?

— Lorsque vous hésitiez sur le pont de la Concorde, comment envisagiez-vous d'échapper à vos poursuivants ?

— Je... je ne sais pas... Si vous n'étiez pas arrivés en voiture, je... je pense que j'aurai sauté... Et j'aurais nagé...

— C'est ce que vous auriez fait. Sauf que vous vous seriez écrasé sur le pont d'un bateau-mouche...

Cette fois-ci, Adrien Chabert-Lévy et Anne blêmirent, sans voix.

— **Sept**. Puisque l'opération avec le livre n'a servi à rien, Renaissance a opté pour un autre plan.

— Le... lequel ?

— Celui que nous sommes en train de vivre. C'est moi qu'ils ont transféré pour vous sauver la vie. Afin que la stratégie recherchée depuis cinquante ans aboutisse enfin. Pour que Renaissance puisse exister à travers vous.

— Vous... vous êtes en train de nous expliquer que... que vous avez... voyagé dans le temps depuis 2... 2084 jusqu'à notre époque ? demanda Anne, ébranlée.

— Oui, Anne. Et c'est la raison pour laquelle vous m'avez trouvé abasourdi dans le square. C'était le lieu choisi pour mon... atterrissage.

— Vous... vous avez... que... quel âge ? bafouilla

379

Adrien Chabert-Lévy.

— J'ai 43 ans. Comme vous, non ?

— Et vous êtes le fils d'Arthur ?

— Oui, et de Francesca Salvatori, comme je vous l'ai dit, et le frère d'Héloïse.

— Donc vous seriez mon...

— Votre petit-fils, oui, se réjouit Fabien qui sentait que la partie était presque gagnée.

— Et nous... nous avons le même âge ?

— Tout à fait !

— C'est incroyable !

— C'est pourtant la vérité. Bon, excusez-moi, mais nous devons trouver maintenant une solution pour que vous restiez en vie...

— Vous avez raison. Laissez-moi quelques instants pour réfléchir. Je reviens.

Adrien Chabert-Lévy les abandonna au salon et partit s'enfermer dans son bureau.

— Pourquoi s'est-il isolé ? demanda Anne.

— Pour mieux analyser tout ce que je viens de lui apprendre. J'imagine que le ciel lui est tombé sur la tête.

— À moi aussi. Je dois aller récupérer Louise...

— Attendez ! Vous ne pouvez pas...

— Comment ? Mais pourquoi ?

— Réfléchissez ! Il est probable, comme l'a dit le député, que la police aura relevé votre plaque minéralogique et qu'ils seront en planque près de chez vous à guetter votre arrivée.

— Mais... et Louise ?

— Vous m'avez confirmé qu'avec sa nourrice, elle ne craignait rien. Il suffira qu'on lui demande, un peu plus tard, de l'emmener à un endroit où nous irons la chercher.

— Nous ?

— Oui, Anne, je reste avec vous pour la récupérer.

— Quand repartez-vous ?

— Où ?

— À... Je l'ignore... En... en 2084 ?

Elle vit une ombre assombrir son visage.

— Je ne repars pas, Anne. Le transfert retour est impossible. Je le savais en acceptant la mission. Le processus est irréversible.

— Mais c'est terrible !

— Oui, Anne. Dès que j'aurai la certitude que mon grand-père échappera à la mort, nous devrons fuir. Pour notre sécurité.

— Moi, oui, je comprends. Mais vous ? Personne ne vous connaît ici... Je veux dire à notre époque...

— D'ici quelques années, je naîtrai dans la nouvelle trame qui se sera créée. Et nous existerons en double exemplaire, moi, bébé, et moi, tel que vous me voyez. Et scientifiquement, j'ai reçu cet ordre impératif : nous ne devrons absolument pas vivre dans le même espace. Je devrai donc changer de pays.

— Vous savez où aller ?

— Non, je n'en ai pas la moindre idée.

— Parlez-vous anglais ?

— Euh... oui, je me débrouille. Pourquoi cette

question ?

— Bon. Écoutez ! Si vous m'aidez à récupérer Louise, nous partirons ensemble. En Angleterre !

— En Angleterre ?

— Oui. Nous serons accueillis à St-Albans par la famille de Warren. C'était mon mari. Warren Anderson. Il est mort noyé dans la Seine il y a deux ans au cours d'une charge policière lors d'une fête de la musique. Sa famille sera ravie de nous venir en aide, et surtout de retrouver Louise, leur petite-fille. De plus, mon beau-père fait partie du groupe politique en charge du Hertfordshire. C'est le comté au nord de Londres auquel appartient le district de St-Albans. Je pense qu'il pourra vous fournir une carte de séjour et du travail.

— Mais vous… pourquoi quitter Paris ?

— D'abord, après ce que nous venons de vivre les policiers de Lucas Serrano ne vont plus me lâcher. Ensuite, si ce que vous avez raconté sur cette fameuse « Vague » est vrai, cela me terrifie. Et je ne veux pas mourir sous les balles de l'armée dans une quelconque manifestation.

— Croyez-moi, Anne, pour la « Vague », c'est authentique. Je n'ai pas le goût à plaisanter sur ce sujet. Elle va causer des dégâts et des pertes considérables sur le nord de la France, et également depuis l'estuaire de la Seine jusque Paris. Quant à votre mort, n'y pensez plus ! Personne n'a assassiné mon grand-père et il ne s'est pas tué en sautant du pont. Donc la manifestation du « Cercle 20 » n'aura pas lieu.

— Je ne suis vraiment pas rassurée. Et puisque vous, vous ne pourrez pas rester en France, nous irons en Angleterre. Nous serons plus en sécurité là-bas, dans ma belle-famille.

— Mais moi, je ne représente rien pour eux…

— Si. Vous serez mon nouveau compagnon. Comme le suggère la devise du Hertfordshire : « Trust and fear not »[8]

Fabien, à cet instant, comprit pourquoi Anne avait symbolisé les « Mille yeux » et qu'elle était morte en héroïne au cours de la manifestation du « Cercle 20 ».

— Merci, Anne, vous êtes une personne remarquable.

— Pas plus qu'une autre, répliqua-t-elle modestement en regardant l'heure sur son smartphone. 18 h 5… Je vais joindre Thérèse pour qu'elle ne s'inquiète pas… Vers quelle heure pensez-vous que je puisse lui donner rendez-vous avec Louise ?

— En deux mots, dites-lui que vous serez en retard et que c'est elle qui la conduira à un endroit que vous lui fixerez…

Anne acquiesça et lança l'appel.

La nourrice répondit presque aussitôt.

— Allô, Thérèse, c'est Anne ! Je…

Anne s'interrompit et au fur et à mesure qu'elle écoutait, elle pâlissait. Elle appuya sur la touche

_____

[8] Ayez confiance et n'ayez crainte

« haut-parleur ».

— … et ils sont repartis à peu près dix minutes plus tard. J'ai tout suivi par le judas…

— Ils ont pris quelque chose ?

— Apparemment, non. Je suis allée voir après leur départ. Tout était en ordre.

— Combien étaient-ils ?

— Trois ou quatre, je pense…

— Merci, Thérèse. Vous pouvez garder Louise encore un peu ?

— Oui, bien sûr. Mais qu'est-ce qu'il se passe ?

— Je vous expliquerai. Je vous rappelle. Merci Thérèse…

— Soyez prudente !

Anne coupa la communication et rapporta le début de la conversation à Fabien.

— La police est entrée chez moi. J'avais oublié de fermer la porte à clef… Vous comprenez maintenant pourquoi je dois partir.

— Donc, nous avions raison. Ils ont relevé le numéro de votre plaque. Ils n'ont pas perdu de temps.

Fabien jeta un coup d'œil complice à Anne.

— Non. Vous êtes en danger, Anne. Vous allez devoir vous cacher dans un premier temps. Si le…

L'entrée précipitée d'Adrien Chabert-Lévy interrompit Fabien.

— Je dois filer à l'Assemblée. La séance se termine à 20 h… Je dois le faire ce discours !

— Mais… tenta d'objecter Fabien.

— Vous pouvez rester chez moi. Claquez simplement la porte lorsque vous partirez ! Allumez le téléviseur ! Je vous promets une belle surprise…

Il se dirigea vers Fabien et Anne qui se levèrent. Il tendit sa main à Anne qui la serra.

— Merci d'avoir participé à cette opération de sauvetage, madame. Et merci aussi pour votre engagement politique. C'est grâce à des gens comme vous que la France gagnera. Je vous promets, et ce n'est pas une promesse de campagne, que si un jour je suis élu, j'accorderai aux personnels soignants et aux hôpitaux les moyens qu'on vous fait miroiter depuis plus de dix ans. Cela concerne la santé de tous, mais aussi parce que vous le méritez. Vraiment.

— Merci, monsieur le député !

Il se tourna vers Fabien.

— Quant à vous, merci d'avoir accepté cette mission pour le groupe Renaissance, et surtout merci de m'avoir sauvé la vie. Et sans doute, la France. J'espère que nous nous reverrons…

— Oui. Vous me reverrez dans dix ans. Lorsque votre fils Arthur deviendra père…

La réplique troubla Adrien Chabert-Lévy.

— Vous… vous voulez dire que… vous allez repartir en… 2084 ?

— Non. Le retour est impossible. Ma véritable vie ne commencera qu'avec ma naissance. En 2041…

— Mais… Et vous ?

— Je disparaîtrai… de ce monde…

— Vous voulez dire que vous allez… mourir ?

— Non, non, pas mourir. Juste disparaître. Changer peut-être de pays…

— Vous savez lequel ?

— Non, pas encore.

— Bon, je dois y aller. Mais j'espère quand même vous revoir avant que vous… disparaissiez.

Il s'approcha de Fabien et lui donna une accolade qui se voulait amicale. Fabien ressentit comme une marque d'affection particulière : c'était la première fois et sans doute la seule où il toucherait son grand-père. Adrien Chabert-Lévy sembla éprouver la même émotion. Il marqua un court silence, puis il le regarda droit dans les yeux pour lui adresser un dernier mot.

— Merci !

Et il quitta l'appartement sans que Fabien ou Anne n'ait pu ajouter quoi que ce soit.

— Ça alors ! s'exclama Fabien.

— Pourquoi ne pas lui avoir dit que vous iriez en Angleterre ?

— Je préfère d'abord savoir de quelle surprise il parlait dans son discours à l'Assemblée…

— Alors lui aussi vous a fait confiance et a cru votre récit ?

— Je pense que oui.

En songeant à leur accolade, Fabien en était persuadé. Il saisit la télécommande et alluma le téléviseur. Une publicité était en cours.

— Quel est le canal de la chaîne parlementaire ?
— Le 13...

Un député apparut et parlait à la tribune de l'Hémicycle.

22

Paris
Jeudi 23 octobre 2031 – 18 h 35

Le député Grandjean, pour la majorité présidentielle, expliquait les raisons pour lesquelles l'assemblée devait voter la loi sur la période actuelle d'attributions des allocations chômage pour la faire passer de six à deux mois.

L'entrée d'Adrien Chabert-Lévy ne passa pas inaperçue, et les caméras ne le quittèrent pas jusqu'à ce qu'il aille s'asseoir à sa place dans l'Hémicycle. À peine installé, il confia un papier plié à un huissier qui alla le transmettre à Jocelyn Guillaumet. Le président de l'Assemblée nationale le lut pour lui-même et échangea quelques mots avec l'un de ses vice-présidents à sa droite. Le député Grandjean terminait son intervention.

« Merci, Monsieur le Député. Mesdames, messieurs, j'ai le plaisir de vous annoncer que le député Chabert-Lévy va mieux et qu'il est prêt à reprendre son discours. Nous ferons la pause du dîner juste après. Monsieur le

député… »

Adrien Chabert-Lévy se leva et rejoignit la tribune avec son dossier à la main. Dès qu'il fut devant le micro, il se tourna vers Jocelyn Guillaumet puis lança son regard panoramique traditionnel qui lui permettait d'attirer sur lui l'attention qui ne manquait pas d'être soutenue après ce qui s'était passé dans l'après-midi.

« Monsieur le Président, Mesdames, Messieurs les Députés, mes chers collègues. Permettez-moi tout d'abord de m'excuser pour mon… petit malaise, mais comme l'a dit Monsieur le Président, malaise passager et je me sens maintenant beaucoup mieux. »

Il se délecta de la discussion à voix basse, au premier rang, entre le Premier ministre, Olivier Verneuil, avec Lucas Serrano, son ministre de l'Intérieur. Ils devaient se demander comment il pouvait être là. Il n'allait pas reprendre son introduction, juste en rappeler brièvement l'idée.

« Après avoir abordé cet après-midi la souffrance de mon pays due à la Finance qui, pendant plus d'un demi-siècle, a manœuvré nos gouvernants afin qu'ils imposent la rentabilité et la richesse comme principes fondamentaux de notre civilisation, j'ai dénoncé l'égoïsme et l'individualisme, la disparition du service public, l'hôpital devenu entreprise en recherche de profits au détriment de la santé, la privatisation du système éducatif, la chute de

l'espérance de vie et l'économie de marché, permettez-moi de me replonger quelque peu sur les origines du libéralisme. En 1776, Adam Smith, pourtant partisan du libéralisme, soutenait que l'État devait se soucier du bien public, que l'économie ne saurait fonctionner sans vertu et que le marché produisait des effets pervers qu'il fallait corriger. Aujourd'hui, nous sommes bien loin de cet idéal moral et politique. Et c'est bien la raison pour laquelle… »

Fabien connaissait le discours par cœur. Il savait que plusieurs fois encore il assènerait « J'ai mal à mon pays », comme une masse frappée à bout de cœur sur le pieu des infamies politiques qu'il enfoncerait dans l'esprit de l'Assemblée et du peuple.

Au bout d'un quart d'heure, Anne et lui suivaient toujours avec admiration le discours historique. L'annonce finale approchait.

« … J'ai mal à mon pays parce qu'il faudra que la nature se déchaîne pour que se développe une véritable citoyenneté environnementale de par le monde. À défaut de prendre des mesures d'urgence, l'apocalypse aura lieu plus vite que prévu. Monsieur le Président, Mesdames et Messieurs les Députés, mes collègues présidents des groupes d'opposition et moi-même, pour le groupe socialiste, avec l'aval électoral majoritaire de tous nos militants respectifs, nous vous annonçons officiellement que nous avons formé un parti unique, fondé sur l'union des quatre partis d'opposition : l'UPO pour Union Parlementaire d'Opposition. Et toujours à la majorité des votants, j'ai l'honneur de vous annoncer que je représenterai ce parti unique pour les

prochaines élections présidentielles. J'aimerais dire combien je suis fier de représenter le peuple qui souffre, le peuple qui sue, le peuple qui se bat. Je sais combien la bataille va être dure. Si d'aventures, il m'arrivait quoi que ce soit, par exemple un accident, je fais ici le serment que mes idées et mes valeurs seront partagées par tous les responsables et tous les militants de l'UPO. Et si je venais à disparaître, il resterait toujours des hommes et des femmes pour poursuivre le voyage dans la direction que j'ai indiquée aujourd'hui. »

Des applaudissements nourris de l'ensemble des députés d'opposition explosèrent dans l'Hémicycle. D'un geste éloquent, Adrien Chabert-Lévy réclama le silence. Quand le calme fut revenu, il enchaîna :

« En conclusion, j'aimerais vous lire une citation extraite du film "Le dictateur" sorti en 1940 au début de la Seconde Guerre mondiale. Charlie Chaplin fait dire au personnage du barbier juif qu'il interprète "Vous, le peuple, vous avez le pouvoir, le pouvoir de rendre la vie belle et libre, le pouvoir de faire de cette vie une merveilleuse aventure. Alors au nom même de la Démocratie, utilisons ce pouvoir. Il faut tous nous unir, il faut tous nous battre pour un monde nouveau, un monde humain qui donnera à chacun l'occasion de travailler, qui apportera un avenir à la jeunesse et à la vieillesse la sécurité." Je vous remercie. »

Alors qu'Adrien Chabert-Lévy regagnait sa place, tous les députés de gauche s'étaient levés et applaudissaient à nouveau à tout rompre.

L'aile droite de l'Hémicycle ne réagissait pas. Certains quittaient même la salle des séances, comme pour manifester leur désapprobation au fait que cette annonce ait pu être autorisée dans l'Hémicycle.

***

Alors qu'une page de publicité s'ouvrait dans la suite du programme, Fabien éteignit le téléviseur.

— Quel homme ! s'exclama Anne, subjuguée.

Elle remarqua que Fabien semblait soucieux.

— Non ? Vous n'avez pas trouvé ?

— Si, si, bien sûr !...

— Quelque chose vous tracasse…

— Oui. Son discours est quasiment identique à celui du livre, mais il a ajouté cette hypothèse de l'accident…

— Peut-être pour amener cette superbe idée que même sans lui, d'autres reprendraient le flambeau. Je trouve ça tellement beau… Quelle grandeur ! Quelle modestie ! C'était sans doute ça la surprise qu'il nous avait annoncée…

— Oui, c'est vrai, Anne. Mais le problème est que dans l'histoire, il aura réellement un accident. Demain. En rentrant chez lui. Mais ce sera un assassinat. Un meurtre déguisé, Anne.

Anne comprit ce que voulait dire Fabien. Pourtant, quelque chose la titillait, mais elle ne savait pas quoi.

— Tout cela pour rien, lâcha Fabien dépité.

Soudain, une lueur s'alluma dans l'esprit d'Anne.

— Attendez ! Vous nous avez expliqué que l'histoire était écrite, non ?

— Oui, bien sûr...

— Mais l'hypothèse de l'accident dans son discours n'était pas annoncée ?

— Non, alors peut-être que l'histoire sera différente...

— Ce n'est pas sûr ! Demain, il ira dans sa résidence retrouver sa famille et tombera dans le piège. Non, je crois que... attendez ! Je pense à quelque chose...

Un souvenir venait de percuter ses réflexions. Lors du transfert du livre entre les mains de son grand-père, l'histoire avait changé. Il était mort malgré tout, mais de manière différente puisqu'il avait sauté du pont et s'était écrasé sur le bateau-mouche. Et ça, il l'avait su parce que c'était écrit dans l'exemplaire de son livre qui était resté au laboratoire.

Sans s'en souvenir, c'est lui qui l'avait écrit.

Mais le contenu du texte avait changé dans cette nouvelle trame temporelle qui s'était ouverte avec les circonstances différentes de sa mort.

Et si... ?

— Bon sang, Anne, est-ce que vous l'avez vu partir avec le livre ?

— Euh... non, je ne crois pas...

— Alors, il est resté ici... Cherchons-le !...

Ils commencèrent à regarder tout autour d'eux, en vain.

— Son bureau !...

Ils s'y précipitèrent, fouillèrent des yeux l'environnement sans trace du livre.

Alors que Fabien détaillait la bibliothèque, Anne s'assit au bureau et ouvrit un à un les tiroirs.

Elle tira le dernier, le plus grand, juste sous le sous-main...

— Trouvé ! exulta-t-elle en le présentant à bout de bras à Fabien.

Elle le lui tendit. Fébrilement, il tourna les pages. Il cherchait un passage. Un seul. Celui qui, peut-être, leur permettrait de savoir si le destin de son grand-père avait changé : le rapport de police !

— Je l'ai, Anne ! Le voilà...

Il commença à lire le texte en diagonale. Très rapidement, il comprit.

— Raté ! Le rapport de police détaille les circonstances de sa mort depuis le pont de la Concorde. C'est ce que j'avais découvert lors du transfert du livre.

— Alors, cela signifie quoi ?

Fabien réfléchissait à deux cents à l'heure.

— Essayons de comprendre. Si le texte n'a pas changé, c'est que pour une raison que nous ignorons, il sera incité à aller sur le pont de la Concorde et à sauter malgré tout. Non, ça ne tient pas. Il ne se serait pas risqué à retourner là-bas une seconde fois. Il sait pertinemment que la première, grâce à nous, il a évité la mort en ne sautant pas.

— Il est peut-être encore mort, mais d'une autre

manière…

Anne parvint à sourire à ce qu'elle venait de dire…

Encore mort… Quelle absurdité !

— Non, je ne crois pas. Je viens de réaliser que lorsque j'ai découvert que le contenu du livre était différent la première fois, c'est parce que les circonstances de sa mort avaient changé en 2031…

— Nous **sommes** en 2031 ! objecta Anne.

— Oui. Mais le nouveau texte était censé avoir été écrit dans la nouvelle trame temporelle. Et j'ai pu lire le rapport des circonstances de sa mort en 2084. Alors que là, il n'a pas encore été rédigé… Gabriel Chabert-Lévy ne s'est pas encore penché sur le destin de son grand-père et n'a pas encore écrit ce livre puisque je ne naîtrai qu'en 2041. Et Gabriel Chabert-Lévy… c'est moi !

— Excusez-moi, mais j'ai du mal à vous suivre…

— Anne, je suis né en 2041. Je n'écrirai ce livre qu'en 2081.

— Celui que nous avons là aussi, non ?

— Oui, mais pas dans la version où mon grand-père n'a pas été assassiné, celle où il est mort en sautant du pont. Et nous savons, aujourd'hui, qu'il n'a pas sauté du pont.

— Alors que devons-nous faire ?

Fabien réfléchit quelques secondes.

— Récupérer Louise.

— Comment ?

— Vous allez téléphoner à sa nourrice… Thérèse, c'est cela ?

— Oui.

— Bon, appelez Thérèse et demandez-lui d'aller au square Samuel Rousseau, là où nous nous sommes rencontrés. Nous la rejoindrons là-bas…

— Avec ma voiture ?

— Il est préférable de l'oublier pour le moment. Nous prendrons un taxi.

— Dans combien de temps ? Là, il est 19 h 30…

— Dites-lui dans une heure !

Fabien venait de réaliser qu'il n'avait rien avalé depuis son petit-déjeuner du lundi matin qui avait précédé son transfert. Pendant qu'il se rendit dans l'espace cuisine pour regarder ce qu'il trouverait dans le frigo de son grand-père, Anne appela Thérèse.

Le frigo était vide. Son grand-père ne devait pas manger souvent chez lui.

***

Après que le taxi eut remonté la rue Martignac, Anne repéra Thérèse et Louise assises sur un banc. Elle demanda au chauffeur de se garer sur un des espaces libres réservés à la recharge de batteries des véhicules électriques. C'était l'endroit le plus proche de l'entrée du square.

— Laissez tourner le compteur, lui dit-elle, je n'en ai pas pour longtemps.

Deux minutes plus tard, elle revenait avec Louise à la main. Elles montèrent toutes les deux à l'arrière du taxi.

— Et maintenant, où allons-nous demanda-t-elle à Fabien.

Une lassitude s'empara de lui lorsqu'il réalisa qu'il n'en avait pas la moindre idée. Il possédait bien les euros en liquide que lui avait donnés Werner Hoffmann, mais si son plan avait consisté à récupérer Louise pour la mettre en sécurité avec sa mère, il n'avait pas vraiment envisagé la suite. Il était juste certain d'un point précis. Il devait attendre le lendemain, pour savoir si son grand-père serait assassiné. Ou pas. Sa mission en dépendait. Mais il prit conscience qu'il ne pouvait plus intervenir sur quoi que ce soit.

— Excusez-nous ! dit Fabien au chauffeur. Nous réfléchissons…

— Oh, prenez votre temps ! Mon compteur tourne…

— Connaissez-vous quelqu'un qui pourrait nous héberger quelques jours ? demanda Fabien à Anne.

— Oui, un couple d'amis. Ils ont travaillé avec moi à la clinique. Maintenant, ils sont retraités et habitent dans un appartement dans le 12e. Ils m'ont confié la clef pour aller relever leur courrier une fois par semaine et arroser leurs plantes. Ils sont en vacances pour trois mois aux États-Unis où vit un de leurs fils. Ils ne rentreront que début janvier. Nous y serons en sécurité. Nous pouvons nous y installer en dépannage.

— Parfait. Alors, allons-y !

— Rue Charles Baudelaire, s'il vous plaît…

— Rue Charles Baudelaire ! répéta le chauffeur. C'est parti…

***

Anne était allée acheter quelques produits de toilette dans le quartier ainsi que des provisions avec lesquelles elle avait confectionné un repas succinct que Fabien avait dévoré avec délectation.

— Vous aviez faim…

— Oui, c'est vrai. Mais je n'avais rien mangé depuis plus de cinquante ans…

Si la plaisanterie fit sourire Anne, elle la renvoya aussi à une réalité qui la dépassait. Comment sa raison pouvait-elle accepter l'idée que cet homme venait du futur ? Même si la science progressait considérablement, il était clair que les voyages dans le temps restaient un concept lié aux scénarios de science-fiction en littérature et au cinéma. Pourtant, il avait été si convaincant. Et le député Chabert-Lévy avait semblé le croire.

— Je vais coucher Louise, dit-elle pour sortir de ses réflexions perturbantes. Louise, tu dis bonsoir à Fabien…

— 'soir Fabien, murmura la petite-fille vaguement intimidée.

— Bonsoir Louise. Bonne nuit !

Pendant que la mère et sa fille étaient parties dans une des chambres, Fabien tenta de faire le point. Dans la première version, son grand-père se faisait assassiner au cours d'un pseudo accident. C'était le vendredi 24 octobre 2031. Donc le lendemain. Dans la version deux, il avait sauté du pont le jeudi 23 octobre vers 16 h 15. Dans cette troisième version qu'il avait provoquée avec son transfert, son grand-père n'avait pas sauté. Il était en vie et avait pu présenter son discours à l'Assemblée. Ensuite que s'était-il passé ? Il regretta d'avoir quitté son appartement. Peut-être était-il rentré ce soir... Peut-être pas... Le livre n'avait pas pu le renseigner sur ce qui lui était arrivé après qu'il l'eut sauvé... Dans la version un, le président Amaury Guichard faisait une allocution télévisée le vendredi soir. Aurait-elle lieu le lendemain ?

Il se sentit fatigué et pensa qu'il y verrait plus clair après une bonne nuit de sommeil.

Anne revint le rejoindre et s'assit à la table en face de lui.

— Je suis désolée, mais il n'y a qu'un seul lit pour Louise et moi dans la chambre.

— Ne vous inquiétez pas ! Je dormirai ici sur la banquette.

— Vous avez réfléchi à la suite ? Qu'allons-nous faire demain ?

— Rien, tant que nous ne saurons pas ce qui est arrivé au député Chabert-Lévy. Demain soir, Amaury Guichard a prévu une allocution télévisée. Je crois que nous aurons des informations à ce moment-là...

— Comment savez-vous que Guichard doit parler ?

Fabien la regarda et comprit qu'il se fondait une nouvelle fois sur ce que ses propres recherches historiques lui avaient révélé. L'allocution de Guichard au cours de laquelle il avait porté aux nues son futur adversaire faisait partie d'une stratégie politicienne qui devait lui permettre de retourner l'opinion publique en sa faveur. Puisque c'était au cours de cette soirée que son grand-père avait été assassiné par les hommes de Serrano, les historiens avaient logiquement conclu que sa machination constituait la pire et la plus hypocrite des allocutions présidentielles.

— Anne… croyez-moi ! Je viens de 2084…

— Oui, pardon ! Mais c'est tellement…

— Je comprends. Je vous demande juste de me faire confiance. Demain soir, nous saurons.

***

Vendredi 24 octobre 2031

À 20 h précises, l'image du frontispice de l'Élysée apparut sur l'écran incrusté dans le mur de l'appartement sur fond de « Marseillaise ». En surimpression s'afficha le texte de circonstances :

Palais de l'Élysée
Allocution
du Président de la République

Amaury Guichard apparut. Fabien le voyait vivant pour la première fois. Il ne l'avait vu que dans quelques documentaires d'archives. Là, il existait. Réellement. Cette fois, le dictateur et lui partageaient la même époque.

Son intervention débuta.

« Français, Françaises, mes chers compatriotes,
L'heure est venue, avec un peu d'avance, de vous faire part de mes intentions pour les prochaines élections présidentielles dont la campagne sera officiellement lancée dans une semaine. Même si, j'imagine, ce n'est un secret pour personne, je vous annonce solennellement, ce soir, que je serai candidat à ma propre succession.
Je sais que cette déclaration va créer des polémiques. D'aucuns clameront que cette décision fait suite à celle de monsieur Chabert-Lévy d'être candidat au nom de l'Union Parlementaire d'Opposition. D'autres avanceront l'idée que le Président craint cette mouvance contestataire et qu'il brandit sa propre candidature comme un glaive pour mieux abattre l'adversaire. Eh bien, je suis désolé de contredire mes détracteurs, mais au nom de la démocratie, je vous affirme aujourd'hui que non seulement je me réjouis de l'entrée de monsieur Chabert-Lévy dans la campagne, mais en plus, je m'en félicite. Tous les candidats potentiels ne se sont pas encore déclarés, mais il est fort probable que nous

soyons, lui et moi, les belligérants du duel final qui nous opposera pour l'accession à l'Élysée. Et je vous le certifie aujourd'hui, mes chers compatriotes, ce sera un honneur que de débattre avec lui sur l'avenir de la France. J'ai vu, depuis de nombreuses années, se profiler une stature politique extraordinaire en la personne de monsieur Chabert-Lévy, même si nos opinions divergent. C'est un homme de terrain que je respecte, et d'ailleurs, s'il a acquis la majorité des votes des électeurs de la gauche pour les représenter en le hissant aux fonctions de premier secrétaire de cette union d'opposition, c'est que tous ont bien compris sa force, sa droiture, sa générosité et je respecte cet engagement pour le peuple français, sa loyauté et son courage. Et, j'aimerais réaffirmer ici que les difficultés des Français au quotidien sont liées à la conjoncture économique mondiale. L'Europe n'a cessé de se battre contre l'aspiration communautaire engendrée par le Brexit au début de la précédente décennie. La France a toujours réussi à se maintenir la tête hors de l'eau et pour lui permettre de nager vers des rives sécuritaires, je sais que monsieur Chabert-Lévy, au nom de l'Union Parlementaire d'Opposition, a avancé un certain nombre d'idées auxquelles je suis favorable et... »

Le président de la République venait d'être interrompu par l'apparition de son directeur de cabinet qui avait glissé une feuille devant lui.

Sans la toucher, Amaury Guichard, décontenancé, baissa tête et déchiffra d'un coup d'œil la seule phrase qui était imprimée...

Il pâlit...

Sa réaction ne semblait pas feinte. Il se reprit et fixa la caméra. Son émotion était palpable. Sa voix tremblait légèrement.

« *Français, Française, mes chers compatriotes,*
Des circonstances graves me contraignent à abréger cette allocution. Je vous prie de bien vouloir m'en excuser. »

Il se leva et quitta le champ de la caméra. La solennité de l'instant ressentie par tous les téléspectateurs fut sublimée par le générique identique à celui qui avait précédé son intervention, toujours sur le plan du frontispice de l'Élysée et sur fond de Marseillaise.

À la fin des premières notes de l'hymne national, un journaliste en plateau remplaça l'image de l'Élysée. Derrière lui, sur un écran géant était projeté le portrait souriant d'Adrien Chabert-Lévy.

Son visage était fermé. Professionnel. Il tenait entre les mains une feuille simple, identique à celle qu'avait lue Amaury Guichard.

— *Madame, Monsieur, nous vous prions de nous excuser pour cette interruption soudaine de l'allocution du président de la République. Une information vient de tomber. Voici le texte reçu de l'Agence France-Presse tel que l'ont envoyé nos confrères du journal « L'Est Éclair » : « La brigade de gendarmerie de Provins nous a avertis* qu'*Adrien Chabert-Lévy a échappé à un attentat dans ce qui semble être un simulacre d'accident de voiture. Le député est sain et sauf, mais a été transporté à l'hôpital de Troyes où il est en observation.*

— Génial, s'exclama Fabien, il n'est pas mort. J'ignore pourquoi et comment, mais il a échappé au piège de son assassinat. Comment puis-je me rendre à Troyes ?

— Par le train, c'est le plus simple. Vous voulez aller à Troyes maintenant ?

— Oui, je dois aller le voir à l'hôpital pour lui demander, c'est important.

— Vous ne pourrez pas entrer. Les visites ne seront pas autorisées. Et puis, c'est le député... La police lui aura sauté dessus...

— Vous avez raison pour l'hôpital, j'irai demain, mais quelque chose me dit que les agents de Serrano l'auront lâché. Et nous également.

23

Troyes — Centre hospitalier
Samedi 25 octobre 2031 – 12 h 30

À peine sorti du taxi dont il put payer la course depuis la gare grâce aux euros que lui avait fournis Werner Hoffmann, comme pour le billet de train, Fabien se dirigea vers l'accueil.

— Bonjour, madame, pouvez-vous m'indiquer la chambre de monsieur Chabert-Lévy, s'il vous plaît ?

— Désolée, les visites ne sont autorisées qu'à partir de 13 h...

— Je viens de Paris, je... j'appartiens à sa famille...

— Quand bien même vous seriez son petit-fils, vous devriez attendre 13 h. C'est le règlement.

— S'il vous plaît, c'est urgent. Dites-lui que Fabien Brissot souhaite le voir...

— Écoutez, qui que vous soyez, vous devez attendre 13 h ! Merci de bien vouloir patienter dans la salle d'attente derrière vous...

La réceptionniste décrocha le téléphone qui, d'une sonnerie opportune, venait de lui permettre d'écourter leur échange. Fabien comprit qu'insister serait inutile. Il alla s'asseoir sur une chaise dans l'espace indiqué. Après tout, il n'avait qu'une demi-heure à patienter.

Mais qui lui parut une éternité.

À 13 h pile, il se précipita au bureau d'accueil. La réceptionniste le reconnut aussitôt.

— À quelle personne souhaitez-vous rendre visite ? lui demanda-t-elle d'un sourire supérieur qui tendait à lui signifier que « alors-vous-avez-vu-qui-commande-ici. »

Fabien soupira.

— Monsieur Chabert-Lévy…

Elle tapa le nom sur le clavier de son ordinateur et rechercha l'information sur l'écran qu'elle obtint en deux secondes.

— Chambre 404. Quatrième, à gauche en sortant de l'ascenseur.

Fabien la remercia et suivit ses conseils.

Quand il parvint devant la chambre indiquée, un policier montait la garde.

— Monsieur ? lui demanda-t-il de ce simple mot qui lui permettait à la fois de le saluer et de s'enquérir de l'objet de sa présence.

— Bonjour. Je viens rendre visite à monsieur Chabert-Lévy.

— Vous êtes de sa famille ?

— Euh… oui…

— Vous êtes ?

Son petit-fils... euh... non... pas vraiment !

— Dites-lui que Fabien Brissot est là, s'il vous plaît !

— Vous êtes journaliste ?

Fabien commençait à bouillir.

— Non, je ne suis pas journaliste ! Je suis historien et nous préparons ensemble un livre sur sa vie...

Le policier le regarda d'un air soupçonneux.

— Vous m'avez dit Fabien ?...

— Brissot. Fabien Brissot.

— Attendez un instant, s'il vous plaît !

Il entra dans la chambre et referma la porte derrière lui. Peu après elle s'ouvrait à nouveau et le policier apparut.

— Allez-y !

Fabien ne le remercia pas et pénétra dans la chambre.

***

— Ah, mes enfants, je vous présente mon sauveur ! Bonjour, Gabriel.

Au prénom utilisé, Fabien comprit qu'il avait été crédible et avait réussi à le convaincre.

— Bonjour, comment allez-vous ?

— Bien, merci. Voici ma femme, Isabelle, et mes deux enfants, Arthur et Annabelle.

Fabien en resta muet de stupéfaction. En plus d'Adrien, son grand-père, il avait devant lui, sa grand-mère, son père, et sa tante qu'il n'avait jamais connue. Il dévisagea Arthur et ne douta pas une seconde que son grand-père comprenait l'intensité de ce moment privilégié et en même temps paradoxal. Arthur, son père, était bien face à lui, mais il n'avait que vingt-et-un ans. Et lui en avait vingt-deux de plus…

— Pouvez-vous nous laisser seuls quelques instants, mes enfants, j'aimerais m'entretenir avec Gabriel.

En passant à côté de Fabien, Isabelle lui serra la main. Il ne put s'empêcher de la trouver belle.

— Je ne sais pas comment vous avez pu sauver mon mari, mais je vous remercie sincèrement.

— Je… je vous en prie… c'est normal… je considère un peu Adrien comme un membre de ma famille…

Isabelle tiqua d'un haussement de sourcil.

— … politique ! Un membre de ma famille politique !

Elle lui sourit et Arthur lui prit la main à son tour.

— Merci, Monsieur, d'avoir sauvé mon père. Si un jour j'ai un fils, je l'appellerai comme vous… Gabriel !

— C'est un honneur.

Annabelle s'approcha de lui et déposa un baiser sur sa joue.

— Merci, Monsieur.

Et dire que mon père, plus tard, me parlera de sa sœur que je n'aurai jamais connue, et que là, elle vient de m'embrasser... C'est complètement fou...

Quand ils eurent quitté la chambre, Adrien s'adressa à Fabien.

— Je suppose que voir votre père plus jeune que vous doit être très perturbant...

— Le mot est faible. Je dirais délirant et extravagant.

Adrien Chabert-Lévy acquiesça de la tête en souriant.

— Bon, je suppose que votre présence ici a pour objectif de comprendre comment j'ai pu éviter mon assassinat...

— Oui, c'est exact. Vous êtes parti tellement rapidement hier soir. Nous avons suivi votre discours à la télévision.

— Discours que vous connaissiez à l'avance...

— Alors vous avez admis que ce que je vous ai raconté était vrai ?

— Avec bien du mal. Je me suis longtemps demandé si vous ne vous étiez pas échappé de l'EPSM[9] de Brienne. Mais un détail de votre livre a retenu mon attention. Le rapport de police. Non seulement tous les éléments concordaient avec mon trajet pour rejoindre ma résidence, mais, comme vous me l'avez fait remarquer, le commissaire Stéphane

---

[9] Établissement Public de Santé Mentale de Brienne-le-Chateau dans l'Aube.

Houdin de Troyes avait signé le rapport. Je vous ai confié que c'est un ami personnel. Je l'ai appelé au téléphone. Il a voulu voir le texte intégral. Je le lui ai scanné et envoyé par mail. Il l'a lu puis il m'a rappelé. Il m'a dit de ne rien changer à mon programme. Qu'il ferait le nécessaire. Je devais absolument retourner au Palais Bourbon pour y terminer mon discours. Il devait être 20 h lorsque je suis allé au siège de l'UPO pour fêter mon entrée en campagne avec mes amis. Ensuite je suis rentré à mon appartement. Ne plus vous y trouver fut une grosse déception…

— Donc hier soir, vous vous êtes rendu dans votre résidence secondaire, comme prévu ?

— Oui. Mais j'ai vraiment été navré de ne pas vous retrouver chez moi pour vous remercier et vous faire part de mon entretien avec mon ami Stéphane, le commissaire de police de Troyes.

— Nous devions récupérer Louise, la petite fille d'Anne…

— Je comprends. Bref, je suis donc parti dans la soirée à Bouy-sur-Orvin où se trouve ma résidence. Je peux vous dire que je n'étais pas fier quand je suis parvenu sur ce tronçon de route en forêt. Surtout lorsque j'ai aperçu les feux de détresse de la 206 blanche garée sur le bas-côté et dont le rapport dans votre livre faisait état. J'ai failli poursuivre mon chemin. Mais mon ami m'avait dit de lui faire confiance. Qu'il veillait au grain. Et que s'il y avait effectivement une tentative d'assassinat à cet endroit, il serait là avec ses hommes. Alors, je me suis arrêté.

Et tout s'est déroulé comme prévu. Le cadavre du chevreuil était devant la voiture. La femme en imperméable beige ne parvenait pas à faire démarrer le moteur. Lorsque j'ai voulu ouvrir le capot de l'intérieur, j'ai senti une piqûre dans le cou et j'ai perdu connaissance dans les secondes qui ont suivi. L'enchaînement des faits, c'est Stéphane qui me les a racontés ce matin, à mon réveil.

— Alors elle vous a vraiment injecté un somnifère ?

— Oui, exactement les deux produits indiqués dans le rapport de votre livre : Zo… quelque chose…

— Zolpidem et Zopiclone, confirma Fabien qui se souvenait parfaitement des noms pour avoir cherché à en connaître les effets précis pour son livre.

— Oui, ce doit être ça… Un 4x4 est sorti de la forêt. Trois hommes en sont descendus. L'un des trois a déplacé le chevreuil dans un fossé, les deux autres se sont emparés de mon corps pour le déposer à l'orée du bois. Ensuite l'un des deux s'est éloigné avec la 206 pour y mettre le feu. Le second s'est assis au volant de ma voiture et a reculé de plusieurs centaines de mètres. Là, il a aménagé un système pour bloquer le volant et l'accélérateur. Il a démarré à fond et sauté du véhicule avant qu'il ne s'écrase contre un arbre. C'est au moment où le premier homme allait m'installer dans la voiture que la police et la gendarmerie qui étaient cachées à proximité sont intervenues pour les empêcher d'aller au bout de leur objectif : mon assassinat. Ils ont tenté de s'enfuir en tirant, mais deux sont morts et trois autres, dont la femme, ont été arrêtés. Et vous savez quoi ?

— C'étaient des hommes de Serrano ?

— Oui. Tout à fait. Leurs papiers en faisaient foi. Ils ont reconnu les faits dans la nuit. Le parlement constitué en Haute Cour prononcera la destitution de Guichard normalement dans un délai d'un mois, mais à mon avis, cela devrait aller vite. Ensuite, il sera arrêté et passera en jugement devant la Haute Cour de justice. Tout comme vraisemblablement Serrano et Verneuil. C'est une véritable affaire d'État.

— Alors ma mission a réussi...

— Votre mission ?

— Oui, celle que m'a confiée le groupe Renaissance. Le premier objectif, empêcher la dictature de s'installer durablement en France. Le second, vous permettre de prendre le pouvoir, de créer une France plus juste qui pourrait enfin se prévaloir de sa devise de l'article deux de la Constitution...

— Liberté, égalité, fraternité... Ce sera mon cheval de bataille... Mais ce n'est pas gagné...

— Non, je suppose que vous aurez fort à faire avec les lobbys de la Finance...

— Oui, difficile de s'imposer sans eux. Mais avant cela, je devrai remporter les élections présidentielles. Guichard ne pourra plus se présenter, c'est évident, mais d'autres requins sont prêts à prendre le pouvoir. La campagne sera ardue !

— Vous la gagnerez. Plus de trois millions de partisans vous soutiendront et donneront un impact médiatique certain à votre candidature. Je pense à quelque chose… Après cette destitution, combien de temps va durer la campagne ?

— Le Président du Sénat, Marcel Jouhandeau, assurera l'intérim jusqu'à l'élection qui doit se dérouler en principe dans les trente jours qui suivent.

— Il est donc raisonnable d'imaginer que sous deux mois, la France aura un nouveau président ?

— Oui, je pense. Je dois vous remercier pour votre sacrifice.

— C'est plus le groupe Renaissance que vous devriez remercier.

— Mais vous avez accepté cette mission… hallucinante. Vous m'avez dit que le retour en… 2084 était impossible, c'est bien cela ?

— Oui. Je me suis engagé à poursuivre ma vie ici, à partir de maintenant.

— Restez à mes côtés ! Intégrez mon équipe ! J'ai besoin d'hommes comme vous.

— C'est gentil, mais je suis contraint de refuser.

— Pourquoi ?

— Votre fils Arthur deviendra père. Je devrai avoir disparu…

— Vous savez quoi ? Si mon petit-fils vous ressemble, j'ai hâte de le rencontrer…

— Il me ressemblera, mais vous devrez attendre quelques années.

— Qu'allez-vous faire pendant cette décennie ?

— Je vais me construire une nouvelle vie indépendamment du destin que vous donnerez à la

France.

— Notre rencontre est vraiment… incroyable et prodigieuse. Mais je ne m'amuserai pas à divulguer l'origine de ma réussite éventuelle à cette élection.

— Vous passeriez pour un fou. Au fait, au-delà du rapport que vous avez envoyé à votre ami le commissaire et sa réaction pour piéger les hommes de Serrano, vous m'avez bien dit qu'il vous avait demandé de ne rien changer à votre programme et qu'il ferait le nécessaire ?

— Oui, tout à fait.

— Il n'a pas tiqué ? Il a donc pris pour argent comptant un rapport qu'il aurait lui-même rédigé… plusieurs jours plus tard ?

— Je lui ai dit que j'avais consulté un médium.

— Il vous a cru ?

— Le connaissant, non. Mais il sait que depuis longtemps, nombre de politiciens, et pas des moindres y ont eu recours. C'est de notoriété publique.

— Eh bien alors, pourquoi a-t-il réagi de la sorte ? J'imagine qu'il ne doit pas être simple de mobiliser des forces de police et de gendarmerie ensemble sur une probabilité médiumnique à laquelle il ne croit pas lui-même…

— Vous avez raison. Mais le fait que le rapport soit rédigé et signé par lui-même dans cette affaire d'État a flatté son ego. Je suis son ami. Il m'a fait confiance. Et surtout, il n'a pas voulu passer à côté de cet épisode glorieux.

— Pour une fois que l'ego d'un homme sert à quelque chose…

— Bon, en tout cas, merci sincèrement pour cette mission. Sans vous…

— Une nouvelle page s'écrit à partir de maintenant. Il me reste encore un point à discuter avec vous avant de vous quitter. Auriez-vous entendu parler d'un individu qui se nommerait Régis Le Goff, dans l'actualité de ces dernières années ?

— Le Goff ? Non, cela ne me dit rien. Pourquoi cette question ?

— C'était un fervent écologiste, défenseur de la planète de mon époque. Il a également été transféré en 2017 par Renaissance. Sa mission : convaincre le président américain Donald Trump de revenir sur sa décision de se retirer des accords climatiques de Paris signés par plus de deux cents pays.

— Je me souviens effectivement de cet épisode qui a fait beaucoup de bruit. Mais pas de ce Le Goff…

— De toute manière, sa mission a échoué puisque Trump n'a pas fait marche arrière. Et les membres de Renaissance n'ont jamais su ce qu'il était devenu. Mais ce n'est pas le plus important. Le plus dramatique, c'est le désastre écologique et la catastrophe du 24 novembre…

— Cette année ?

— Oui, dans un mois. Je suppose que vous n'avez pas lu entièrement mon livre…

— Non, pourquoi ?

— Permettez-moi de vous rappeler brièvement

les faits que je vous ai déjà rapportés. Vous souvenez-vous de ce qu'il va se passer après que la France aura appris que vous avez été assassiné ?

Adrien Chabert-Lévy comprit ce que Fabien voulait dire et il commença à se décomposer.

— Vous voulez parler de « La Vague » et du bombardement du Palais Bourbon ?

— Oui. Bon, aujourd'hui nous sommes sûrs qu'il n'y aura pas de bombardement puisque Guichard ne sera plus aux commandes. Par contre, oui, « La Vague » aura bien lieu. Dans votre campagne, vous devez absolument éviter qu'une manifestation style « Cercle 20 » soit organisée sur Paris.

— Mais si je vous ai bien compris, c'est Donnadieu qui avait lancé le « Cercle 20 » suite à mon assassinat. Or, puisque je suis en vie, l'UPO n'a aucune raison de lancer un appel national, non ?

— C'est juste. Mais « La Vague », elle, aura bien lieu. Vous devez absolument en tenir compte pour qu'aucune manifestation pro-Chabert-Lévy par exemple, n'ait lieu ce jour-là. Je pense notamment à une manifestation du genre « militants enthou-siastes ».

— Je ne pourrai pas faire évacuer Paris ni le littoral…

— Non, les scientifiques annonceront au président par intérim Marcel… euh…

— Jouhandeau.

— Voilà. C'est lui qui aura l'information et la responsabilité de faire évacuer les populations du

Pas-de-Calais, de la Somme, de Seine-Maritime, du Calvados et de la Manche. Il devra avoir recours non seulement à la Sécurité civile, mais aussi à l'armée et certainement à des associations caritatives. Et sincèrement, avec ce que vous savez, vous aurez largement de quoi anticiper et lui proposer votre aide. En passer par là est sans doute regrettable, mais il est plus que probable que ce sera votre force dans la campagne présidentielle.

Adrien Chabert-Lévy commençait à entrevoir son avenir et sans doute des projets à long terme se dessinaient-ils.

— Bien, je crois que c'est l'heure de nous quitter maintenant, annonça Fabien.

— Je comprends. Merci encore pour tout. Je ne vous oublierai pas.

— Je partage toutes vos idées politiques. Mon incursion en 2031 aura été mon engagement personnel et ma contribution à la France de demain.

Adrien Chabert-Lévy lui accorda une franche poignée de main qu'il prolongea quelques instants.

Une émotion fugace passa entre les deux hommes.

— Si vous m'aviez connu dans votre vie en tant que grand-père, comment m'auriez-vous appelé… Papy ? Papet ? Pépère ?…

— Je n'en ai aucune idée, sourit Fabien. Dans dix ans, c'est vous qui le déciderez, je suppose, et qui le soufflerez à votre petit-fils.

Leurs regards se croisèrent et chacun crut percevoir une brève lueur affective. Comme pour écourter ce moment proche de la pudeur, Chabert-Lévy lança :

— Adieu, Gabriel !

Fabien déglutit en songeant qu'ils se voyaient pour la dernière fois.

— Adieu, Adrien !

Ils se lâchèrent la main.
Presque à contrecœur.

La porte de la chambre se referma sur Fabien.

24

Et dans la vie politique du pays, tout se déroula comme l'avait prévu Adrien Chabert-Lévy.

Amaury Guichard fut destitué en moins de quinze jours. Tout comme Verneuil et Serrano, il fut arrêté et une longue procédure de justice fut entamée.

Marcel Jouhandeau, assura la présidence de la France par intérim. La campagne des élections fut officiellement ouverte au cours du mois qui suivit.

Adrien Chabert-Lévy et les membres de l'UPO se mirent au service du gouvernement provisoire de transition. Ils organisèrent les opérations de sécurité et d'évacuation des populations lorsque la communauté scientifique mondiale reçut une alerte du centre d'observation des pôles installé au Groenland. Elle prévint tous les pays de la planète que quatre-vingt-quinze pour cent de la banquise arctique venait de se fendre. Des millions de blocs de glace avaient sombré dans les flots et élevaient ainsi le niveau des océans de plusieurs mètres. Une onde en réaction allait multiplier des vagues gigantesques qui impacteraient sans équivoque l'Europe de l'Ouest.

Chabert-Lévy repensa souvent à cet homme du

futur, dont il ne doutait plus qu'il fût son petit-fils, envoyé pour le sauver sur le pont de la Concorde et empêcher son assassinat. Tout ce qu'il lui avait annoncé se réalisait. Marcel Jouhandeau fut impressionné par son pouvoir d'anticipation. Comme il le lui avait prédit, toute son énergie cumulée avec son sens de la méthode et de la prospective marqua définitivement les esprits et fut l'un de ses atouts essentiels dans la campagne.

Et puis le 24 novembre « La Vague » déferla sur les côtes de la Manche et sur Paris. Les dégâts matériels furent considérables. Mais grâce aux opérations remarquables d'évacuation du littoral, et à l'organisation de celle des Parisiens d'une redoutable efficacité, les pertes humaines furent limitées.

***

Fabien, Anne et Louise faisaient partie du nombre incroyable des Français qui se déplaçaient vers des endroits apparemment plus sécurisés. La plupart tentaient de rejoindre des terres non touchées par « La Vague » : Luxembourg, Allemagne, Suisse. La France ressemblait à un exode en période de guerre. Les moyens de transport traditionnels, trains, bus ne pouvaient circuler. Les avions ne décollaient plus. Une paralysie s'installait progressivement, et ce, malgré le degré d'anticipation du gouvernement provisoire.

Dans un lycée d'Amiens où ils furent dirigés pour

la nuit, un bénévole de la Croix rouge les reçut afin d'organiser au mieux leur hébergement.

— Vos noms et prénoms s'il vous plaît ?

— Je m'appelle Anne Anderson. Ma fille, c'est Louise.

— Et vous, monsieur ?

— Fabien Brissot.

— E.A.U ?

— Non. O.T.

— Merci. Votre adresse ?

— Vingt, rue de Bourgogne à Paris, dit Anne.

— Arrondissement ?

— Septième.

— Et là, vous allez où ?

— Dieppe pour prendre un ferry pour l'Angleterre…

— À Dieppe ? Alors là, excusez-moi, mais « La Vague » a dévasté le port et avec l'élévation du niveau de la Manche, le trafic maritime est interrompu. Et c'est pareil de Cherbourg à Dunkerque.

— Mais nous devons absolument rejoindre notre famille, en Angleterre. À Paris, notre appartement est détruit.

L'homme sembla ennuyé et compatir. Il réfléchit un moment.

— Écoutez, je ne vous promets rien, mais je crois que le Secours populaire a organisé un système de transfert primaire de Calais à Douvres.

— À Calais, dites-vous ?

— Oui. Enfin, pas à Calais même. Le port là-bas

est également détruit. Je crois que le départ se fait depuis certains endroits de la côte d'Opale. Excusez-moi, je dois enregistrer d'autres personnes. Allez voir mon collègue, il vous indiquera des lits de camp où vous installer pour la nuit.

Alors que Louise et Fabien s'étaient endormis, épuisés, Anne ne parvenait pas à trouver le sommeil. Quelque chose la tracassait sans qu'elle puisse déterminer précisément quoi. Un sentiment de crainte pour Louise ? La peur de leur destin fragile ? Elle avait pu contacter les parents de Warren par téléphone mobile et comme elle s'y attendait, ils les accueillaient à bras ouverts. Alors ? Quelle était la cause de cette oppression ? Pourquoi ressentait-elle cette douleur dans la poitrine comme si un étau compressait son cœur ?

Elle trouva une feuille blanche et un stylo et s'assit à une table.

***

— Anne ?... Anne ?... Réveillez-vous !...

Anne ouvrit les yeux. Elle avait finalement réussi à s'endormir. Des cauchemars dont elle ne se souvenait pas avaient peuplé son sommeil, mais ils laissaient dans son inconscient comme des traces de danger imminent. Sans doute les effets de cette masse humaine en mouvement, cette quête de sécurité... Ou peut-être le destin phénoménal de cet homme du futur qui se confondait maintenant avec le sien en était-il la source.

Fabien l'aida à se relever.

— Venez, il y a du café…

Après qu'ils aient avalé le chaud breuvage au goût amer et Louise son bol de chocolat, ils rejoignirent un individu qu'Anne ne connaissait pas, mais que lui présenta Fabien.

— Pendant que vous dormiez, j'ai discuté avec ce monsieur. Il possède une camionnette et va à Bruay-la-Buissière chercher sa famille. C'est près d'Arras et il accepte de nous conduire là-bas.

— C'est gentil, monsieur. Merci.

— Ne me remerciez pas, madame ! Nous devons bien nous entraider un peu en ce moment avec tout ce qui se passe…

— Il m'a dit que nous serons à quatre-vingt-dix kilomètres de la côte d'Opale, ajouta Fabien.

Peu après, ils montaient dans la camionnette et quittaient Amiens.

Vu les embouteillages, les déviations, les détours, les barrages de police ou de l'armée, plus de cinq heures leur furent nécessaires pour parcourir les soixante-cinq kilomètres qui les séparaient d'Arras. Heureusement, l'homme avait des sandwiches avec lui qu'il se fit un plaisir de partager avec ses passagers. Deux heures plus tard et trente-six kilomètres supplémentaires, il les déposa à Bruay-la-Buissière.

Là, ils apprirent qu'aucun véhicule ne pouvait se

rendre à Calais à cause des dégâts provoqués dans la campagne par la montée des eaux.

Comme des centaines d'autres personnes, c'est à pied qu'ils se lancèrent dans la direction que le conducteur providentiel leur avait indiquée.

Après deux jours de marche, ils étaient assis sur le bord du chemin pour se restaurer avec les quelques provisions qu'il leur restait et que leur avait offert l'homme à la camionnette. Anne lava Louise avec des moyens de fortune à l'eau d'un ruisseau qui coulait en contrebas. Lorsqu'elle rejoignit Fabien, elle le trouva perdu dans ses pensées et supposa que cet homme au destin si extraordinaire devait s'interroger sur sa présence ici, et surtout à cette époque.

— À quoi songez-vous en ce moment ?

Comment lui expliquer qu'il était avec Linda ? Bien sûr, c'était inutile.

— Je me demandais comment votre belle-famille allait me considérer vraiment…

— Je vous l'ai dit. Ne vous inquiétez pas ! Ils vous adopteront sans problème. Justement…

Elle sortit une feuille pliée en quatre d'une de ses poches et la lui tendit.

— … Tenez ! C'est pour vous. Enfin… pour eux. C'est au cas où il m'arriverait quelque chose…

Fabien la regarda avec des yeux étonnés et commença à déplier la feuille, suffisamment pour découvrir que le texte était écrit en anglais.

— Non, s'il vous plaît… Ne lisez pas maintenant ! Juste s'il m'arrive quelque chose… Vous me le promettez ?

— Que voulez-vous qu'il vous arrive ? répondit Fabien en repliant la feuille.

Il sortit son portefeuille et la rangea à l'intérieur dans une poche à fermeture éclair.

— Je ne sais pas. C'est au cas où. Vous prendrez soin de Louise. Vous me le promettez ?

— Je... Oui, bien sûr...

— Promettez-le-moi !

— Je vous le promets. Mais...

Il n'eut pas le temps de terminer sa phrase. Anne s'était penchée vers lui et avait plaqué ses lèvres sur les siennes. Surpris, il s'était laissé faire. Quand elle se recula, il regarda son œil bleu et y lut une forme d'amusement. Il ne lui posa qu'une seule question.

— Pourquoi ?

— Hé ! Je vais vous présenter comme mon nouveau compagnon, non ? Allez venez ! Nous avons encore de la route...

Trois jours plus tard, soulagés, ils atteignaient enfin la côte d'Opale par le haut de la falaise du cap Blanc-Nez.

***

C'est étrange, pensa Anne, j'ai l'impression d'avoir déjà vécu cette scène... Dans un film, sans doute...

Louise dormait dans ses bras. Avec Fabien à ses

côtés, elle avançait dans un groupe composé de gens qui, comme eux, voulaient rejoindre l'Angleterre. Après ces longues journées de marche, tous se sentaient épuisés. Alors que les nuages épaississaient leur drapé de deuil, il commença à pleuvoir. Soudain, ils aperçurent la Manche. Les flots, bien visibles au bout de la route qui plongeait en contrebas, balançaient leur grisaille écumante.

Plusieurs hommes du Secours populaire les accueillirent et se présentèrent comme organisateurs des transferts maritimes vers la Grande-Bretagne. Ils leur expliquèrent qu'avec la montée des eaux de plus de sept mètres la plage avait disparu, tout comme celle sous les falaises de Douvres. Anne ne put éviter la collision entre la situation qu'ils vivaient là, ici et maintenant, et le flux constant des migrants africains. Depuis si longtemps, les médias avaient banalisé le nombre toujours croissant de cadavres retrouvés en Méditerranée.

— Comme vous le savez, puisque vous êtes ici, lança d'une voix puissante l'un des hommes de l'association caritative, le port de Calais et ceux plus au sud, le long de la Manche, sont endommagés voire détruits pour certains. Nous avons mis en place une rotation de zodiacs à moteurs pour la traversée vers l'Angleterre. Nous allons attendre leur retour. Ils ne devraient pas tarder. Pour patienter, nous allons vous compter et former des groupes de douze. C'est le nombre maximum de personnes qui peuvent monter à bord. Je précise également que nous faisons appel à votre générosité en échange de votre évacuation. Les fonds récoltés servent à l'association pour gérer la crise et notamment alimenter et vêtir tous ceux qui se retrouvent sans abris suite à ce désastre écologique. Deux de nos camarades vont passer parmi vous. Nous vous remercions d'avance pour vos dons.

Lorsqu'un des hommes s'approcha d'eux, Anne ouvrit son sac à main et un porte-monnaie. Elle sortit une cinquantaine d'euros en billets qui composait toute sa fortune et qu'elle déposa dans une boîte en carton tendue vers elle.

— Vous en avez gardé un peu ? demanda Fabien.

— Non, j'ai tout donné. Ils ne me serviront plus là-bas. La devise est la livre sterling. J'en tirerai avec ma carte bancaire internationale.

— Je veux bien offrir ce qu'il me reste…

Il sortit la liasse de son portefeuille dont il compta rapidement les billets. Il estima le tout à pas loin de six cents euros… C'était le solde sur les mille que lui avait confiés Werner Hoffmann.

— Tenez ! Prenez tout…

Il les déposa dans la boîte. Le bénévole n'en crut pas ses yeux.

— Vous êtes sûr ? souffla-t-il, stupéfait.

— Oui, oui ! De toute façon, je ne reviendrai plus en France…

— Merci, monsieur. Votre geste est magnifique.

Il poursuivit, ravi, sa quête auprès des autres personnes du groupe.

— Par curiosité, vous lui avez donné combien ?

lui demanda Anne.

— Six cents euros, à peu près…

— Eh bien, quelle somme !

— … par contre, je n'ai pas de carte bancaire…

— Ah ?

— À vrai dire, je n'ai pas de compte bancaire non plus… Enfin, si, mais là où il se trouve, je ne peux plus l'atteindre…

Anne comprit l'allusion au futur d'où venait Fabien.

— Nous pourrons vivre sur le mien en attendant de retrouver un travail avec l'aide de mon beau-père…

— C'est gentil, Anne ! Je ne sais comment vous remercier…

— Je vous en prie. N'auriez-vous pas fait la même chose pour votre compagne ? répliqua-t-elle en souriant.

L'ombre de Linda flagella l'esprit de Fabien, et il la chassa rapidement.

— Oui, vous avez raison. J'espère pouvoir retravailler bientôt…

Tout s'accéléra. Une dizaine de zodiacs apparurent à l'horizon. Un quart d'heure plus tard, des groupes de huit à dix personnes avançaient dans l'eau et prenaient place dans les embarcations qui s'étaient rapprochées du bord sans pouvoir accoster. Dès que l'une d'elles était complète et le plein de carburant fait, elle prenait la mer et s'éloignait rapidement vers l'Angleterre.

Celui d'Anne et Fabien partit en quatrième position. Ils étaient dix à bord en plus du pilote.

À mi-chemin, le ciel s'obscurcit encore plus. Il faisait presque nuit, alors qu'il n'était que seize heures. Une voix affolée explosa dans un talkiewalkie.

— Alerte à tous ! Alerte à tous ! C'est Louis ! Est-ce que tout le monde m'entend ?

Louis était un des membres du Secours populaire autorisé à intégrer le groupe de surveillance maritime du cap Gris-Nez.

— Ici Robert ! Je te reçois cinq sur cinq, répondit le pilote du zodiac où se trouvaient Louise, Anne et Fabien.

Les autres accusèrent réception également de l'appel.

— Attention, tous ceux qui n'ont pas dépassé la zone médiane doivent faire demi-tour... Je répète... Nous venons d'enregistrer une alerte du centre de météorologie en relation avec le centre de surveillance scientifique de l'Arctique... Une seconde vague, apparemment moins importante que celle du 24 novembre, descend de la mer du Nord par la Manche. Pour ceux qui ont dépassé la ligne médiane, nous vous conseillons de changer le cap et de remonter plein nord sur Margate de manière à affronter cette seconde vague de face... Je répète cap plein nord, direction Margate... Terminé.

Anne, le visage et les cheveux ruisselants de pluie, serrait Louise contre elle en la protégeant du mieux qu'elle pouvait.

Il faisait de plus en plus sombre. Des éclairs zébrèrent le ciel et le tonnerre gronda en écho. Des trombes d'eau s'abattirent sur la mer, et des vagues gigantesques faisaient tanguer dangereusement le Zodiac. Fabien se rapprocha d'Anne et passa son bras autour de ses épaules. Elle appuya sa tête contre lui, comme si ce geste pouvait lui apporter une sensation de sécurité. Louise se réveilla et pleura comme deux autres enfants à bord. Anne, peu rassurée, tenta de l'apaiser avec des mots réconfortants chuchotés à son oreille.

Au paroxysme de la tourmente infernale, la vague annoncée se manifesta. D'abord comme un simple mouvement de houle. Le pilote mit les gaz à fond et orienta le zodiac de face.

Le mouvement de houle s'amplifia…

Se transforma en une vague incurvée qui s'éleva vers le ciel…

De plus en plus haut…

Fabien serra Anne, Louise plaquée contre elle, encore plus fort…

La vague fondit sur le zodiac, le souleva sous sa force aqueuse phénoménale et le renversa, projetant tous les passagers qui hurlèrent d'une terreur vite étouffée par l'obscurité mouvante des abîmes.

Anne se retrouva sous l'eau, retint sa respiration et, d'instinct, lutta de toutes ses forces pour regagner la surface. C'est au moment où elle avala une bouffée d'air salvatrice qu'elle réalisa, horrifiée, qu'elle avait lâché Louise.

Et là, tout lui revint à l'esprit.

Elle vivait un cauchemar ancien qui, de toute évidence, devenait prémonitoire.

Cramponnée à un bidon qui flottait à proximité, sans pouvoir réprimer les sanglots qui lui étreignaient la gorge, elle hurla le prénom de sa fille en la cherchant du regard tout autour d'elle.

Soudain, dans son dos, elle entendit la voix de Fabien lui crier :

— **TOUT VA BIEN, ANNE ! LOUISE EST AVEC MOI !**

Anne se retourna et vit sa fille tousser, en pleurs, serrée contre son sauveur.

— Mon Dieu, Louise, Louise !

Au moment où elle nageait vers elle pour la prendre dans ses bras, elle aperçut derrière eux une ombre. Elle l'identifia rapidement comme la coque renversée du zodiac, surgie du néant obscur et portée par la puissance des flots. L'hélice allait fatalement les percuter. En une fraction de seconde, les images terribles de la fin de son cauchemar l'assaillirent. Elle se souvint de la planche saillante qui frappait l'arrière de la tête de l'homme et l'envoyait avec Louise par le fond.

— **ATTENTION DERRIÈRE VOUS !** hurla-t-elle.

Fabien se retourna et comprit le danger immédiat. Dans un réflexe instinctif, il plongea avec Louise dans ses bras.

Anne écarquilla les yeux, la bouche béante, mais alors que la stupéfaction et l'horreur la submergeaient, l'arbre du moteur la frappa de plein fouet et lui ouvrit le crâne. Elle perdit connaissance et sombra sous le poids de la coque rigide de la folle embarcation.

Lorsque Fabien réapparut à la surface déchaînée, Louise eut du mal à reprendre son souffle. Le fait de hurler lui permit d'expectorer l'eau salée qui encombrait ses voies respiratoires. Il chercha Anne tout autour de lui. Quand il reconnut la coque du zodiac retourné à l'endroit où il l'avait vue pour la dernière fois, il espéra qu'elle serait dessous, dans l'espace d'air salvateur qu'il supposait ainsi pour elle. Il entreprit d'aller vérifier en nage indienne nécessaire pour garder Louise contre lui d'un bras.

Quand il fut près du zodiac, un remords l'assaillit en imaginant la terreur de Louise lorsqu'il replongerait avec elle pour aller sous l'embarcation. Mais il devait le faire. Il n'avait pas le choix.
Il plongea.
Et en trois mouvements, il remonta sous la coque retournée. Il faisait entièrement noir et Louise hurla de plus belle. Fabien appela Anne plusieurs fois.
Sans aucune réponse de sa part.
Alors, saisi d'effroi, il comprit.
Il devait sortir de là.
Ses forces commençaient à l'abandonner. Il devait

absolument trouver un support quelconque pour s'y agripper. En tâtant les parois intérieures de la coque, il sentit au toucher la matière d'une brassière de sauvetage. Il tenta de la décrocher. En vain. Il l'explora du bout des doigts et perçut un moment les pressions sur la toile de fixation sur lesquelles il tira violemment. Elles cédèrent et il récupéra la brassière.

— Courage, ma puce ! Encore un petit plongeon sous l'eau et ce sera terminé.

Une fois à l'air libre, il remarqua qu'il ne pleuvait plus. Tout en maintenant d'un bras Louise qui ne cessait de pleurer, il réussit à passer la brassière et il libéra le percuteur de la cartouche qui provoqua un gonflage immédiat. Fabien se sentit flotter sur le dos. Il serra Louise conte sa poitrine, tout en lui parlant pour la rassurer.

Ce petit être devenait maintenant son seul lien sur terre.

À cette époque.

Il sut à cet instant qu'il en était responsable.

Une heure plus tard, les yeux de Louise étaient fermés. Ils subissaient tous deux un engourdissement corporel dû à la basse température de l'eau.

Sans s'en rendre compte, il perdit progressivement conscience.

25

— Can you hear me, sir ? How do you feel ? [10]

Du fond des nimbes d'où il commençait à émerger, Fabien reconnut la langue anglaise. Il ouvrit les yeux et vit un homme penché au-dessus de lui. À sa blouse, Fabien conclut qu'il devait être médecin.

— It's okay ? You 're safe, now… [11]

Il devait se trouver dans un hôpital ou un établissement similaire. Soudain, une pensée lui traversa l'esprit.

— Louise, où est Louise ? Where is the little girl who was with me ? [12]
— Don't worry ! She's fine. The pediatric service Took care of her. We will bring you a meal. Rest for

-----

[10] Pouvez-vous m'entendre, monsieur ? Comment vous sentez-vous
[11] Ça va ? Vous êtes en sécurité, maintenant…
[12] Où est la petite fille qui était avec moi ?

now ! [13]

Fabien fut soulagé. Il comprit qu'ils avaient été sans doute récupérés par une équipe anglaise de sauvetage. Louise était saine et sauve. C'était le principal. Subitement, il se souvint d'Anne. Il devait savoir et posa la question au médecin.

— Excuse me ! Did you also save the little girl's mom ? She was with me ... [14]
— No, I'm sorry, you are the only two survivors of your boat... Get some sleep now! You need it. [15]

Il pensa qu'il devait effectivement en avoir besoin, ou peut-être lui avait-on administré un quelconque relaxant…
Il ferma les yeux et ne se réveilla que deux heures plus tard.

***

Alors qu'il dévorait les aliments qu'on lui avait

---

[13] Ne vous inquiétez pas ! Elle va bien. Le service pédiatrique l'a prise en charge. Nous allons vous apporter un repas. Reposez-vous pour l'instant !
[14] Excusez-moi ! Avez-vous aussi sauvé la maman de la petite fille ? Elle était avec moi…
[15] Non, désolé, vous êtes les deux seuls survivants… Dormez un peu maintenant ! Vous en avez besoin.

servis sur un plateau, une infirmière entra dans sa chambre, Louise à la main. Quand elle le reconnut, elle se précipita vers lui. Il l'attrapa sous les bras et la serra contre lui. Elle le repoussa légèrement et le regarda dans les yeux.

— Où elle est maman ?

Un enfant, à cet âge, ignorait tout de la mort. Même s'il n'avait jamais été père et ne le serait sans doute jamais, il en avait parfaitement conscience. Mieux valait mentir.

— Elle se repose dans un autre hôpital. Nous irons la voir plus tard.

La petite fille lui décocha un sourire empreint de tristesse.

— Je l'aime ma maman. Elle aussi, elle m'aime beaucoup. Je dois beaucoup lui manquer…

— Oui, ma puce, tu lui manques sûrement. Moi aussi, elle me manque…

Et dire qu'ils ne la reverraient jamais… Il embrassa Louise et à cet instant, il comprit que l'affection qu'il éprouvait jusqu'alors pour elle se transformerait en un sentiment très proche de l'amour paternel.

L'infirmière la ramena sans doute au service pédiatrique afin qu'il se repose encore.

Se reposer ? Peut-être !

La pensée fatale tomba aussitôt.

Ils n'allaient pas passer leur vie ici.

Quand ils sortiraient, où iraient-ils ? Il ne connaissait ni le nom ni l'adresse de la belle-famille d'Anne... le nom, si ! Comme Anne... Anderson... Mais c'était tout... Et pas suffisant...

« La Vague » avait bien eu lieu.

Son grand-père gagnerait en tout état de cause les présidentielles, du moins le souhaita-t-il ardemment.

Il avait rempli sa mission.

N'avait-il pas été envoyé pour cela ?

Depuis 2084...

Soudain, il ressentit comme une forme de mélancolie.

Après ce qu'il venait d'endurer, il réalisait qu'il avait quitté tout ce qui enrichissait sa vie : Linda, leur mariage, l'enseignement face à ses étudiants, l'université, ses enquêtes historiques, ses livres et ceux qu'il aurait sans doute encore écrits...

Il songea à Renaissance. Antonin Gasparri, Benjamin Lacombe, Philippe Aubert... Et Werner Hoffmann dont les recherches et les découvertes avaient abouti à son transfert en 2031.

Un instant, par les effets visuels et sonores qui étaient imprimés dans sa mémoire, il en revécut l'épisode final. Le bourdonnement, l'intensité de la lumière blanche. Il se demanda à quoi correspondaient les bruits à répétition qu'il lui avait semblé percevoir. Inconsciemment, il entendit des tirs d'armes à feu.

Son cœur bondit dans sa poitrine.

Et si le siège de Renaissance avait été découvert par les loups policiers de Belami ?

Et si le siège avait été attaqué ?

Détruit ?

Et si les équipes politiques et scientifiques avaient été décimées ?

Il ne le saurait jamais.

Puisqu'il ne retournerait jamais en 2084.

Puisqu'il était condamné à vivre là, en 2031.

En Angleterre...

Mais pour aller où ?

Il songea à Anne. Elle avait représenté sa seule bouée dans ce monde qui ne lui appartenait pas. Le mot bouée le renvoya à sa disparition... Si seulement elle avait pu en avoir une...

Une scène et leur dialogue lui revinrent en mémoire à propos de la feuille qu'elle lui avait remise...

— ... *Tenez ! C'est pour vous. Enfin... pour eux. C'est au cas où il m'arriverait quelque chose...*

Fabien l'avait regardé avec des yeux étonnés et avait commencé à déplier le papier et découvert que le texte était en anglais.

— *Non, s'il vous plaît... Ne lisez pas maintenant ! Juste s'il m'arrive quelque chose... Vous me le promettez ?*

— *Que voulez-vous qu'il vous arrive ?*

Il avait replié la feuille et l'avait rangée dans son portefeuille.

Maintenant. Il devait savoir ce qu'Anne avait écrit. Pourvu que...

Il alla dans le placard de la chambre où ses

affaires avaient dû être entreposées. Il respira quand il sentit son portefeuille dans son blouson dont l'eau de mer avait bien blanchi le cuir noir d'origine.

Il s'en empara en espérant que la feuille n'aurait pas non plus subi les effets de l'eau de mer.

Heureusement, il avait pris soin de l'insérer dans une poche à fermeture éclair.

Il la tira.

Elle était là.

Pliée en quatre.

Il la sortit.

La déplia.

Il retourna s'allonger sur le lit et traduisit automatiquement le texte rédigé par Anne qui, par chance, n'avait pas été altéré.

Une émotion intense s'empara de lui à la lecture.

***

Gary et Jenny Anderson
438, Sandridge Road
AL1 4AQ St-Albans
England

Chers Gary et Jenny,

Si vous lisez cette lettre que vous a remise Fabien, mon compagnon, c'est qu'il m'est arrivé quelque chose de grave et que j'ai rejoint Warren. Je regrette de ne pas avoir pu vous revoir au moins une fois avant mon départ, mais ainsi en aura décidé le destin.

Fabien a pris soin de Louise, votre petite-fille, comme l'aurait fait Warren. Nous nous sommes rencontrés par hasard bien avant les évènements qui ont bouleversé la France et une partie de l'Europe de l'ouest. Je sais que certains endroits d'Angleterre ont aussi subi des dommages importants suite à la catastrophe climatique, mais grâce à Dieu, j'ai appris que St-Albans a été épargnée.

Dans la violence de ce drame, Fabien a perdu toute sa famille, et se retrouve sans papiers d'identité. Traumatisé, il ne souhaite plus retourner en France.

Je vous confie Louise. Je ne doute pas qu'elle sera heureuse avec vous.

Et enfin, Gary, je mets entre vos mains le destin de mon compagnon. Il parle couramment anglais. En France, il a été professeur d'histoire à l'université, a écrit de nombreux livres dont il vous parlera sûrement lui-même. Pour se documenter, il a fréquenté les archives historiques nationales et internationales et maîtrise parfaitement la notion de références et de classement.

J'espère, grâce à votre position politique dans l'Hertfordshire, que vous aurez l'opportunité de lui fournir des papiers d'identité de citoyen anglais, de lui trouver un petit appartement et aussi un emploi de documentaliste ou archiviste provisoire. Cela lui permettra de faire les rencontres nécessaires afin qu'il puisse un jour, s'il le souhaite, enseigner dans votre beau pays, l'Angleterre. Je connais votre empathie pour les êtres humains, et je ne doute pas que vous apporterez à Fabien tout votre soutien, et je vous en remercie.

Si Fabien arrive jusqu'à vous avec Louise, c'est qu'il en aura pris soin et que peut-être il lui aura sauvé la vie. Pour cela, permettez-lui de la voir de temps en temps.

Warren était son père.

Fabien sera son ami.

Je vous embrasse affectueusement.

Anne

***

Fabien laissa tomber ses bras.
La feuille entre les doigts.

Des larmes perlèrent au bord de ses paupières fermées et coulèrent lentement sur ses joues.
Il les essuya du dos de la main.

Anne lui sauvait la vie.

26

Tout se déroula comme Anne l'avait prévu.

Gary et Jenny Anderson, dans un premier temps méfiants, l'avaient accueilli à bras ouverts après la lecture de la lettre. Ils avaient pris Louise sous leur aile en grands-parents attentifs, responsables et affectueux.

Ils avaient hébergé Fabien pendant un mois, le temps que Gary lui fournisse des papiers sous une nouvelle identité, à savoir James Murphy. Il lui avait trouvé une chambre provisoire de bonne dans un immeuble du centre-ville, à deux pas de la bibliothèque municipale où il avait pu le faire entrer comme documentaliste.

***

Avril 2032

Dans sa chambre sous les toits, James Murphy suit les élections en France repoussées de cinq mois à la suite des dégâts provoqués par « La Vague ». Pendant cette période, c'est le président du Sénat, Marcel

Jouhandeau, assisté d'un gouvernement provisoire, qui a assuré l'intérim. Adrien Chabert-Lévy devient président de la République, et la société s'organise enfin autour des valeurs préconisées par l'article deux de la Constitution et que revendiquaient l'UPO et Renaissance : liberté, égalité, fraternité. La France peut s'enorgueillir de plus de justice sociale, même si la mettre en place est compliqué.

James Murphy sait à ce moment-là que sa mission est définitivement accomplie.

***

Régulièrement sur plusieurs années, Louise et James passent leurs samedis ensemble, à se promener dans les parcs, fréquenter les cinémas et les restaurants. Une vraie complicité et une amitié sincère s'installent entre eux.

***

Mai 2037

Adrien Chabert-Lévy est réélu pour un second mandat, plébiscité par plus de 72 % de Français euphoriques.

***

15 mars 2041

James Murphy sait que dans une clinique de Troyes, à 18 h 50, nait un garçon de trois kilos cinq qui se prénomme Gabriel, premier fils d'Arthur Chabert-Lévy et Francesca Salvatori.

Dorénavant, tout retour en France lui est impérativement interdit.

Ce même jour, en Angleterre, il fête son cinquante-troisième anniversaire et son entrée à l'université de Cambridge comme professeur d'histoire honoraire. Malgré l'heure de trajet pour s'y rendre, il conserve son appartement à St-Albans qui a remplacé, un an après son arrivée, la petite chambre de bonne que Gary lui avait trouvée. Il ne veut pas s'éloigner de Louise qui est sa seule « famille » et qui l'appelle affectueusement « Oncle Jaimie ».

***

Mai 2042

Un nouveau président, issu de l'UPO et du dernier gouvernement où il était ministre de l'Intérieur, est élu en France à la succession d'Adrien Chabert-Lévy, propulsant ainsi l'UPO sur plusieurs décennies.

Il s'appelle Martial Donnadieu.

***

Février 2045

James Murphy sait qu'une pandémie sévère de Covid va s'étendre sur la planète. Ce qui arrive dès le mois de février, avec plus de deux millions de morts dans le monde. Gary est l'une des deux cent mille victimes en Angleterre. James attend novembre de la même année pour que, sans surprise, le vaccin devienne obligatoire pour tous avec injection effective et légale d'un carnet de vaccination sous-cutané.

**

Avril 2045

En pleine pandémie, des tremblements de terre à répétition secouent la planète. Des volcans se réveillent semant la terreur un peu partout sur le globe. Des ouragans aux États-Unis, en Indonésie et en Australie provoquent des inondations dramatiques qui accélèrent d'autant plus les effets de la pandémie.
C'est au cours de l'année qui suit que Martial Donnadieu est élu par 98 % des chefs d'État premier président d'un véritable réseau politique mondial pour la sauvegarde et la protection de la planète. La grande innovation pour les réflexions, analyses et prises de décisions est l'ouverture aux associations engagées depuis plusieurs décennies avec des objectifs identiques. C'est ainsi que se retrouvent aux mêmes tables « Agir pour l'environnement »,

« Générations futures », « Zéro Waste France », « Planète Mer », « Noé », « Les Amis de la Terre » ou encore « Association pour la protection des animaux sauvages » et bien sûr « Greenpeace ». Des accords d'interdiction définitive de l'exploitation du gaz de schiste et du charbon sur l'ensemble de la planète ont été signés et appliqués dans les six mois qui ont suivi. Au bout de trois ans, la planète commence à respirer. La température moyenne annuelle baisse d'un degré cinq.

***

28 juin 2048

James est invité chez Jenny pour fêter les vingt ans de Louise et l'obtention de son diplôme de commerce international. Le lendemain, James convie Louise au restaurant. Ils vont se promener ensuite dans Hyde Park. James lui propose de s'asseoir sur un banc. Il lui raconte l'histoire de sa mère, Anne, millième éborgnée de la répression policière, et leur rencontre au square Samuel Rousseau. C'est le moment qu'il choisit, il le fallait bien un jour, pour lui parler de lui. De sa vraie vie. De son transfert. De sa mission. Sous le choc, Louise a bien du mal à le croire. Mais elle éprouve beaucoup d'affection pour lui et lui accorde une confiance absolue. Malgré cela, l'entendre dire qu'il a voyagé dans le temps, de 2084 jusqu'en 2031 relève à coup sûr d'un scénario de film d'anticipation.

Ses dernières résistances tombent lorsqu'il lui apprend que là-bas, en 2084, il a fait un énorme sacrifice en abandonnant définitivement Linda qu'il venait de demander officiellement en mariage après deux ans de vie commune.

Louise s'effondre dans ses bras.

***

15 mars 2050

Pour ses 62 ans, James Murphy publie son premier livre en anglais. Le thème porte sur l'impact du Brexit des années 20 en Grande-Bretagne et sur l'évolution de l'Europe politique au cours des décennies qui ont suivi.

***

Janvier 2058

Louise, cadre et responsable commerciale d'une importante société d'import-export, rencontre Callum Taylor, fondateur d'une chaîne nationale de restauration végétarienne.

Ils se marient en octobre de la même année.

James est le témoin de Louise.

***

Juin 2060

Louise et Callum deviennent parents d'un garçon qui se prénomme Ethan. James est son parrain.

Les gaz à effet de serre ont complètement disparu. Des icebergs dans l'Arctique et dans l'antarctique se reconstituent d'année en année. Le niveau des océans retrouve quasiment celui d'avant « La Vague » de 2031. La température moyenne sur terre a encore baissé d'un degré. Cette annonce officielle du centre d'observation scientifique des pôles donne lieu à des réjouissances dans tous les pays du monde. La fête est planétaire.

***

Septembre 2065

James apprend qu'en France Amaury Guichard, ancien président de la République, décède en prison où il a été enfermé après son jugement pour avoir tenté d'assassiner Adrien Chabert-Lévy.

Tout cela lui parait si loin maintenant…

***

Novembre 2071

Adrien Chabert-Lévy décède d'un cancer à l'âge de 83 ans. Un hommage national lui est rendu. La France pleure ce grand homme.

***

Avril 2072

James Murphy découvre qu'un enseignant d'histoire à la Sorbonne et auteur français de trente ans, Gabriel Chabert-Lévy, a publié son quatrième livre historique. Il traite de la naissance de l'Union Parlementaire d'Opposition. Son grand-père, Adrien Chabert-Lévy, en fut le premier secrétaire. James comprend pourquoi il a été inutile à son double de choisir le pseudonyme « Fabien Brissot », puisqu'il peut revendiquer sans crainte sa filiation. James commande le livre.

***

Mai 2072

James reçoit enfin le livre de Gabriel Chabert-Lévy. Il se plonge aussitôt dans sa lecture pour découvrir comment Adrien Chabert-Lévy, après avoir échappé miraculeusement à un assassinat, est devenu président de la République. Cette élection mit fin à la dictature d'Amaury Guichard. Les deux mandats du président Chabert-Lévy lancèrent la France sur les rails d'une période économique florissante.

***

24 décembre 2078

Le jour de Noël, effarés, Fabien et Louise apprennent par les actualités télévisées que le professeur d'histoire à la Sorbonne et auteur français, Gabriel Chabert-Lévy, s'est tué dans un accident de voiture à l'âge de 37 ans. James a la sensation de mourir un peu lui-même et jamais plus que ce jour-là, il ressent le poids des ans.

***

Juin 2080

James, Louise et Callum assistent à la remise des diplômes de fin d'année. Ethan, 20 ans, est admis à l'école de la magistrature d'Oxford pour un cycle d'études de cinq ans.
Au cours de l'été, James se fait photographier avec son filleul devant la célèbre université.

***

Lundi 11 mai 2082

Louise, 58 ans, apporte à James, 94 ans, les provisions hebdomadaires qu'elle dépose sur la table de la cuisine. Pendant qu'elle les répartit dans les placards et le réfrigérateur, James s'empare du Times qu'elle a rapporté et qu'il lit une fois par semaine. À peine l'a-t-il déplié que le titre de la une lui saute aux yeux :

THE TIMES

Monday May 11 2082

ANTONIN GASPARRI
6th president of the
French Sixth Republic

Avec stupeur, il parcourt l'article qui annonce non seulement qu'Antonin Gasparri a été élu sixième président de la sixième République française, mais qu'il y a de fortes probabilités pour que Benjamin Lacombe devienne Premier ministre.

Toute la scène qui a précédé son transfert, bien que remontant à cinquante ans, ressurgit du fond de sa mémoire… Les éclairs qui entourent la sphère… L'agitation dans le laboratoire… Les blouses blanches dans la violence de la lumière… Les chiffres rouges qui passent du 4 au 3 puis… Le bruit sec… répété… qu'il a associé bien plus tard à des tirs de mitraillettes… Puis une lueur éblouissante qui efface tout autour de lui… Qui lui fait supposer qu'ils sont morts… Que lui aussi est mort…

Alors Gasparri, Lacombe, Aubert, Werner n'auraient alors pas été tués ?

Il ne comprend plus.

Et soudain, tout devient limpide… Si, ils ont été tués, mais dans la trame temporelle initiale. Quand lui a accompli sa mission en empêchant son grand-père de se faire assassiner, une nouvelle trame temporelle a commencé et dans laquelle les quatre hommes ont existé, vécu jusqu'à aujourd'hui… C'est une évidence pour lui…

Voilà la raison pour laquelle Antonin Gasparri est devenu président de la République, et peut-être Lacombe Premier ministre. Et il est indéniable qu'aucun d'eux ne se souvient de lui.

Ni même Werner Hoffman. Comment vit-il lui-même dans cette nouvelle trame ? A-t-il découvert le transfert spatio-temporel ?

Ça, c'est une autre histoire qui ne le concerne plus…

***

15 mars 2084

Louise, 68 ans, a invité James au restaurant pour son 96e anniversaire.

— Tu crois que je serai centenaire, un jour ? glisse-t-il à Louise au moment du dessert.

— En tout cas, tu ne fais pas tes 96 ans… Tu marches sans canne, tu lis sans lunettes… Que demander de plus ?

— Une faveur !

— Une faveur ? Accordée ! répond-elle avec un large sourire.

— Attends ! Je ne l'ai pas encore exprimée…

— Cela ne fait rien, elle est accordée quand même, ajoute-t-elle avec le même sourire lumineux.

L'idée a traversé l'esprit de James il y a quelques mois. Et il a eu le temps de bien y réfléchir.

— Tu es trop gentille. Je crois que l'heure est venue de me placer en maison de retraite. Je suis bien fatigué et avant de devenir un poids pour Callum et toi, j'aimerais que tu fasses les démarches pour moi. Tu veux bien ?

— Même si cela me fait de la peine, je comprends ta demande, Jaimie. Cela devrait pouvoir se faire rapidement. La directrice d'une « nursing home[16] » à St-Albans est une amie. Je verrai avec elle.

— Merci, Louise. Mais ce n'est pas tout…

— Oui ?

— Le 22 mai correspond un peu à un anniversaire pour moi. C'est ce jour-là que l'équipe de Renaissance m'a transféré en 2031. J'aimerais retourner en France une dernière fois. Pour revoir Linda…

Louise est émue qu'après une si longue séparation il éprouve encore pour cette femme des sentiments aussi forts.

— Elle se souviendra de toi ?

— Non. Je n'ai jamais existé pour elle dans la trame temporelle que j'ai créée en permettant à mon

---

[16] Maison de retraite médicalisée

grand-père de ne pas se faire assassiner.

— Aura-t-elle rencontré Gabriel Chabert-Lévy ?

— Peut-être. Je n'ai jamais voulu le savoir. Mais il est mort maintenant. C'est la raison pour laquelle je peux retourner en France. Partager le même espace vital avec lui n'est plus un risque.

— Bon, j'ai toujours été hermétique à cette histoire d'espace vital, mais ce n'est pas grave. Nous irons en France tous les deux. Je te le promets.

Elle lui dépose un baiser affectueux sur la joue.

Il lui prend la main et la serre.

— Merci, Louise. Sincèrement, tu auras été la fille que je n'ai jamais eue.

— Et toi, Jaimie, le père que je n'ai jamais connu.

Épilogue

Lundi 22 mai 2084

L'avion décolle de l'aéroport d'Heathrow à 10 h 15 et atterrit une heure plus tard à Roissy. Louise et James prennent une navette pour Paris. Parvenus à la gare du Nord, ils montent dans un taxi.

— Quelle adresse ? demande le chauffeur.

James a préparé son plan avec Louise depuis qu'elle a accepté de venir à Paris avec lui deux mois plus tôt. Il a émis plusieurs hypothèses. Revenir à son appartement avenue des Ternes ne lui apporterait rien. Peu de chances que Linda y vive. Aller à la Sorbonne qui n'a pas changé de nom et ne s'appelle plus Martial Donnadieu, non plus. De toute façon, pour y faire quoi ? Retrouver la trace de Gabriel Chabert-Lévy qui maintenant est mort ? Aucun intérêt. Il n'est revenu que pour apercevoir au moins une fois Linda. Et il sait qu'elle existe dans cette nouvelle trame. Il a sollicité Louise pour téléphoner au siège de la revue « Histoire & Politique » où il lui a été confirmé que Linda Marchal est bien journaliste.

— Place Tristan Bernard dans le 17e, s'il vous

plaît…

Le chauffeur acquiesce d'un bref signe de tête et démarre.

C'est au Franc-tireur, le dernier café qu'il a fréquenté la veille de son transfert en attendant que Linda rentre du cinéma, qu'il a demandé à Louise de lui donner rendez-vous à 15 h. Elle est censée lui délivrer des informations « confidentielles » sur Antonin Gasparri. Linda a mordu à l'hameçon. Mais Louise ne la rencontrera pas. Lui, si. Il sera assis à quelques tables de l'entrée. Juste pour la voir.

Le taxi le dépose à l'adresse indiquée et Louise se fait conduire sur les Champs-Élysées qu'elle ne connaît pas et qu'elle envisage de parcourir le temps du rendez-vous. Ils conviennent qu'elle reviendra le prendre en taxi à 16 h. Leur retour de Roissy à Londres est prévu à 21 h.

Dès que le taxi s'est éloigné, James Murphy entre au Franc-Tireur avec une certaine appréhension. Il ne peut s'empêcher, tout étonné, de remarquer que l'aménagement, la décoration, le miroir derrière le bar, les luminaires muraux ou les lustres au plafond sont identiques à son souvenir. Ce qui signifie que dans une nouvelle trame, tout ne change pas systématiquement. Le cadre de vie semble toujours le même. Spontanément, il va s'asseoir à la table qu'il a occupée voilà plus d'un demi-siècle, la veille du transfert. De cet endroit, il ne pourra manquer Linda lorsqu'elle rentrera.

Soudain, il se sent fébrile. Ses mains se mettent à

trembler et il doit faire un effort surhumain pour les contrôler. Il a aperçu son reflet dans le miroir devant lequel il est passé pour se rendre à sa position stratégique.

Il craint que la jeune Linda de trente-cinq ans ne se laisse aborder par ce vieillard de quatre-vingt-seize ans. De toute façon, pour lui dire quoi ? Bonjour, je suis Fabien… Ou bien… coucou, me reconnais-tu ? Bien sûr que non ! D'ailleurs, pourquoi l'aborder ? N'est-il pas venu ici juste pour la revoir une fois ? Alors, c'est ce qu'il fera.

— Bonjour, qu'est-ce que je vous sers ? demande un garçon affable.

— Euh… un café allongé, s'il vous plaît, avec un peu de lait…

— Je vous apporte ça…

Il regarde la pendule au-dessus du miroir, derrière le bar. 14 h 59… Elle ne devrait pas tarder… Elle a toujours été à l'heure… Enfin… sa Linda d'avant…

À 15 h pile, une femme entre au Franc-tireur.

Déception. Ce n'est pas elle.

Le garçon dépose sur la table son café allongé sur une soucoupe avec du sucre, une cuillère et une petite cruche de lait. Il le remercie.

15 h 4, toujours pas de Linda.

Et si elle ne venait pas…

Non, elle va venir. Elle est bien trop professionnelle pour passer à côté d'une information qui pourrait s'avérer capitale.

461

15 h 15. Cette fois, il est persuadé qu'elle ne viendra plus. Autant attendre Louise sur un des bancs de la place... Ici, trop de souvenirs l'assaillent...

Il boit son café, se lève et se dirige vers le comptoir avec son ticket pour le régler.

Au moment où il franchit la porte pour sortir, une tornade déboule dans l'embrasement et manque de le faire tomber. Il se rattrape comme il peut. La tornade s'excuse, lui demande si tout va bien.

— Oui, oui, mais vous auriez pu...

Il croise son regard.

Linda !

— Excusez-moi encore, monsieur ! Je suis vraiment navrée...

James Murphy ne peut plus dire un mot.

Sa voix... la même...

Ses yeux, mélange de vert et de brun clair avec les pupilles aux éclairs d'or et de feu, pétillent autant que lors de leur première rencontre à la soirée organisée chez son éditeur, Alfred d'Anjou, pour la sortie de son livre « Et si... ou le destin tragique d'Adrien Chabert-Lévy »

Avec les mêmes cheveux longs châtain...

Et là, elle a... toujours trente-cinq ans !

— J'étais en retard à un rendez-vous, c'est pour cela que je me suis précipitée.

James Murphy déglutit et parvient à murmurer :

— Mais... la... la personne avec qui vous aviez rendez-vous est peut-être là...

Elle jette un œil dans toute la salle. Elle repère

deux couples à une table et quelques hommes. Pas de femme seule…

— Elle a dû repartir. Je m'en veux. Ce n'est pas dans mes habitudes… Venez, allons nous asseoir ! Pour me faire pardonner, je vous offre un verre…

Ils s'installent face à face à la table qu'il vient de quitter.

— Qu'est-ce qui vous ferait plaisir ?

— Juste un verre d'eau, s'il vous plaît…

Sa gorge est tellement sèche. L'émotion est si forte.

— Un verre d'eau ? C'est tout ?

— Oui, s'il vous plaît. Je viens de boire un café.

Une fois que le garçon a déposé les consommations sur la table, une sorte de malaise s'installe entre eux. Parce que James Murphy ne sait pas quoi dire. Parce qu'il fixe Linda sans la quitter des yeux. Parce que son souvenir se superpose à la réalité. Elle est si belle. Exactement aussi belle que le souvenir qu'il a gardé intact dans sa mémoire. Et tout cela dérange Linda qui ne comprend pas pourquoi ce vieil homme la scrute avec autant d'insistance.

James Murphy s'en rend compte.

Il doit lui parler.

Il doit savoir.

Il ose.

— Êtes-vous mariée ?

— Vous me draguez ? demande-t-elle sur un ton amusé.

— Non, bien sûr… À mon âge !... Mais je pense

463

qu'une femme aussi jolie que vous doit faire le bonheur d'un homme…

— Merci pour le compliment.

Une ombre balaye fugitivement son sourire.

— J'ai été mariée. Je suis veuve.

— Oh, je suis désolé, chuchote James avec un pressentiment.

— Non, ce n'est rien. Mon mari est décédé il y a six ans dans un accident de voiture. Nous sommes restés deux ans ensemble. Vous avez peut-être lu ses livres…

Le pressentiment devient tempête.

— Il s'appelait Gabriel Chabert-Lévy… Ça vous dit quelque chose… Vous vous sentez bien ? Vous êtes tout pâle…

— Oui, oui, ça va aller. C'est juste que… oui, je l'ai bien connu… Je l'ai eu comme… comme étudiant…

— Vous avez enseigné ?

— Oui, l'histoire-géopolitique…

— Euh… Excusez-moi ! Mais vous avez quel âge ? Si je peux me permettre…

— Quatre-vingt-seize ans cette année !

— Eh bien, félicitations ! Vous ne les faites pas…

— Merci.

— Mais vous devez vous tromper… Mon compagnon est mort à trente-sept ans. À moins que vous ayez enseigné jusqu'à quatre-vingts ans, vous n'avez pas pu l'avoir en cours…

— Ah ? Vous devez avoir raison… Je dois

confondre… Ma mémoire me joue parfois des tours.

— Ce n'est pas grave…

Linda regarde sa montre.

— Bon, 15 h 45… Je vais y aller. Mon rendez-vous est vraiment tombé à l'eau. J'espère qu'elle me rappellera, cette dame… Elle devait me donner des informations sur… oh, laissez tomber ! Je ne vais pas vous ennuyer avec mon travail…

Elle pose sur la table la monnaie qui correspond au montant imprimé sur le ticket, puis elle se lève.

— Je vous dis au revoir. Peut-être nous reverrons-nous ?

— Non, je ne crois pas. Je n'habite pas en France…

— Ah ? Où habitez-vous ?

— En Angleterre, dans une petite ville au nord de Londres…

— Ah ! Vous êtes venu en voyage ?

— Non, je suis revenu pour revoir une amie que j'ai fréquentée dans ma jeunesse et que je n'avais pas revue depuis plus de cinquante ans…

— Et vous l'avez revue ?

— Oui.

— Vous vous êtes reconnus ?

— Moi, oui. Elle, non.

— C'est qu'elle n'avait pas trop changé…

— Oui, c'est tout à fait ça. Elle, elle n'a pas changé du tout. Moi, si.

— Pas du tout ? En cinquante ans ? Peut-être un peu quand même, non ? dit Linda en souriant.

James la regarde intensément.

— Non, je vous promets. Pas du tout.

James pense que Linda doit le trouver un peu sénile. Pour abréger la conversation, il se lève de la banquette.

Ils quittent ensemble le Franc-tireur et traversent la route pour aller au milieu de la place.

— Bon, je vais vous abandonner ici, dit Linda. Je vais rentrer chez moi pour me changer. Je suis invitée ce soir à une réception que donne un éditeur pour la sortie du livre d'un de ses auteurs. Je n'aurai pas le temps de revenir. Et vous, qu'allez-vous faire maintenant ?

— Je vais attendre une amie qui va passer me prendre en taxi pour rejoindre l'aéroport. Notre avion est à 21 h. Au revoir, madame. Merci pour ces quelques moments en votre compagnie…

— Alors au revoir, monsieur… ?

— Murphy… James Murphy !

— Au revoir, monsieur Murphy. Moi, c'est Linda Marchal.

Je sais Linda… Je sais…

— Alors, au revoir Linda…

Il ressent le fait de prononcer son prénom tout en la regardant dans les yeux comme un vrai supplice.

Lorsqu'elle lui tend la main pour le saluer, James a une appréhension… Celle du contact…

Lorsqu'il sent la peau de la main de Linda dans sa

paume, il ne peut s'empêcher de la lui caresser fugitivement.

Elle la retire presque aussitôt. Non pas que cette caresse la choque, mais plutôt parce que ce contact, sans qu'elle puisse se l'expliquer, lui renvoie l'image de Gabriel.

— Bon, j'y vais. Au revoir…

— Au revoir…

Tout en s'asseyant sur un des bancs de la place, il la suit des yeux alors qu'elle se dirige vers… l'avenue des Ternes ! Il bondit littéralement.

— LINDA ! lance-t-il de sa voix brisée par l'émotion d'une puissance volontaire qui déclenche une quinte de toux.

La jeune femme déjà à une centaine de mètres se retourne, le voit debout, plié en deux. Il doit avoir un problème.

Elle revient vers lui.

— Vous allez bien ? demanda-t-elle en approchant.

James lui fait comprendre de la main que tout va bien tout en s'asseyant sur le banc, le temps que la toux se calme. Quand il se sent capable de parler, il s'excuse et lui fait une proposition.

Honnête, mais surtout subtile.

— Je vais vous reconduire chez vous en taxi… Vous n'allez pas repartir à pied…

— Oh, ce n'est pas la peine. Merci de l'intention. Mais mon appartement est à deux minutes…

— Avenue des Ternes ?

— Oui. Comment le savez-vous ? demande Linda étonnée.

— Euh… parce que vous en prenez la direction…

— Ah, d'accord ! Écoutez, si un jour vous repassez à Paris, venez me dire bonjour. J'habite au n° 49…

James en a le souffle coupé.

— Au… quatrième… étage ?

— Alors vous, vous êtes incroyable ! Comment savez-vous cela ?

— Je… je l'ignorais… C'est… c'est juste une similitude. Chez moi en Angleterre, je… mon immeuble est également le 49. Et comme mon appartement est au quatrième étage, je me suis dit que ce serait trop drôle que le vôtre y soit aussi… Euh… quelle coïncidence, n'est-ce pas ?

— Sans doute… sans doute… Ravie de vous avoir rencontré.

Et cette fois, Linda s'éloigne sans se retourner.

Pas autant que moi, Linda… Pas autant que moi…

James l'accompagne du regard jusqu'à ce qu'elle disparaisse au coin d'un bâtiment d'angle de l'avenue des Ternes.

Il est vraiment temps que cela s'arrête…

À cet instant, un taxi se gare le long du trottoir qui cerne la place. Louise en descend et interpelle James.

Lorsqu'ils se retrouvent tous les deux sur la banquette arrière, Louise demande au chauffeur qu'il les conduise à la gare du Nord.

Au regard perdu de James, elle sait qu'elle doit respecter son silence.
Nul doute qu'il a revu Linda.
Il lui en parlerait quand il le déciderait.
Le trajet en RER jusque Roissy ne le déride pas non plus.

Elle l'imagine dans un rêve.
Le rêve qu'il vient de vivre avec Linda.

Lorsque l'avion décolle de la piste de l'aéroport, James prend la main de Louise, sans un mot, et baisse les paupières.

Cette pression de la main la rassure.
À sa respiration, elle sait qu'il s'est endormi.

Lorsque l'avion se pose à l'aéroport d'Heathrow, il fait presque nuit.
James a toujours les yeux fermés.

Il tient toujours la main de Louise.
Il a froid.
Cette fois, il ne respire plus.

Remerciements

Je remercie vivement,

Janine GREINHOFER, Josette LAGNEAU, Peggy LAGNEAU, Shirley VIRGA pour leurs relectures attentives et essentielles,

Monsieur le député Bertrand PANCHER pour m'avoir permis de visiter l'Assemblée nationale et d'assister dans l'Hémicycle aux questions au gouvernement.

Sources bibliographiques

Comment tout peut s'effondrer – Petit manuel de collapsolgie à l'usage des générations présentes
(Éditions du Seuil - Pablo SERVIGNE, Raphaël STEVENS)

Règlement de l'Assemblée Nationale
(Septembre 2019 - Assemblée nationale XVe législature – Boutique 7, rue Aristide Briand – 75007 Paris)

Éditions BoD – Books on Demand

12/14 rond-point des Champs-Élysées, 75008 Paris
Impression : BoD – Books on Demand, Norderstedt,
Allemagne

ISBN : 9782322239719

Dépôt légal : septembre 2020